Études sur la France
de 1939 à nos jours

AVEC LES CONTRIBUTIONS DE :

Jean-Charles Asselain
Jean-Pierre Azéma
Yves Durand
Jean-Baptiste Duroselle
Étienne Fouilloux
Patrick Fridenson
François Goguel
Stanley Hoffmann
Jacques Julliard
Jean Lacouture
Michael R. Marrus
Guy Pervillé
Denis Peschanski
René Rémond
Jean-Pierre Rioux
Henry Rousso
Marc Sadoun
Michel Winock

L'histoire

Études
sur la France
de 1939 à nos jours

Éditions du Seuil

ISBN 2-02-008653-0

© ÉDITIONS DU SEUIL, FÉVRIER 1985

Avertissement de l'éditeur

La revue mensuelle *L'histoire* a été créée en 1978. Elle se proposait d'établir un pont entre les historiens spécialistes, chercheurs et professeurs, et ce qu'on appelle le grand public cultivé, désireux d'accéder à une histoire de caractère scientifique sans buter sur les obstacles qui maintiennent celle-ci derrière les portes des «laboratoires». Au bout de six ans, les fondateurs et les animateurs de la revue peuvent se réjouir d'avoir été suivis par un public croissant et fidèle.

L'ouvrage présent offre un choix d'articles publiés par *L'histoire* ayant trait à la France et aux Français dans les limites chronologiques qui sont devenues celles du programme d'histoire des classes terminales : de 1939 à nos jours. C'est dans cette perspective scolaire que nous avons retenu les sujets traités, au préjudice d'autres articles, parfois meilleurs peut-être, mais de portée moindre. Les chapitres de ce livre portent donc la marque d'une contrainte initiale : celle d'une revue ayant ses normes et son public. Dans telle ou telle autre publication, de type érudit, nos auteurs eussent écrit des textes plus approfondis ; nous n'avons rien changé de ceux qu'ils donnèrent à *L'histoire*, les jugeant, tels qu'ils se présentent, utiles, voire d'une réelle nouveauté. A ceux qui voudraient des compléments, les bibliographies suivant chacune de ces études, et qui ont été mises à jour, offrent des relais et des pistes qui, selon la formule, leur permettront d'«en savoir plus».

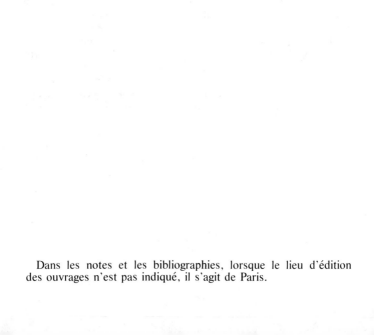

Dans les notes et les bibliographies, lorsque le lieu d'édition des ouvrages n'est pas indiqué, il s'agit de Paris.

1

1940 : la France
sans stratégie

Jean-Baptiste Duroselle

Le 30 janvier 1933, appelé par le vieux maréchal Hindenburg, président de la République allemande, Adolf Hitler, d'une façon parfaitement légale, est nommé chancelier, c'est-à-dire Premier ministre. En moins de deux mois, il transforme la République en une des plus terribles dictatures de l'histoire. La grande crise économique mondiale, qui a commencé en 1929, aboutit donc à des résultats politiques bien divers : en France, à la dégradation du pouvoir exécutif (de juillet 1929 à juin 1936, on compte 16 cabinets successifs); en Angleterre, à l'élection d'une énorme majorité de conservateurs, pacifistes et discrètement antifrançais ; en Allemagne, à un pouvoir ultra-nationaliste, où tout — y compris la personne humaine — est sacrifié à la création d'une puissante force militaire.

En ce début de 1933, malgré leurs divisions internes, les Français n'ont qu'un désir : maintenir la sécurité. Depuis 1919, ils jouissent en effet de ce qu'on pourrait appeler la *sécurité totale*. Cela signifie que, par rapport à la seule menace concevable, celle d'une Allemagne revancharde, ils disposent d'une telle supériorité militaire qu'ils ne risquent ni un démembrement territorial ni même la guerre. Ils doivent cette situation exceptionnelle au traité de Versailles (28 juin 1919), qui a réduit l'armée allemande à 100 000 hommes, sans armes lourdes, ni aviation, et qui a créé, sur la rive gauche du Rhin et sur une bande de 50 km à droite de ce fleuve, une zone démilitarisée, où toute fortification est interdite. Les Français, qui ont perdu 1 310 000 jeunes hommes (plus 83 000 des troupes coloniales), ne demandent rien d'autre, sur le plan de la politique étrangère, que cette sécurité totale. Ils n'ont absolument aucune revendication territoriale ; en cette période où l'on croit aux empires, ils en possèdent un immense. Ils sont « saturés », comme disait Bismarck.

Une stratégie introuvable.

Tout ce bel échafaudage s'effondre en six ans. En septembre 1939, si pacifistes soient-ils, ils ne peuvent éviter la guerre. En mai-juin 1940, ils sont écrasés par l'armée allemande.

Quand de pareils malheurs se produisent, l'opinion publique a tendance à oublier ses responsabilités collectives, et à chercher des « coupables ». L'État français de Vichy l'a tenté en 1942 par le « procès de Riom » ; le gouvernement de la Libération par une « Commission d'enquête parlementaire ». Aucune de ces deux tentatives n'a abouti, ni ne pouvait aboutir. Les explications doivent être recherchées à de plus grandes profondeurs : désagrégation du sentiment national, « dépression pacifiste », et par conséquent mauvais moral des troupes ? Insuffisance de l'armement ? Il y a quelque vérité dans ces hypothèses. Mais elles ne suffisent pas ou, du moins, elles ont elles-mêmes besoin d'être expliquées.

« Si tu veux la paix, écrivait l'Anglais Liddell Hart, apprends à connaître la guerre. » La sécurité du pays appartient à toute la nation. L'engourdissement intellectuel au sommet n'est possible que si la base l'accepte. Dans un excellent livre, écrit en 1960, *Haut Commandement : gouvernement et défense des frontières*, le général Tournoux a parfaitement montré la solidarité globale qui existe entre les électeurs, le Parlement qu'ils ont désigné, les gouvernements qui en sont issus, les chefs militaires nommés par ces gouvernements, et les plans adoptés par ces chefs militaires. Bien d'autres écrivains, à la tête desquels je placerais volontiers le général André Beaufre (voir son *Drame de 1940*), ont réfléchi à cette question. Au total, l'attitude des Français de l'entre-deux-guerres peut être définie comme l'*absence d'une stratégie*.

Stratégie et tactique.

Avant d'entrer dans les quelques détails concrets indispensables à la compréhension de ce phénomène, rappelons ce qu'est la *stratégie*, dans son sens politico-militaire. Elle n'est pas la *tactique* ni même la *grande tactique*. La tactique, c'est la technique des militaires professionnels qui, ayant reçu des ordres, cherchent à utiliser au mieux les moyens dont ils disposent pour les exécuter. La stratégie est une activité intellectuelle qui consiste, face à l'inconnue de l'avenir, à déterminer 1°/ *les buts* qu'on se propose ; 2°/ *les moyens* nécessaires pour les atteindre ; 3°/ *les risques* qu'on acceptera de courir : il faut soit se fixer des buts très modestes, soit accroître énormément ses moyens. Avec des moyens limités, la réalisation de buts ambitieux suppose des risques énormes, etc. On voit toute la gamme des possibilités qui s'offrent aux stratèges. En temps de guerre, la stratégie, confrontée aux faits, doit être sans cesse revue et corrigée. En temps de paix, son rôle est plus modeste, et néanmoins essentiel : *préparer des plans*, qu'on ne peut expérimenter « en vraie grandeur », mais dont l'éventuelle application présente des chances raisonnables de succès.

Au moment où nous nous plaçons — l'arrivée de Hitler au pouvoir —, étant donné le principe admis par tous les Français : *la sécurité et la paix*, et la réalité évidente : la *seule menace potentielle vient de l'Allemagne*, il y avait diverses orientations stratégiques possibles, qu'on peut résumer ainsi :

A/ Éliminer l'esprit de revanche de l'Allemagne en lui faisant des concessions (ce sera l'*appeasement* des Britanniques).

B/ Compter sur la « sécurité collective », c'est-à-dire sur l'efficacité des sanctions militaires et autres que pourrait décider la Société des nations.

C/ Face à une Allemagne de 65 millions d'habitants, renforcer la puissance des 40 millions de Français par des alliances.

D/ Donner à l'armée française le moyen de décourager toute volonté d'agression de l'Allemagne, ou, du moins, si elle se produit, le moyen d'en triompher.

En 1933, il faut être aveugle pour croire qu'on pourra apaiser l'Allemagne de Hitler, même en sacrifiant cyniquement les pays de l'Est européen. Il suffit de lire son livre *Mein Kampf*, qui date de 1925. Trop peu de Français l'ont lu, ou, l'ayant lu, l'ont pris au sérieux.

De même, à part quelques idéalistes obstinés, on ne croit plus à l'efficacité de la SDN : en septembre 1931, celle-ci n'a pas osé déclarer le Japon coupable d'agression lorsqu'il a envahi la Mandchourie chinoise. La force de la SDN se réduit en pratique à l'armée française et à la flotte britannique.

On doit donc éliminer A et B. Restent C et D.

Philippe Berthelot et Alexis Léger.

Il appartient au ministère des Affaires étrangères — le Quai d'Orsay — de réaliser un réseau d'alliances. Le système qui existe en 1933 a été construit pendant les années 1920 par Aristide Briand, ministre des Affaires étrangères de 1921 à janvier 1922 et de 1925 à janvier 1932, et surtout par un diplomate compétent et acharné à la tâche, le secrétaire général du Quai d'Orsay, Philippe Berthelot, fils du grand chimiste. En 1933, Berthelot, malade, est remplacé par Alexis Léger, qui n'est autre que le poète Saint-John Perse, futur prix Nobel de littérature. Léger, comme Berthelot, est un « briandiste » enthousiaste. Mais le moins qu'on puisse dire est qu'il n'a ni la capacité de travail, ni l'imagination, ni l'autorité de son prédécesseur.

Le système, tel qu'il est, présente deux éléments.

1º/ Depuis le traité de Locarno, de 1925, une garantie de l'Angleterre et de l'Italie pour le cas où les Allemands violeraient le territoire français. Notons que l'Italie fera défection, mais que la Grande-Bretagne y restera fidèle jusqu'au bout.

2º/ De « petites alliances » avec des pays de l'Est européen, formellement avec la Pologne et la Tchécoslovaquie, moins nettement avec la Yougoslavie et la Roumanie.

Ce système présente des faiblesses, et en particulier son morcellement. Si la France attaque son allié polonais ou tchécoslovaque, l'Angleterre n'interviendra pas — elle ne cesse de l'affirmer. Par ailleurs, la Tchécoslovaquie et la Pologne, loin d'être alliées entre elles, se disputent le petit territoire silésien de Teschen, annexé par la Pologne. On voit le jeu auquel Hitler se livrera : se rapprocher de la Pologne pour anéantir la Tchécoslovaquie, puis se retourner contre la Pologne.

Par ailleurs, quelques petites alliances, même si sur le papier elles ajoutent aux 100 divisions de la nation française en armes 70 à 80 autres divisions, ne valent pas une bonne alliance avec une grande puissance. Un seul homme, pendant notre période, tente de pratiquer une politique réaliste, Louis Barthou, en 1934. Barthou cherche à s'allier d'abord avec l'URSS communiste, puis également avec l'Italie fasciste. Cela pouvait se faire, les relations soviéto-italiennes étant alors curieusement excellentes. On se heurtait à la majorité de la droite, anticommuniste, pour l'alliance avec Moscou ; aux socialistes pour l'alliance avec l'Italie. Mais la difficulté était surmontable.

Malheureusement, Barthou meurt le 9 octobre 1934, assassiné sur le port de Marseille avec le roi Alexandre de Yougoslavie. Son successeur, Pierre Laval, qui avait horreur d'aller jusqu'au bout des choses, se contente d'un rapprochement fragile avec l'Italie (brisé en 1936) et d'une alliance avec l'URSS (mai 1935), édulcorée et rendue parfaitement insignifiante par certains de ses collaborateurs du Quai d'Orsay, et notamment par Alexis Léger, qui ne voulait pas toucher au système de Berthelot.

Le discours de la « méthode ».

Mais il y a plus grave. Face à la stratégie du Quai d'Orsay, *l'armée établit de son côté une stratégie militaire tout à fait contradictoire avec le système des alliances.* On s'en rendra compte en examinant rapidement trois données de base : *l'instruction sur la conduite des grandes unités (IGU)* de 1921 ; *la loi Maginot* de 1930 ; le *plan D bis* de 1935.

Lorsque, après la Grande Guerre, l'armée française entreprit de réfléchir à l'avenir, elle pouvait le faire en toute quiétude, puisque l'armée allemande était réduite à peu de chose. Jusqu'en 1931, le chef suprême, vice-président du Conseil supérieur de la guerre, fut le maréchal Pétain. De 1931 à 1935, le général Weygand lui succéda. A partir de 1935, ce fut le général Maurice Gamelin, le mieux noté, le plus brillant des officiers de l'armée française, mais un homme prudent, cherchant toujours à « être couvert » par son supérieur (le ministre), ou à attribuer les responsabilités à ses subordonnés. Pétain continua à siéger jusqu'à la fin au Conseil supérieur de la guerre avec le titre d' « inspecteur général de la Défense aérienne du territoire ».

Les deux autres grands chefs de la guerre, Foch et Joffre, étaient en dehors du circuit, et ils moururent bien avant Pétain, en 1928 et en 1930.

Pendant la Grande Guerre, Pétain avait été l'homme de la « méthode ». La « méthode » consistait à accumuler suffisamment de moyens, notamment en artillerie, pour conquérir des territoires limités, avec des pertes plus faibles que celles de l'ennemi. En octobre 1917, à la bataille de la Malmaison, Pétain avait ainsi conquis quelques kilomètres carrés sur le célèbre Chemin des Dames, plateau situé à l'est de Soissons. La « méthode » était contradictoire avec la « surprise », parce qu'elle supposait plusieurs jours de préparation d'artillerie. Le 27 mai 1918, le général allemand Ludendorff, utilisant à fond la surprise, conquit en deux heures tout le Chemin des Dames, perça les lignes françaises et ne fut arrêté qu'à la Marne. Foch, beaucoup plus fougueux que Pétain, adopta la technique de Ludendorff et, grâce à l'afflux des Américains, remporta la victoire.

Mais Pétain, hanté par la guerre des tranchées, convaincu que les fronts étaient toujours destinés à se stabiliser, fonda la doctrine d'après-guerre de la France non seulement sur la « puissance prépondérante du feu » — tout le monde était bien d'accord sur ce point — mais encore sur deux principes connexes qui enchantèrent l'opinion : l'*inviolabilité du territoire* et la *défensive sur une ligne fortifiée.*

Imaginons le pauvre « poilu » dans sa tranchée boueuse, à ciel ouvert, abomination de l'inconfort et du danger. Voici qu'on lui propose une tranchée profonde, établie à l'avance, confortable, avec plusieurs mètres de béton au-dessus de sa tête, pratiquement imperméable aux obus. Bien plus, cette tranchée longe la frontière. Il n'y a plus de zones occupées par l'ennemi. Et quelle preuve d'esprit pacifique ! Nous ne sommes pas des agresseurs ; la meilleure preuve est que nous dépensons une grande partie de nos crédits militaires à bâtir une puissante forteresse immobile ! Décidément Pétain est le grand homme par excellence. « Pour ce réaliste sceptique et terre à terre, tout l'esprit d'avant 1914 est faux : plus de panache, d'élan, de vastes conceptions abstraites. Il faut se limiter à l'expérience récente et aux problèmes concrets. Tout doit partir de la technique et se limiter à la tactique... Pour lui, l'expérience a démontré l'inviolabilité des fronts continus et fortifiés... Donc la défensive sera la reine de la guerre. »

Les illusions Maginot.

Tel est l'esprit de l' « IGU ». Et, lorsque le 12 août 1936, on adopte une nouvelle IGU, celle-ci maintient les mêmes principes, car, dit le nouveau texte, « le corps de doctrine objectivement fixé au lendemain de la guerre par des chefs éminents » doit « demeurer la charte d'emploi des grandes unités ».

La doctrine de l'IGU aboutit, après bien des délibérations, à une loi préparée par Paul Painlevé, ministre de la Guerre de 1926 à 1929, grand admirateur de Pétain qu'il avait fait nommer en 1917, et présentée par son successeur André Maginot. La loi du 14 janvier 1930 décide la construction de la « muraille de France », la fameuse « ligne Maginot », suprême espoir et suprême pensée de la stratégie française.

Elle sera bien en place en 1939. Mais comme elle coûte très cher, on ne la bâtit que le long de la frontière avec l'Allemagne. Plus à l'ouest, c'est l'Ardenne, « zone de destruction » évidemment infranchissable par une armée moderne ! enfin, pas de muraille le long de la frontière franco-belge ! Là, on pourra manœuvrer. Une convention militaire secrète franco-belge, conclue par Foch en septembre 1920, paraissait impliquer l'utilisation du sol belge. Mais les Belges ne l'entendaient pas ainsi et finirent par abroger la convention en 1936, se refusant dès lors à toute conversation militaire sérieuse avec la France. Il restait donc un énorme trou béant, que l'on pensait combler avec des « fortifications légères de campagne », lesquelles n'existèrent jamais que sur le papier.

Le plan D bis, mis en application le 15 avril 1935, couronne tout le système. En fait, c'est un simple plan de concentration. Il prévoit une série de dispositions successives en cas de menace : « alerte » (simple rappel des permissionnaires), « alerte renforcée » (rappel de certains réservistes), « sûreté », c'est-à-dire mobilisation générale. La conclusion est d'une grande clarté : « 1°/ couvrir les centres vitaux proches de la frontière ; 2°/ couvrir les opérations de mobilisation et de concentration ; 3°/ donner aux unités de formation le temps nécessaire pour acquérir la cohésion indispensable. Alors seulement, et suivant *les événements, on pourra songer à améliorer la situation sur le front défensif initial, puis, le moment venu, passer à la contre-offensive* » (texte tiré d'un rapport de Vernet et Michallon. La partie en italique est une citation du plan D bis).

Donc, si l'Allemagne attaque, par exemple, la Tchécoslova-quie, le plan D bis amènera 3 millions de Français derrière la ligne Maginot. Puis on préparera à loisir une offensive, en utilisant une armée défensive dans sa structure et son esprit. Disons les choses clairement : les Allemands auront le temps d'écraser complètement les malheureux Tchèques, de s'empa-rer de leurs armes, de leurs usines d'armement (Skoda, à capitaux principalement français), puis de se retourner, plus forts que jamais, contre la France. En 1933, c'est encore impossible. Mais en mars 1935, l'Allemagne, qui déjà réarmait fébrilement, dénonce les restrictions militaires du traité de Versailles et entreprend la création d'une puissante « force de guerre » (Wehrmacht). En mars 1936, elle réoccupe la zone démilitarisée de Rhénanie et y entreprend aussitôt la construc-tion du « mur de l'Ouest » ou « ligne Siegfried », disposé en profondeur et destiné à empêcher les Français de secourir leurs alliés. En 1937, la Wehrmacht dépasse en puissance l'armée française. En 1938, la France, non soutenue par l'Angleterre, se déshonore en refusant de secourir son allié tchécoslovaque. En septembre 1939, soutenue par une Angleterre dont le Premier ministre Neville Chamberlain a enfin compris que « Hitler n'est pas un gentleman », la France vole au secours de la Pologne... en restant derrière la ligne Maginot. Enfin, en mai 1940, la Wehrmacht s'engouffre à travers la Belgique ; mais, agissant plus subtilement que les chefs de 1914, Hitler adopte un plan du général von Manstein, et son fer de lance, au lieu d'être poussé vers l'ouest, franchit au centre l'infranchissable Ardenne.

De 1918, Pétain a retenu les tranchées. Toutes les percées n'ont-elles pas été « colmatées » ? Les stratèges allemands, eux, ont retenu le mouvement. Précisément, l'entre-deux-guerres est marqué par le formidable développement du moteur à explosion et de la radio. Se voyant interdire les tanks et les avions, les Allemands ont tourné et retourné dans leurs projets l'utilisation de ces deux armes. La motorisation est devenue une de leurs hantises. Si, en 1914, leurs fantassins avaient pu être transportés par camion au lieu d'aller à pied, Joffre n'aurait pu se ressaisir et il n'y aurait pas eu de « miracle de la Marne ». La France n'ayant pas osé s'opposer par la force au réarmement allemand, celui-ci va s'opérer dans la perspective du mouvement.

Quand l'état-major sommeille.

En 1940, les Français ont à peu près autant de tanks que les Allemands, et ils sont plutôt meilleurs. Mais, par économie sordide, ils sont à peu près aveugles et sourds, faute de radio. On en est resté aux délices du téléphone de campagne, avec ses « enrouleurs-dérouleurs ». On a décidé que les divisions d'infanterie n'auraient pas leurs propres camions — ce serait du « gaspillage » —, mais seraient transportées éventuellement par le « train des équipages » ou par un assemblage hétéroclite de camions civils réquisitionnés. L'infanterie est la reine des batailles. Elle passe partout, comme l'artillerie hippomobile, mais à 4 km/h.

Certes, nombre de jeunes officiers français étaient conscients d'une véritable « ankylose » de la pensée officielle. Le commandant de Gaulle en est le plus célèbre exemple. Comme son vis-à-vis allemand Heinz Guderian, de Gaulle préconisait l'utilisation massive des tanks. Le jeune capitaine Stehlin, attaché de l'air adjoint à Berlin et membre du Service de renseignements (SR), décrivait l'utilisation combinée des chars, de l'infanterie et de l'aviation lors des grandes manœuvres allemandes. Mais les novateurs se heurtaient à un état-major général impérieux, sûr de lui en apparence, et décidé à maintenir le principe de «l'infanterie reine des batailles». On créa bien une «division légère mécanique» puis des «divisions cuirassées», mais elles étaient destinées à appuyer l'infanterie. D'ailleurs, de Gaulle lui-même ne parle pas de l'aviation dans la première édition de son célèbre ouvrage *Vers l'armée de métier.*

Il ne manque pas un bouton de guêtre.

Jusqu'au bout les Français ont ignoré la faiblesse réelle de leur armée. L'état-major, les ministres affichaient une superbe confiance. La France a «la plus belle armée du monde». Encore le 12 décembre 1937, Pierre Cot, ministre de l'Air, affirme que, «de l'avis de tous les experts, l'aviation française a les meilleurs équipages et les cadres d'état-major les meilleurs. Il y a plus : l'armée de l'air française est la seule qui possède des réserves instruites». En juillet 1939, le général Weygand déclare publiquement : «L'armée française a une valeur plus grande qu'à aucun moment de son histoire ; elle possède un matériel de première qualité, des fortifications de premier ordre, un moral excellent et un haut commandement remarquable. Personne chez nous ne désire la guerre, mais j'affirme que si on nous oblige à gagner une nouvelle victoire, nous la gagnerons.»

En réalité, depuis 1938, alors que Hitler s'en prend directement aux alliés de la France, la situation est devenue préoccupante. Le déséquilibre s'accroît. La France peut aligner 100 divisions (dont 82 en métropole) et l'Angleterre 4. Mais une part appréciable est constituée par des troupes de forteresse, immobilisées. L'Allemagne dispose de 135 à 145 divisions, et pourra atteindre 200. Le matériel français est plus vieux que l'allemand, tanks exceptés. Les canons modernes, principalement antichars et de DCA, restent à l'état de prototypes. Surtout, l'extrême inégalité des forces aériennes éclate aux yeux.

Au début de septembre 1939, la France dispose de 1 078 avions modernes, dont exactement 0 bombardier (quelques-uns sont achevés, mais pas encore en service). L'Allemagne a probable-

ment 5 500 avions modernes. Le colonel de Geffrier, attaché de
l'air à Berlin, estime à 208 000 les ouvriers des usines d'aviation
allemandes en novembre 1938. Ils produisent 600 avions par
mois en travaillant de 60 à 65 heures par semaine. Au même
mois de novembre 1938, il y a à peu près 80 000 ouvriers dans
les usines d'aviation françaises, et l'on vient seulement de
permettre quelques exceptions à la loi des 40 heures. Dans
toute l'année 1938, la France produit 432 avions (notons, à titre
de comparaison, qu'en 1944 il y aura 3 millions d'ouvriers dans
les usines d'aviation américaines). Le général Vuillemin, chef
d'état-major de l'armée de l'air, a visité, en août 1938, les
usines et les champs d'aviation allemands, sous la conduite de
Goering, le chef de la Luftwaffe. Il est effondré. 40 pour 100
de l'aviation française, dit-il à son retour, seront détruits à la
fin du premier mois de guerre. Et que dire de l'effet de la
maîtrise du ciel sur le moral de l'infanterie ?

Comment expliquer cette situation tragique ? Une nouvelle
fois, il faut l'attribuer à la paresse intellectuelle des dirigeants,
militaires et civils, avec l'accord d'une opinion publique
passive. De 1932 à 1935, les gouvernements radicaux ou
de droite, à cause de la crise, ont diminué les crédits militaires. Comme la ligne Maginot coûte très cher, on sacrifie
largement l'aviation, en se contentant de prototypes, sans
se rendre compte que passer de la fabrication artisanale
à la fabrication en série demande beaucoup de temps. Alors
que les Allemands ont entrepris leur production d'avions
modernes en 1934, et les Anglais en mai 1935, la France ne s'y
adonne véritablement qu'en mars 1938 (mise en route du
«plan V»). Le Front populaire a accru les crédits militaires
et, le 12 août 1936, une loi a nationalisé les principales usines
d'aviation. Mais cette décision, destinée à assurer dans l'avenir
plus d'efficacité, a été combinée avec une loi rigide des
40 heures, parfaite sur le plan social, dangereuse en temps de
crise extérieure. La tentative d'achat d'avions américains, par
une mission que dirigeait Jean Monnet (octobre 1938-mars 1939),
n'avait abouti en septembre 1939 qu'à la livraison de 200 appareils.

Le mouvement et la surprise.

Le malheur de la France, face à l'équipe d'aventuriers qui
avaient pris le pouvoir en Allemagne, tient finalement à une
mauvaise interprétation du mot «défensive». Être défensif,

cela veut dire *ne pas commettre d'agression*, ce qui est la seule position compatible avec la morale internationale. Mais croire que, pour être vraiment défensif, on peut se *dispenser de créer un appareil offensif*, c'est commettre l'erreur fatale. Car une fois perpétrée l'agression de l'ennemi, la meilleure défensive est souvent l'offensive. Toute l'histoire des guerres montre la supériorité de l'initiative sur l'attente. L'erreur de Pétain, de Gamelin, qui jouissaient, rappelons-le, de la confiance quasi totale des gouvernements, du Parlement et de l'opinion, c'est d'avoir cru que la guerre de 1914 avait mis fin, pour toujours, à ce grand principe stratégique.

Partant, comme les Français, de la « prépondérance du feu », les Allemands en 1921, l'année même où l'état-major français produisait l'IGU, ont eux aussi élaboré un ouvrage de doctrine, le *Führung und Gefecht der verbundenen Waffen* (conduite et combat des armes combinées). De la puissance du feu, ils déduisent une stratégie vigoureuse, tendant non à l'usure, mais à l'anéantissement de l'adversaire. A cet effet, il ne convient pas de l'attendre paisiblement derrière une muraille. Il faut porter des coups foudroyants, se déplacer à grande allure, en utilisant à fond le tank, l'avion, le camion et la liaison radio (la *Blitzkrieg*, guerre éclair). Entre le 13 et le 16 mai 1940, les Allemands sauront créer la surprise en passant par l'Ardenne ; ils perceront, par l'infanterie, d'étroits couloirs dans les lignes françaises ; ils engouffreront dans ces couloirs les *Panzerdivisionen* du général Guderian ; ils les feront suivre par l'infanterie motorisée. Une utilisation massive de l'aviation leur permettra à la fois de détruire l'artillerie et les quelques tanks ennemis, et d'affoler les fantassins.

Lorsque, au début de juin, Weygand, successeur de Gamelin, voudra recréer un front sur la Somme et l'Aisne, l'incapacité de l'armée française à la manœuvre rapide l'empêchera d'y parvenir.

Les Allemands n'ont pas pris d'assaut la ligne Maginot. Qu'importe ! Ils l'ont contournée. Surprise, initiative, rapidité, mouvement, audace, combinaison de toutes les armes, tout cela, certes, appartient à la bonne tactique. Mais celle-ci a dérivé d'une pensée stratégique imaginative. Le peuple vainqueur de 1918 s'est engourdi dans l'illusion d'un éternel traité de Versailles, puis d'une infranchissable « muraille de France ». Il n'a pas su opérer à temps les retournements qu'imposait la menace : ni arrêter par la force les violations du traité de Versailles, ni changer son système d'alliances, ni se créer une armée mobile et manœuvrière, ni même se donner la protection d'une solide aviation.

Il est abominable de préparer l'agression ; il est absurde de ne pas se préparer à y résister. Tant que nous vivrons dans un monde d'États-nations, il faudra bien que les citoyens s'intéressent à la sécurité du pays ; la tactique appartient à la compétence des militaires. Dans l'ère de la révolution technologique, la stratégie appartient au général, mais aussi à l'ingénieur, à l'économiste, au professeur, à l'intellectuel, et finalement à tous les citoyens. A ceux-ci, les partis doivent présenter les choix réels et non des faux-semblants démagogiques. Suivre aveuglément les «grands chefs», prendre ses désirs pour des réalités, ou simplement oublier que la menace peut surgir est une attitude indigne d'un peuple démocratique.

Pour en savoir plus

La littérature, sur le sujet, est abondante. Bornons-nous au plus important ou au plus récent :

Premier auteur à avoir disposé de l'ensemble des archives du Quai d'Orsay, Jean-Baptiste Duroselle a donné récemment une étude de synthèse sur la politique extérieure de la France dans les années 1930, *la Décadence 1932-1939*, Imprimerie nationale, 1979 (rééd. Éd. du Seuil, coll. « Points-Histoire », 1983), qu'on complétera utilement, pour un point de vue anglais, par A. P. Adamthwaithe, *France and the Coming of the Second World War*, Londres, Frank Cross, 1977.

Parmi les témoignages de diplomates parus les dernières années.

A. Bérard, *Un ambassadeur se souvient, au temps du danger allemand*, Plon, 1975.

J. Chauvel, *Commentaire*, Fayard, 1971, t. I.

L. Noël, *La guerre de 1939 a commencé quatre ans plus tôt*, Éd. France-Empire, 1979.

Sur les problèmes militaires.

Le meilleur ouvrage en français est probablement celui du général P.-É. Tournoux, *Haut Commandement : gouvernement et défense des frontières du Nord et de l'Est, 1919-1979*, Éditions latines 1960.

A compléter par trois livres en anglais :

P. C Farwell Bankwitz, *Maxime Weygand and Civil-Military Relations in Modern France*, Cambridge (Mass.), Harvard University Press, 1967.

J. M. Hugues, *To the Maginot Line. The Politics of France Military Preparation in the 20's*, Cambridge (Mass.), Harvard University Press, 1971.

R. J. Young, *In Command of France. French Foreign Policy and Military Planning, 1933-1940*, Cambridge (Mass.), Harvard University Press, 1978.

2

Le désastre de 1940

Stanley Hoffmann

La catastrophe de 1940 reste sans aucun doute l'événement le plus important de l'histoire de la France contemporaine, par son ampleur et par ses conséquences. La destruction, en quelques semaines, d'une armée que bien des gens tenaient encore pour invincible, la fuite de millions de réfugiés sur les routes de France, l'effondrement du régime républicain — le plus durable depuis 1789 — et les règlements de comptes qui s'ensuivirent, la chute du prestige de la France dans le monde, et la difficulté qu'éprouva de ce fait le général de Gaulle à imposer la présence de la France à ses alliés, le déferlement, dans la métropole, d'une vague d'antiparlementarisme, d'anti-sémitisme et de réaction, l'acceptation, par une partie des élites et du public, d'une politique d'attentisme et même de collabora-tion, la lente montée de la résistance — tous ces faits ont été l'objet d'innombrables controverses et débats. Et pourtant, tout n'a pas été dit.

Nous disposons des témoignages des principaux acteurs*. Les responsabilités civiles et militaires dans la défaite de 1940 ont fait l'objet de deux procédures publiques : le procès de Riom intenté par Vichy, et la Commission d'enquête parlemen-taire après la Libération*. De très nombreux auteurs ont examiné les doctrines et le comportement des militaires, com-paré la production des industries de guerre en France et en Allemagne*. Historiens et « politistes » ont étudié, d'une part, le régime de Vichy issu de la défaite* et, d'autre part, certains des grands moments des années 30, c'est-à-dire de l'achemine-ment vers la guerre : le 6 février 1934, le Front populaire, le gouvernement Daladier* ; ils ont analysé les mouvements d'idées

---

* Cf. « Pour en savoir plus », en fin de chapitre.

qui ont formé l'esprit des années 30 et l'évolution diplomatique ou économique de la France*. Mais, ce qui nous manque encore, c'est une synthèse interprétative qui, s'appuyant sur tous ces témoignages, études et dépositions ainsi que sur les archives devenues disponibles, chercherait à faire pour la catastrophe nationale de 1940 ce que Tocqueville a fait pour la Révolution française dans son grand livre sur l'Ancien Régime : c'est-à-dire remonter aux causes profondes et décrire les processus par lesquels ces causes ont engendré le désastre.

Il n'y a guère, à l'heure actuelle, que deux ouvrages généraux : l'admirable témoignage de Marc Bloch, le grand historien fusillé par les Allemands en 1944*, œuvre de moraliste et de citoyen, n'est évidemment pas une synthèse historique ; et l'énorme volume de William Shirer*, critiquable non point parce qu'il est l'œuvre d'un journaliste plutôt que d'un universitaire et qu'on y trouve une foule d'erreurs de détail, mais parce que les arbres empêchent souvent qu'on y voie la forêt, et que l'auteur a surtout fait de l'histoire politique, c'est-à-dire de l'histoire des milieux politiques.

Psychologie de la défaite.

La synthèse nécessaire devrait en effet dépasser les spécialités qu'il lui faudra intégrer. L'histoire politique tend à n'être que celle des intrigues, conflits, divagations et hésitations de quelques centaines d'hommes qui dînent en ville à Paris. Les rivalités personnelles y jouent un rôle énorme, et elles ont certes contribué à la défaite, mais elles n'expliquent pas tout. L'histoire des idées a une grande importance ; l'apparition, au début des années 30, de thèmes nouveaux qui appellent à la révolte contre la société libérale et individualiste, contre une bourgeoisie étriquée et un régime fatigué, thèmes que l'on retrouvera à la fois à Vichy et dans la Résistance, ne peut être ignorée par l'historien. Mais, comme le fait remarquer Jean-Marie Domenach, dans *Ce que je crois* [1], les choix décisifs se sont faits non pas sur les idées mais sur les événements : à partir d'un stock commun d'idées, les caractères, les tempéraments, les valeurs fondamentales ont engagé les uns dans le refus de la défaite, les autres dans la résignation ou la collaboration. Les uns ont donné la priorité à la libération, ou l'ont vue comme le préalable à toute réforme intérieure authentique ; les autres ont embrassé « l'ordre nouveau » ou cherché la réforme à partir de la défaite.

Les insuffisances de l'histoire politique et de l'histoire des idées nous renvoient donc à une histoire des mentalités qui irait en quelque sorte plus profond, dans deux directions. D'une part, vers l'étude des croyances, peurs, préjugés et comportements des Français, dans leurs cadres de vie et d'action quotidiens : occupations, classes, groupes d'intérêt, etc.* ; d'autre part, vers l'étude de ce qu'on pourrait appeler les motivations profondes ou les pulsions et valeurs de base des principaux acteurs, qui sous-tendent leurs idées et propos, et que ces idées et propos cachent souvent bien plus qu'ils ne les révèlent. Car rien n'est plus frappant, pour qui aborde l'étude des années 30 par celle des écrits, discours, manifestes, etc., que la marée de ce que les psychologues appellent « rationalisations ». Pour comprendre les comportements, il faut donc ne pas s'en tenir aux idées : il faut étudier les fonctions qu'elles remplissent, et les voir parfois comme des écrans de fumée derrière lesquels se trouvent les réalités essentielles. C'est, de la sorte, à la psychologie que nous sommes renvoyés — la plus difficile, la moins sûre d'elle-même : la psychologie collective, et ce niveau de la psychologie individuelle où l'inconscient, le moi (et les rôles dans lesquels il se forme et s'exprime) ainsi que le surmoi (morale individuelle et morale civique intériorisée) se rencontrent.

L'absurde.

Que l'on parte des comportements des dirigeants ou des « idées des années 30 », on s'aperçoit tout de suite que l'on est dans le domaine de ce que les psychologues — encore eux — nomment dans leur jargon la « dissonance cognitive », c'est-à-dire la contradiction entre les croyances des individus et la réalité. Pour parler plus brutalement, on est dans le domaine de l'absurde. Les exemples abondent.

Le plus criant nous est fourni par la « drôle de guerre ». Dirigeants et citoyens, comme le dit René Rémond dans la préface au *Journal d'une défaite* de Paul de Villelume, semblent vouloir gagner la guerre sans la faire. Le conseiller militaire du Quai d'Orsay, puis de Paul Reynaud, Paul de Villelume, recommande une guerre purement économique : les opérations économiques — un blocus pour priver l'Allemagne de fer et de pétrole — seraient les seules possibles, les seules fructueuses et, par surcroît, les moins coûteuses[2]. Cette hésitation à se battre vraiment, on la retrouve dans ces faits signalés par

Marc Bloch : le retard dans l'appel et l'instruction des recrues de la classe 1940, ou, au long des années qui ont précédé la déclaration de guerre, l'absence de véritable coopération militaire franco-britannique.

Plus important encore, le phénomène du pacifisme, ou plutôt des pacifismes, dans les années 30 : étrange aimant qui a permis à des hommes venus d'horizons opposés de se retrouver, par-delà les différences idéologiques et les conflits de classes, autour d'une même opposition à la guerre, « rationalisée » de multiples façons : priorité à la réforme intérieure (révolution sociale, ou bien ce que Vichy appellera plus tard « révolution nationale »), recherche d'un accommodement avec l'Italie ou l'Allemagne, pacifisme de principe, mauvaise conscience à l'égard du traité de Versailles, hostilité envers les communistes alors « bellicistes », admiration des régimes à poigne, etc. ; tout cela au moment où la France a affaire non pas à l'Allemagne de Weimar (tenue, de son vivant, pour dangereuse par beaucoup des néopacifistes, hier à droite) ni même à l'Allemagne impériale, mais à celle de Hitler. Certains abandonneront — provisoirement — leurs illusions après l'annexion de la Bohême en mars 1939, violation éclatante des accords de Munich ; mais d'autres préféreront nier la réalité jusqu'au bout et s'accrocher à l'idée qu'un arrangement aurait été possible, si seulement la France avait eu d'autres dirigeants.

Chassés-croisés.

Mais, même dans le domaine de l'absurde, rien n'est simple. Beaucoup de ceux qui voulaient à tout prix éviter une guerre trop sanglante avec Hitler, qui avaient recommandé l'abandon par la France de ses alliés d'Europe centrale ou orientale, se découvrirent des âmes belliqueuses lorsque l'URSS, alliée à l'Allemagne depuis la fin août 1939, attaqua la Finlande, et se mirent à réclamer du gouvernement français des opérations ambitieuses et hasardeuses soit en Scandinavie, soit vers le Caucase !

Aux contradictions en matière d'adversaires, il faut ajouter les contradictions dans le temps, ou à l'égard d'un pays déterminé. Contradictions dans le temps : j'ai déjà signalé ces germanophobes traditionnels — Action française, parlementaires conservateurs — passés, entre 1934 et 1936, à ce que les Anglais appellent *appeasement*, et qui les amènera à célébrer Munich. Mais du côté des communistes c'est le passage inverse, d'une priorité à la lutte antifasciste, qui fait d'eux, en 1936-1938, les apôtres du réarmement et de la lutte contre Hitler, à l'acceptation du pacte germano-soviétique, qui les amène à dénoncer la guerre « impérialiste ».

Contradictions à l'égard d'un pays donné : les dirigeants français ont, après l'arrivée de Hitler au pouvoir, fréquemment surestimé la puissance de l'Allemagne, par exemple au moment, décisif, de la crise de la Rhénanie, en mars 1936, pour mieux justifier leur prudence à leurs propres yeux (c'est un cas parfait de *self-fulfilling prophecy*, de jugement erroné, qui, par sa faute, devient juste). Mais pour justifier, cette fois, l'espoir quelque peu fantastique d'une victoire sans vrai combat, ils n'ont cessé d'exagérer les difficultés intérieures, économiques et psychologiques, du régime hitlérien. De même, la dépendance très étroite, acceptée et même voulue, à l'égard de l'Angleterre, le refus d'agir sans le consentement de celle-ci (lors de la crise rhénane, puis de la guerre d'Espagne, puis de l'affaire des Sudètes) se sont accompagnés d'une méfiance croissante, du renouveau d'une anglophobie longtemps refoulée.

C'est évidemment du côté de Vichy (et de ce qu'on pourrait appeler le pré-Vichy : l'alliance d'hommes de droite et d'hommes venus de la gauche, cimentée par le pacifisme et l'anticommunisme, qui se forme au moment où le Front populaire se défait) qu'on trouve les contradictions les plus flagrantes. Les champions de la « France seule » préconisent une sorte de repli sur l'hexagone et l'Empire comme si la meilleure façon de maintenir la position de la France dans le monde consistait à laisser à l'Allemagne la maîtrise du continent. En mai-juin 1940, les anciens protagonistes du repli sur l'Empire firent de leur mieux pour empêcher l'installation du gouvernement français, ou d'une partie des pouvoirs publics, dans l'Empire. Et le mythe suprême de Vichy fut la rénovation nationale, dans un pays aux deux tiers occupé, et par quel occupant !

Schizophrénie.

Deux hommes peuvent servir d'exemples de ces contradictions. Jean Giraudoux fut, pendant la « drôle de guerre », chargé de la propagande. On a souvent remarqué que le style élégant et précieux de Giraudoux était bien celui qui convenait le moins à cette tâche ; mais il est plus important de signaler la contradiction entre le rôle qu'il avait ainsi à jouer et le scepticisme antibelliqueux qui se dégageait de sa pièce, *La guerre de Troie n'aura pas lieu* (1935). L'autre cas est celui de Paul Reynaud ; d'une part, l'homme d'État convaincu du retard de la France et des tares de l'organisation militaire et industrielle, des déficiences de Daladier et Gamelin, cherche dès son arrivée à la présidence du Conseil, en mars 1940, à lancer une expédition en Norvège qui, justement, mettra en pleine lumière toutes les faiblesses dénoncées par Reynaud ! Et, d'autre part, celui qui se voyait comme un nouveau Clemenceau devait introduire dans son équipe une véritable cargaison de défaitistes — et d'abord Pétain, vice-président du Conseil.

Expliquer la chute de 1940, c'est d'abord expliquer cette avalanche de contradictions, cette présence écrasante de la « dissonance cognitive ». A un premier stade de l'analyse, on peut constater que la France s'est trouvée constamment placée devant des choix impossibles. Agir, au risque d'énormes pertes, au-devant de la ligne Maginot, pour aider des alliés lointains et faibles, ou bien voir le réseau d'alliances rétrécir comme peau de chagrin, et rester, ainsi diminué, dans l'hexagone assiégé. En novembre 1938, provoquer l'épreuve de force avec les syndicats pour obliger ceux-ci à accepter la fin des 40 heures et remettre le pays au travail pour l'effort de guerre — mais briser de la sorte le moral des travailleurs et risquer de transformer une mesure d'intérêt national en revanche de classe — ou, au contraire, chercher à éviter cette épreuve de force pour ne pas aggraver la rupture du Front populaire et la division sociale, mais dans ce cas se résigner à l'inefficacité et à l'impréparation.

Déjà, le Front populaire avait été confronté à des choix impossibles, en politique intérieure — réformes hardies ou simple « exercice du pouvoir » — comme en politique étrangère — aide à l'Espagne républicaine ou non-intervention[3].

En 1938, et au début de 1939, Daladier aura à choisir entre une politique de rapprochement décisif avec l'URSS, en contradiction avec sa politique intérieure, et une politique étrangère plus conforme à celle-ci, donc fort prudente à l'égard de l'URSS. En mars, puis en juin 1940, Reynaud devra choisir entre un gouvernement de « durs », mais qui risquerait soit de ne pas trouver de majorité, soit d'accentuer la division du pays, et un gouvernement de réconciliation — qui entraînera sa perte.

La victoire sans avenir.

Il faut aller plus loin : pourquoi la France s'est-elle trouvée acculée à de semblables choix ? Il y avait évidemment des raisons objectives : la position à la fois exposée et affaiblie de la France en Europe après 1918, c'est-à-dire le prix d'une « victoire » qui laissait un pays exsangue et épuisé apparemment en position de force, auprès d'un pays vaincu, certes, mais plus peuplé et doté d'une industrie plus puissante et plus dynamique (pensons à la situation de l'Angleterre après 1945) ; les règles du jeu parlementaire, qui obligeaient les dirigeants à des conciliations subtiles, à des compromis timides, à la subordination de la politique étrangère à la cuisine interne. Mais, après tout, les données « objectives » peuvent être transformées, pour peu qu'il y ait, à la tête d'un pays, une volonté claire et des institutions efficaces, et, à la base, un soutien actif et organisé : de Gaulle l'a bien prouvé, à plusieurs reprises. Ce qu'il faut donc expliquer, c'est pourquoi la France s'est laissé emprisonner dans ses contradictions et étouffer par ses nœuds gordiens, institutionnels ou psychologiques : après tout, en mars 1936, rien n'était encore joué, l'Allemagne — frappée par la crise économique beaucoup plus violemment que la France — n'avait pas encore réarmé à plein, l'armée française pouvait encore, et sans mal, dominer le terrain, le régime hitlérien jouait son va-tout.

Alors, pourquoi ? L'ignorance du monde extérieur ? Certes, beaucoup de Français (et d'Anglais) crurent que Hitler n'était qu'une sorte de Bismarck malpoli. Mais beaucoup avaient lu *Mein Kampf* et savaient à quoi s'en tenir. La méconnaissance des régimes totalitaires (comparable à cette méconnaissance du nouveau régime révolutionnaire qui amena les armées des puissances conservatrices à se faire battre à Valmy) ? Mais la presse française de cette époque ne manquait jamais de mettre en lumière les horreurs du bolchevisme. Une volonté crispée et désespérée de nier ce que j'ai appelé, ailleurs, la tyrannie de l'extérieur, c'est-à-dire le poids décisif du monde extérieur sur un pays habitué à le façonner, à le marquer, plutôt qu'à en subir le choc ? Sans doute, mais comment n'a-t-il pas vu qu'ignorer ce choc ou ce poids ne pouvait que les rendre plus écrasants ? La médiocrité du personnel dirigeant, parlementaire, économique et administratif ? Sans doute, mais peut-on nier qu'il était représentatif ?

Il faut donc en venir à ces «causes générales» dont parlait Montesquieu. Les esprits y résistent souvent : après tout, la défaite de 1940 n'a-t-elle pas été une simple défaite militaire, explicable en termes purement militaires? La guerre de 1914 n'avait-elle pas aussi commencé par des revers graves, et la différence n'est-elle pas seulement le fait que la guerre menée par les Allemands en 1914 laissait à l'adversaire assez de temps et d'espace pour le «miracle» de la Marne? Certes, mais cela indique précisément que le degré d'inaptitude de la doctrine et d'inefficacité de la machine militaire fut infiniment plus élevé en 1940 qu'en 1914, et c'est cela qui exige une explication. De plus, celle-ci ne peut que déborder le cadre des armées, dans la mesure où la doctrine, l'organisation, l'armement de celles-ci furent débattus, approuvés, mis en place par l'ensemble des pouvoirs publics.

Les «leçons de la Grande Guerre».

Peu après la Libération, les historiens et politologues américains, notamment E.M. Earle, dans *Modern France*, en 1950, parlèrent du «déclin de l'élan vital» français. Outre que le relèvement et la modernisation de la France ont infligé un démenti à cette interprétation, elle est le type même de la pseudo-explication : comme la *vis dormitiva* des pavots, c'est elle qui demande à être expliquée. Il faut, je crois, aller dans trois directions.

Il y a d'abord le choc de la Première Guerre mondiale. Son importance est aveuglante. D'une part, les pertes énormes subies par un pays désormais sans revendications, c'est-à-dire par une puissance conservatrice, vont susciter une obsession, tant chez les dirigeants que, par exemple, dans les milieux paysans, ou chez les anciens combattants : plus jamais de sacrifices semblables. D'autre part, l'état-major avait codifié les «leçons de la guerre de 1914» comme si l'histoire s'était arrêtée, et comme s'il devait suffire désormais, pour gagner, d'appliquer ce code.

Mais si ce choc est indiscutable, il demande à son tour à être analysé. Pourquoi l'Allemagne n'a-t-elle pas connu de semblables inhibitions? Est-ce seulement parce qu'elle avait le ressentiment de la défaite et la volonté de la revanche pour ressorts? En France même, chaque groupe analysait-il les «leçons de la Grande Guerre» de la même façon, ou n'y en avait-il pas qui voulaient à tout prix éviter une nouvelle guerre parce que 1914 mène à 1917, c'est-à-dire à la révolution sociale, tandis que d'autres voulaient éviter 1914 même, c'est-à-dire les duperies de l'Union sacrée ? Et surtout, pourquoi le traumatisme de la Grande Guerre a-t-il, en quelque sorte, occulté tout le reste : la menace du nazisme, les conséquences de la non-résistance ? En d'autres termes, c'est tout le problème de la mémoire historique qui est posé : dans quels milieux fut-elle particulièrement tyrannique ? Fut-elle plus forte dans l'élite que dans la « France des profondeurs » ? Pour résumer sur ce point : que le choc ait été immense, on n'en peut pas douter, mais, qu'il ait renforcé les tendances au malthusianisme, qu'il ait amené les Français à se crisper sur l'hexagone et la défensive, c'est cela qu'il faut expliquer.

Une société malheureuse.

D'où une deuxième direction : les circonstances économiques et sociales des années 30. L'ineptie des politiques économiques suivies jusqu'à la fin 1938 — l'acharnement à poursuivre la déflation d'abord, puis les erreurs d'information et de jugement du Front populaire — et l'aggravation des tensions sociales dans un pays où chaque groupe tenait à maintenir ou à améliorer sa part de gâteau, où l'attachement à la stabilité monétaire restait très puissant, où la crise ne pouvait manquer d'exacerber les méfiances des paysans envers les citadins et les conflits matériels et psychologiques entre les ouvriers et une bonne partie de la bourgeoisie : tout cela ne pouvait que détourner les Français du péril extérieur, et faire de la France d'avant-guerre une sorte de vaste scène où se jouait déjà *le Rhinocéros* que Ionesco écrivit plus tard. La fixation, pendant que se défaisaient les armées au fil de la campagne de France, de tant de chefs militaires et civils sur le maintien de l'ordre, l'importance du thème de la priorité au règlement de comptes intérieur tant à gauche qu'à droite indiquent l'ampleur de la discorde. Marc Bloch dit qu'à la veille de la défaite la bourgeoisie était malheureuse : on pourrait en dire autant de chaque classe.

Mais, ici aussi, la réponse suscite les questions. La crise a été bien plus modérée en France qu'en Allemagne, aux États-Unis, en Angleterre ; pourquoi donc a-t-elle eu des effets plus corrosifs ? Et s'il est vrai que les conflits de classes, de groupes, de factions se sont intensifiés, rappelons-nous qu'il n'y a pas eu, en France, de marée fasciste : le vrai fascisme se borna, à peu près, au PPF de Doriot (qui éclata après Munich), et à des intellectuels au narcissisme incorrigible qui voyaient dans le fascisme avant tout une éthique et une esthétique. Il n'y eut pas non plus, avant juin 40, de crise du régime ; les institutions fonctionnaient mal — à coups de décrets-lois — mais elles fonctionnaient, et il y eut même, en 1939, une phase, brève, de fragile quasi-consensus. A droite, ceux qui voulaient renverser la «gueuse» étaient tonitruants mais peu nombreux, à gauche le réformisme dominait. Il faudrait comparer la crise sociale des années 30 à d'autres crises (et notamment à celle de 1848) pour déterminer l'importance de ce deuxième facteur.

La civilisation Maginot.

En tout cas, il y en a un troisième qui vient immédiatement à l'esprit : l'épuisement d'un certain type de société (et j'entends par là à la fois l'ordre social — structures et valeurs — et le régime politique qui lui était lié, le préservait et l'exprimait). C'est à cette société-là que convient le mieux l'expression que j'ai inventée, il y a une vingtaine d'années, dans *A la recherche de la France*[4], de «société bloquée» : tous les témoins rapportent des anecdotes sur la façon dont l'information n'y circulait pas, sur l'égoïsme des groupes, la sclérose des méthodes, le rétrécissement de l'horizon, l'épuisement des dirigeants (hommes politiques et hauts fonctionnaires) par la cooptation et la gérontocratie.

Si le dirigeant syndical ne voyait pas plus loin, selon M. Bloch, que «les menus intérêts du moment», l'homme politique n'envisageait les problèmes que sous l'angle de l'équilibre parlementaire (de ce point de vue, lors de l'agonie du gouvernement Reynaud, la «proposition Chautemps», qui consistait à demander aux Allemands non pas l'armistice mais les conditions auxquelles un armistice serait possible, constitue le chef-d'œuvre du genre). L'incapacité du régime à se réformer — en partie parce que la gauche se méfiait d'un renforcement de l'exécutif réclamé traditionnellement par la droite — confirme et corrobore la myopie générale, et subordonne la diplomatie aux combinaisons et aux exclusives des factions, au moment où beaucoup de celles-ci sont liées à des régimes extérieurs ou fascinées par eux. L'école publique qui, avant 1914, jouait encore son rôle de propagation de la foi nationale, donc d'intégration civique, ne le joue plus, et vire au pacifisme.

Société bloquée, mais plus encore crispée, fermée sur elle-même, célébrant à n'en plus finir sa propre harmonie et ses vertus moyennes, cherchant derrière sa ligne Maginot coûteuse et incomplète à préserver son harmonie étriquée contre les atteintes du monde entier, inquiète à la fois de proclamer la valeur universelle du modèle français et de le protéger contre les modèles extérieurs ascendants[5]. Rien n'exprime mieux cette crispation, et le fonds de craintes qui l'alimente, que le comportement de tant de Français en 1940 : d'abord l'exode, expression de l'instinct de préservation face à la pénétration de l'ennemi ; puis la fixation sur le territoire métropolitain : « Les fers au pied, je resterai en France », dit Yves Bouthillier à Dominique Leca.

Ni hasard ni nécessité.

De nouveau, les questions qui se posent ici ont trait à l'ampleur et à l'intensité du phénomène. Où trouve-t-on le plus d'exemples de cette crispation et de cet épuisement ? De toute évidence, l'organisation administrative et militaire fournit le matériau le plus riche. Il faudrait également examiner le comportement des industriels, celui des ouvriers, celui des instituteurs et d'autres syndicats de fonctionnaires, au-delà des fluctuations purement politiques. Pour mesurer l'intensité de cet épuisement (si j'ose dire), il faudrait étudier l'affaiblissement des valeurs traditionnelles — qu'il s'agisse de celles d'un catholicisme volontiers humaniste et social, ou de celles d'une foi laïque où se mariaient la pensée révolutionnaire et la sagesse petite-bourgeoise et paysanne — et l'influence qu'ont pu avoir dans l'opinion les campagnes d'antiparlementarisme, d'antisémitisme et de xénophobie, qui, certes, s'appuyaient sur des préjugés tenaces et profonds à gauche comme à droite, mais qui, dans le passé, s'étaient toujours heurtées aux bornes posées par ces valeurs traditionnelles. Il faudrait étudier la dégradation, à certains égards même la perversion, du nationalisme et du sens national[6].

Telles sont donc les questions qu'une synthèse interprétative de la chute de 1940 devrait examiner. L'entreprise devrait se garder de deux pièges opposés. L'un consiste à traiter l'histoire comme une série de hasards, pleins de bruit et de fureur : c'est la tentation de l'aléatoire. « Si l'armée française n'avait pas craqué... » Mais, comme je l'indiquais plus haut, ce n'est pas par hasard si la défaite a eu lieu et si les pouvoirs publics ont agi, ou réagi, comme ils l'ont fait. Le piège inverse est celui de la nécessité : tout s'est déroulé comme il le fallait, les acteurs n'ont joué que des rôles en quelque sorte prescrits, suivant des lois qu'ils ne pouvaient infléchir. Mais c'est faire bon marché, sinon du hasard, du moins des fluctuations, des sortes de repentirs de l'histoire, si nombreux dans cette affaire. Et surtout, de quelles lois pourrait-il bien s'agir ? Ni de celles d'un régime politique, puisque le parlementarisme n'a nullement mené à la débâcle, ou à des débâcles comparables, d'autres pays que la France ; ni de celles d'un régime social, puisque le capitalisme a fort bien résisté à la crise et à la guerre — et que la France des années 30 n'était guère le modèle de la société capitaliste avancée !

L'historien futur de ces années devra, en tout cas, témoigner d'une science peu commune. En effet, en premier lieu, il lui faudra faire ce qui, en France, ne commence qu'à peine : de l'histoire *contemporaine* qui ne soit pas une simple mise en place des faits ou une simple analyse d'un point de détail. En second lieu, il lui faudra faire de l'histoire *comparative* : comparant le cas français à celui d'autres pays également secoués par la Grande Guerre, par la révolution d'Octobre, par la crise, parfois traversés par la quête du Sauveur, mais soit passés au fascisme, à la différence de la France, soit restés fidèles à la démocratie ; comparant aussi la défaite de 1940 à d'autres défaites françaises suivies d'effondrements du régime : 1815, 1870... En troisième lieu, il lui faudra s'aventurer non seulement dans les domaines, déjà bien connus, des politistes et des sociologues, mais dans ceux, controversés, des *psychologues*. Vaste programme !

Notes

1. Grasset, 1978.
2. P. de Villelume, *Journal d'une défaite*, Fayard, 1976, p. 178. Voir aussi p. 250, ou encore, p. 29 : « Le général Georges m'assure qu'il donnerait sa démission si on voulait lui imposer une offensive contre la ligne Siegfried. »
3. Voir, sur ce point, Jean Lacouture, *Léon Blum*, Éd. du Seuil, 1977.
4. Éd. du Seuil, 1963 ; rééd. 1964 et 1967.
5. Mysyrowicz (*Autopsie d'une défaite*, Bordeaux, Delmas, 1973, p. 274-274) cite un texte caractéristique de Paul Hazard, dans la *Revue des questions de défense nationale*, oct.-novembre 1939.
6. J'ai cherché à en esquisser l'histoire dans le ch. XI de mes *Essais sur la France*, Éd. du Seuil, 1974.

Repères chronologiques

10-12 avril 1938	Chute du second gouvernement Blum. Daladier président du Conseil.
29 septembre 1938	A Munich, la France et la Grande-Bretagne, abandonnant la Tchécoslovaquie, entérinent l'annexion des Sudètes par Hitler.
15 mars 1939	L'armée allemande entre à Prague. La Tchécoslovaquie est dépecée.
23 août 1939	Pacte germano-soviétique.
1ᵉʳ septembre 1939	Les troupes allemandes envahissent la Pologne, bientôt rejointes par l'Armée rouge.
3 septembre 1939	La Grande-Bretagne et la France déclarent la guerre à l'Allemagne. Après quelques opérations en Sarre, repli des troupes françaises derrière la ligne Maginot : début de la « drôle de guerre ».
20-22 mars 1940	Chute de Daladier, à qui succède Paul Reynaud.
Avril 1940	Début des opérations anglo-françaises en Norvège, destinées à couper à l'Allemagne « la route du fer » suédois.
10 mai 1940	Offensive allemande à l'ouest.
15 mai 1940	Le front est percé.
18 mai 1940	Pétain vice-président du Conseil.
Fin mai-début juin 1940	Encerclement de Dunkerque. Nouvelle rupture du front de repli.
10 juin 1940	Entrée en guerre de l'Italie. Le gouvernement quitte Paris pour Bordeaux.
16-17 juin 1940	Démission de Paul Reynaud. Formation du gouvernement Pétain.
18 juin 1940	Appel du général de Gaulle à Londres.
29 juin 1940	Le gouvernement quitte Bordeaux pour Vichy.
10 juillet 1940	L'Assemblée nationale accorde les pouvoirs constituants au gouvernement « sous l'autorité du maréchal Pétain ».

Pour en savoir plus

Les principaux ouvrages auxquels Stanley Hoffmann fait allusion au début de son article sont, en suivant l'ordre des appels :

P. Reynaud, *Mémoires*, Flammarion, 1959-1963, 3 vol.

P. Baudouin, *Neuf mois au gouvernement, avr.-décembre 1940*, Éd. de la Table ronde, 1948.

L. Blum, *Mémoires*, t. V, in *Œuvre*, Albin Michel, 1955, p. 5-133.

Gal Gamelin, *Servir*, Plon, 1947.

Gal Weygand, *Mémoires*, t. III, *Rappelé au service*, Flammarion, 1950.

G. Bonnet, *Défense de la paix*, Plon, 1946-1948, 2 vol., et surtout *Dans la tourmente, 1938-1948*, Fayard, 1971.

J. Jeanneney, *Journal politique, sept. 1939-juillet 1942*, édition critique de J.-N. Jeanneney, Colin, 1972.

Témoignages auxquels il faut aujouter ceux, plus récents, de :

P. de Villelume, *Journal d'une défaite*, Fayard, 1976, et de D. Leca, *La Rupture de 1940*, Fayard, 1978.

P. Mazé et R. Génébrier, *Les Grandes Journées du procès de Riom*, 1945, et *les Événements survenus en France de 1933 à 1945*, Imprimerie nationale, 1947-1954, 10 vol.

L. Mysyrowicz, *Autopsie d'une défaite*, Bordeaux, Delmas, 1973.

R. O. Paxton, *La France de Vichy : 1940-1944*, Éd. du Seuil, 1972 ; rééd. coll. « Points-Histoire », 1974.

Sous la direction de R. Rémond et Janine Bourdin, *Édouard Daladier, chef de gouvernement*, et *la France et les Français en 1938-1939*, Presses de la Fondation nationale des sciences politiques, 1977 et 1978.

J.-L. Loubet del Bayle, *Les Non-Conformistes des années trente*, Éd. du Seuil, 1969,

A. Sauvy, *Histoire économique de la France entre les deux guerres*, Fayard, 1965-1975, 4 vol.

A. P. Adamthwaite, *France and the Coming of the Second World War*, Londres, Frank Cross, 1977.

M. Bloch, *L'Étrange Défaite*, Albin Michel, 1957.

W. Shirer, *La Chute de la Troisième République*, Stock, 1970.

A. Prost, *Les Anciens Combattants et la Société française, 1914-1939*, Presses de la Fondation nationale des sciences politiques, 1977, 3 vol.

Il faut ajouter :

J.-B. Duroselle, *L'Abîme 1939-1945*, Imprimerie nationale, 1982.

F. Bédarida, *La Stratégie secrète de la drôle de guerre*, Presses de la Fondation nationale des sciences politiques, 1979.

C. Paillat, *Le Désastre de 1940*, t. 2, *la Guerre immobile, avril 1939-10 mai 1940*, Laffont, 1984.

C. Rist, *Une saison gâtée. Journal de la guerre et de l'occupation 1939-1945*, établi, présenté et annoté par J.-N. Jeanneney, Fayard, 1983.

Il convient de signaler enfin la remarquable mise au point bibliographique de J. C. Cairns, « Some Recent Historians and the ʻStrange Defeat ʼ of 1940 », *Journal of Modern History*, vol. 46, nº 1, mars 1974, p. 60-85.

3

Le drame de Mers el-Kébir

Jean-Pierre Azéma

Le 3 juillet 1940, à 17 h 54 BST (British Summer Time — l'heure d'été), le pavillon ordonnant la mise à feu montait à la drisse du *Hood*, le navire-amiral de la « Force H » commandée par l'amiral James Somerville, le croiseur de bataille le plus important de la Home Fleet avec ses 42 000 tonnes. Les voyants s'allumèrent : *Fire* ; hausse : 16 000 m ; objectif : la rade de Mers el-Kébir, située à 6 km d'Oran, base nouvellement aménagée par la marine française.

A Mers el-Kébir était mouillée, sous le commandement de l'amiral Marcel Gensoul, une partie de la « force de raid » que l'état-major franco-britannique avait mise en place au printemps 1940 pour prévenir une éventuelle offensive italienne. Embossés l'arrière à la jetée, qui courait parallèlement au rivage, étaient alignés 4 cuirassés et un transporteur, tandis que, au fond de la rade, l'avant vers la passe, étaient amarrés 6 contre-torpilleurs.

Les pièces de 380 qui équipaient le gros de l'armada britannique faisaient presque immédiatement mouche : une première salve frôlait la cible ; une deuxième balayait la jetée et des éclats fauchaient des matelots français ; une troisième atteignait la *Provence* qui s'enfonçait par l'arrière et s'échouait à la côte. Deux autres frappaient de plein fouet la *Bretagne* qui donnait par tribord, puis, la coque éventrée, sombrait aussitôt corps et biens. Quelques instants après, le *Dunkerque*, portant la marque de l'amiral Gensoul, recevait trois obus du *Hood* et, privé d'électricité, allait se réfugier au fond de la rade. Dans le même temps, le contre-torpilleur *Mogador*, bloqué par un remorqueur, était atteint à l'arrière par un projectile qui faisait exploser son grenadeur. Le carnage avait duré moins de vingt minutes.

Il s'était pourtant écoulé quelque cent vingt-cinq années depuis que la flotte de Sa Majesté n'avait pas tiré sur les navires de la « Royale ». Mieux, quelques mois avant ce funeste 3 juillet 1940, le *Hood* et le *Dunkerque* avaient été « amatelotés », naviguant donc côte à côte, dans une escadre patrouillant dans la mer du Nord et placée sous le commandement de l'amiral Gensoul. Aussi Churchill avait-il pris soin de télégraphier à l'amiral Somerville, le 2 juillet : « Vous êtes chargé de l'une des missions les plus désagréables et les plus difficiles qu'un amiral britannique ait jamais eu à remplir ; mais nous avons la plus entière confiance en vous et comptons que vous l'exécuterez rigoureusement. » Force est dans ces conditions de remonter le temps pour analyser le pourquoi et le comment de ce drame passionnel.

Incompatibilité de stratégie.

Mers el-Kébir, c'est d'abord et avant tout un enfant de l'armistice. Une filiation qui peut surprendre — rétrospectivement — mais qui n'en est pas moins directe. Pendant une bonne trentaine d'années, le mariage de raison que Français et Britanniques avaient contracté, en prenant le patronyme d'« Entente cordiale », avait certes connu bavures et orages, mais, jusqu'en 1940, les brouilles avaient été seulement passagères. On se plaignait bien, à Paris, d'avoir un peu trop souvent la main forcée par Londres, d'avoir dû aller un peu trop vite à Munich en septembre 1938, d'avoir dû tarder pour gagner Moscou dans l'été 1939, avant de devoir déclarer précipitamment la guerre au Reich en septembre 1939. Mais, somme toute, l'union avait fonctionné de manière satisfaisante et, le 28 mars 1940, Paul Reynaud s'était solennellement engagé à ne conclure ni armistice ni traité de paix, « si ce n'est d'un commun accord ».

Les succès stupéfiants du *Blitzkrieg* allaient, il est vrai, provoquer un certain nombre de turbulences : le général Weygand reprochait vertement à son homologue, Lord Gort, d'avoir fait échouer une contre-attaque qu'il estimait, lui, décisive. L'évacuation des troupes françaises à Dunkerque ne s'était pas faite sans heurts. Et Reynaud ne parvenait pas à fléchir Churchill qui entendait garder suffisamment d'escadrilles intactes pour gagner la future bataille d'Angleterre. A partir du 10 juin 1940, les deux partenaires se mirent à parler un langage de plus en plus différent. Les Britanniques se disaient décidés, quel qu'en fût le prix à payer en sueur, sang et larmes, à faire front en tablant sur la solidarité du «grand large» — celle des États-Unis —, et en supputant la rupture du pacte germano-soviétique. Le 16 juin au soir, Paul Reynaud passait la main à Philippe Pétain qui, lui, préconisait une retraite hexagonale, puisque, à ses yeux, la capitulation britannique n'était qu'une question de semaines et que, au reste, les Français ne devraient leur salut qu'à «un redressement intellectuel et moral». C'est pourquoi il fallait obtenir, coûte que coûte, un armistice, pour peu que les stipulations laissassent «l'honneur sauf», l'honneur exigeant que la flotte invaincue ne fût pas livrée.

Une histoire de divorce est rarement simple et celle-ci ne fit point exception. Churchill avait eu beau affirmer, le 13 juin, que les Britanniques «n'abandonner[aient] jamais la lutte tant que la France n'aurait pas été rétablie dans son intégrité et dans toute sa splendeur», il imposa vite une condition, pour admettre une séparation à son corps défendant : que la flotte française rejoignît les ports britanniques. Car celle-ci non seulement était la quatrième du monde par son tonnage, mais possédait encore des unités modernes et redoutables, telles que le *Dunkerque* et le *Strasbourg*, cuirassés de 26 000 tonnes lancés en 1935 et 1936, ou mieux encore le *Richelieu* et le *Jean Bart*, mastodontes de 35 000 tonnes qui effectuaient leurs derniers essais ; sans oublier une flotte de contre-torpilleurs notoirement rapides. L'encadrement et les équipages étaient excellents (les engagés et les rengagés représentaient les neuf dixièmes des effectifs) et l'Amirauté britannique avait admiré comment l'amiral Laborde, devant l'avance de la Wehrmacht, avait su, le 18 juin 1940, faire quitter la rade de Brest, en moins de dix heures, à 74 bâtiments de guerre, dont le *Richelieu* et le *Surcouf*, le plus grand sous-marin au monde.

La survie de la Grande-Bretagne tenait à la capacité de la RAF (Royal Air Force) de résister à la Luftwaffe, mais tout autant à la maîtrise des mers par la Home Fleet. Or, c'en était fini de la suprématie de celle-ci du moment que la flotte française se joindrait à celles de l'Axe. Le 16 juin, après qu'un clan favorable à un armistice se fut déclaré à l'intérieur du gouvernement français, l'ambassadeur de Sa Majesté — Ronald Campbell — remettait en main propre à Reynaud deux télégrammes qui exigeaient (c'était «une condition *sine qua non*») que «la flotte française [fût] envoyée dans les ports britanniques en attendant les négociations [...] concernant un armistice». Cette sommation avait au moins le mérite d'être claire. Ce que ne fut pas la suite : Ronald Campbell «retirait» les télégrammes — dont Reynaud, qu'ils gênaient, ne disait mot — pour donner «toutes ses chances» à «l'offre d'union intime», un projet de fusion entre la France et la Grande-Bretagne que Churchill, de Gaulle et Jean Monnet avaient élaboré à Londres pour contrer les tenants de l'armistice. Mais cette offre était à peine discutée et quelques heures plus tard le cabinet Reynaud était démissionnaire.

Ronald Campbell produisait alors à nouveau les télégrammes, tout en précisant, après avoir «consulté ses archives» — si l'on en croit le nouveau ministre des Affaires étrangères, Paul Baudouin —, qu'ils avaient avant tout valeur documentaire. Le secrétaire général du Quai d'Orsay. François Charles-Roux, écrit avec raison — nous semble-t-il — «qu'il y eut là une fausse manœuvre de l'Angleterre» : la flotte française représentait un enjeu suffisamment important pour qu'il ne souffrît aucune ambiguïté. Mais il ajoute : «M. Paul Baudouin a considéré le cas comme élucidé. Je me suis demandé depuis, et même un peu sur le moment même, si le cas était aussi élucidé, aussi élucidé aux yeux des Anglais.» En tout cas, le même jour, le 18 juin, l'ambassade de France à Londres télégraphiait : «C'est surtout d'après le sort de la flotte que l'opinion anglo-saxonne jugera si nous avons forfait ou non aux engagements qui nous liaient à la Grande-Bretagne.» Avant même que fût signé l'armistice, la séparation s'annonçait mal : elle reposait sur un malentendu originel que l'on retrouvera transcrit en toutes lettres dans le texte que le *captain* Holland transmettra à l'amiral Gensoul, le 3 juillet, au petit matin.

L'engrenage.

La mésentente franco-anglaise s'installait, entretenue par des malentendus qui s'accumulèrent à l'envi pendant la semaine suivant l'arrivée au pouvoir du cabinet d'armistice. Ces malentendus tiennent pour une part à des ratés dans la transmission de l'information : avec l'ouverture de négociations d'armistice, les liens entre les deux amirautés s'étaient distendus. De surcroît, Ronald Campbell, ulcéré par l'atmosphère qui régnait à Bordeaux et la manière dont il était traité, déclarait tout de go, le 23 juin, qu'il quittait la France avec tout le personnel de son ambassade. La patience n'était certainement pas la qualité principale de l'ambassadeur de Sa Majesté, mais Paul Baudouin, le ministre des Affaires étrangères, pas plus que les

autres excellences siégeant à Bordeaux, n'avait cherché à
apaiser un ressentiment légitime à bien des égards.

Le circuit d'information ne fonctionnait plus qu'à sens
unique et, pour comble de malheur, le représentant de l'Amirauté française en Grande-Bretagne, le vice-amiral Odend'hal,
transmettait des télégrammes incomplets. Il est très vraisemblable (les archives anglaises n'ont pas encore livré tous leurs
secrets) que les Britanniques n'ont pas connu le contenu exact
de la consigne d'autosabordage donnée par Darlan le 24 juin et
il est certain qu'ils ne sauront pas que l'Amirauté française
estimait, le 30 juin, que le Reich entérinerait les propositions
de la Commission d'armistice franco-italienne acceptant le
« stationnement de navires à effectifs réduits à Toulon et en
Afrique du Nord ».

Cela dit, ces difficultés techniques reflétaient des divergences
sur le fond, qui ne cessaient de s'élargir. Elles portaient avant
tout sur l'interprétation de l'article 8 de la Convention d'armistice. Certes, la flotte française n'était pas livrée et était
seulement désarmée. Mais aux yeux de Londres, en stipulant
que « la désignation de ces ports sera[it] faite d'après les ports
d'attache des navires en temps de paix », le Reich dévoilait ses
batteries, puisque plus des deux tiers des bâtiments de guerre
français étaient basés à Lorient, Brest, Cherbourg et Dunkerque, quatre ports situés en zone occupée. Bien plus,
l'Amirauté britannique savait pertinemment que, dans le wagon
de Rethondes, le maréchal Keitel s'était étonné que les Français pussent se permettre de discuter une « offre très généreuse »
et, sans, il est vrai, fermer la porte à des négociations ultérieures, avait refusé un amendement qui proposait qu' « après
avoir été démobilisée, après avoir débarqué ses munitions [la
flotte de guerre française] sera[it] basée dans les ports français de l'Afrique du Nord ».

En outre, Ronald Campbell, qui ne rechignait pas à jouer des
coudes (n'avait-il pas — contre tous les usages — fait passer
une note en plein Conseil des ministres soulignant « le caractère
insidieux » de l'article 8), n'avait été que tardivement mis au
courant — et quasiment à la va-vite — du texte définitif imposé
par le Reich. Lui-même, le général Spears et bien d'autres
décrivaient Bordeaux aux mains d'anglophobes ayant pignon
sur rue, à l'image de Pierre Laval, qui faisait le 23 juin une
entrée remarquée au gouvernement et, Dieu sait que Laval
avait un arriéré de comptes à régler ! Trois jours plus tard, on
interdisait officiellement à Duff Cooper et à Lord Gort de

rencontrer à Rabat Georges Mandel et Édouard Daladier qui avaient choisi de quitter Bordeaux à bord du *Massilia*. Certes, les Français multipliaient les protestations de bonne foi, il fallait en convenir, et les «Lords de la mer» — le First Sea Lord, Sir Dudley Pound, et le premier Lord de l'Amirauté, Alexander — avaient été bien reçus, le 18 juin. Mais leur rapport montre qu'ils se défiaient du nouveau gouvernement et que s'ils ne mettaient pas en doute la parole de Darlan, ils restaient convaincus que les forces de l'Axe mettraient la main, quand elles le voudraient, sur une flotte à leurs yeux vulnérable même dans les ports d'Afrique du Nord.

Sans nul doute les Français étaient bien décidés à ne pas livrer la flotte, ne serait-ce que parce qu'ils avaient tout intérêt à être le moins démunis possible, quand s'ouvriraient les négociations de paix, vraisemblablement proches. En tout cas, la marine était fermement résolue à ne pas abandonner intacts des bâtiments invaincus. L'amiral de la Flotte, dorénavant ministre de la Marine, François Darlan, avait multiplié les instructions en ce sens : il fallait continuer à se battre tout en formant des équipes spécialisées dans le sabotage pour le cas où un coup de main serait tenté après l'armistice. Le 24 juin, douze heures avant que l'armistice n'entrât en vigueur, il faisait parvenir à tous les responsables ses ultimes consignes : l' «autosabotage» y figurait en bonne place !

Dans le même temps, la classe politique et les chefs militaires cherchaient à prendre le maximum de distances à l'égard de l'ancienne alliée, sur laquelle on n'aurait pas risqué le moindre penny. De plus, on appréciait peu que Churchill pût laisser s'exprimer à la BBC un simple général de brigade — à titre temporaire de surcroît — qui se prenait pour Jeanne d'Arc. Certes, Charles de Gaulle était peu écouté, mais enfin il agaçait. On avait encore plus mal reçu le discours prononcé le 22 juin par le Premier ministre qui, après avoir vertement tancé «le gouvernement de Bordeaux», affirmait que «toutes les ressources de l'Empire colonial et de la flotte passeraient rapidement entre les mains de l'ennemi qui les utiliserait à ses propres fins». Une algarade que les responsables de la marine — et en premier lieu Darlan — prirent pour une injure personnelle : de quel droit un Anglais pouvait-il mettre en doute la parole donnée ?

Rares pourtant étaient ceux qui, en France, discutaient l'autorité et la compétence de François Darlan, lequel, soit comme chef de cabinet de son parrain, Georges Leygues, soit

comme ministre occulte de la Marine avait su, avec ténacité,
obtenir les crédits nécessaires pour faire de la flotte française
ce qu'elle était devenue. Son ralliement, le 15 juin, au clan de
l'armistice avait pesé lourd dans la balance. Dorénavant
ministre à part entière, il entendait non seulement sauvegarder
sa marine mais encore jouer avec réalisme de ce qui était
devenu la meilleure carte française. Les obligations imposées par l'armistice et le raidissement britannique l'inci-
tèrent assez vite à donner ordre à tous bâtiments français
de rejoindre sans délai les ports d'Afrique du Nord. Ce à
quoi l'Amirauté britannique s'opposa : le 23 juin, l'amiral
James fermait le port de Portsmouth, invoquant comme
prétexte le mouillage de mines par la Kriegsmarine. En rade
d'Alexandrie, l'amiral Cunningham se voyait contraint de
déclarer à l'amiral Godfroy, qui voulait gagner Beyrouth :
« J'ai des ordres pour ne pas vous laisser quitter Alexandrie en
ce moment. » Et on comprend pourquoi les Britanniques
n'eurent pas connaissance des consignes formulées par Darlan
le 24 juin : l' « autosabotage » s'appliquait à « ennemi » tout
autant qu'à « étranger ». L'opération « Catapult » n'était plus
loin.

« Catapult » et méprise.

Le 24 juin 1940, le Naval Staff en arrivait à la conclusion
qu'il fallait, dans les plus brefs délais, neutraliser la flotte
française et en tout cas le *Dunkerque,* le *Strasbourg,* le
Jean Bart et le *Richelieu,* d'une manière ou d'une autre. Les
chefs d'escadres consultés mirent catégoriquement en garde
l'Amirauté contre toute utilisation de la force, qu'ils estimaient,
à tous égards, désastreuse. Or, le commandant de l'Atlantique
nord, Sir Dudley North, faisait savoir que l'amiral Gensoul,
qu'il avait rencontré à Mers el-Kébir, auquel il avait demandé
s'il « envisageait de soumettre sa flotte à l'autorité britannique », s'était « montré catégoriquement opposé à cette sugges-
tion ». Ces objections retinrent l'attention des « Lords de la
mer », elles ne les firent pas fléchir : le 27 juin, ils faisaient
adopter le principe de l'opération « Catapult » : son succès
dépendait de l'effet de surprise et, comme l'Amirauté ne voulait
pas trop dégarnir la défense des côtes britanniques, il fallait que
l'action fût rondement menée. Le 1er juillet, le cabinet de
guerre qui, si l'on en croit Churchill, « n'hésita pas un seul
instant, donnait ordre à la Home Fleet de se préparer à exécuter

'Catapult' le 3 juillet ». Les directives, cependant, n'étaient pas exactement les mêmes.

A Plymouth et à Portsmouth, où étaient interdits de sortie quelque 200 bâtiments de très inégale valeur, les Français furent mis devant le fait accompli : des commandos neutralisèrent aisément à trois heures du matin les équipages et il n'y eut mort d'hommes que sur le *Surcouf*. Les marins — sauf ceux qui choisissaient de rejoindre les Forces navales françaises libres — furent internés dans des camps qui n'avaient rien de plaisant.

En rade d'Alexandrie était mouillée la «force X», placée sous le commandement de l'amiral Cunningham et comprenant, entre autres navires français, un cuirassé, 4 croiseurs dont le *Duquesne*, portant la marque de l'amiral Godfroy, 3 torpilleurs et un sous-marin. Ce 3 juillet, trois solutions étaient proposées au Français : 1° mettre sa flotte à la disposition du gouvernement britannique ; 2° la rendre hors d'état de prendre la mer ; 3° la couler en haute mer. Profondément surpris, mais sans donner l'impression de céder à un «ultimatum», Godfroy faisait câbler : «Ai répondu première solution inconciliable avec mon devoir militaire. Deuxième solution ne pouvait être admise qu'avec votre approbation. [...] Que dans ces conditions nous nous coulerons.» Il choisissait d'autant mieux ce dernier cas de figure que, son artillerie étant pratiquement inutilisable, toute lutte eût tourné au massacre. Les deux amiraux, il est vrai, entretenaient entre eux des rapports particulièrement cordiaux et ils s'employèrent à chercher une issue honorable, en rusant au besoin avec leurs amirautés respectives qui poussaient l'un à en finir avant la nuit et exigeaient de l'autre d' «appareiller immédiatement d'Alexandrie avec tous [ses] bâtiments, par la force si nécessaire». Ces atermoiements furent interrompus par l'annonce de la bataille de Mers el-Kébir ; l'Amirauté française ordonnait «au moins œil pour œil». L'irréparable fut cependant évité, parce que les commandants d'unités, sous l'impulsion du capitaine de frégate Auboyneau, parvinrent à convaincre l'amiral Godfroy de conclure un *gentleman's agreement* : les navires français seraient mis hors d'état de prendre la mer, mais ne pourraient être utilisés par les Britanniques, à moins que l'armistice ne fût rompu.

A Mers el-Kébir, il en alla, on le sait, tout autrement : ce fut un drame dont il convient de suivre attentivement les actes successifs. L'Amirauté britannique n'avait pas lésiné sur les moyens : la «force H», quittant Gibraltar le 2 juillet, comprenait, outre le *Hood*, 2 excellents cuirassés, *Valiant* et *Resolution*, et le porte-avions le plus moderne de la Home Fleet, l'*Ark Royal*. Le secret avait été bien gardé : à l'aube, la «force H» surprenait au mouillage une escadre française, qui, depuis la veille, avait commencé à exécuter les consignes de démobilisation. L'amiral Somerville était porteur d'un texte qui, après un long préambule, laissait aux Français le choix entre quatre solutions, dont les termes, à l'évidence, avaient été pesés avec le plus grand soin. Précisons toutefois qu'il avait été modifié *in extremis* : les «Lords de la mer» avaient finalement exclu le désarmement sur place (un cas de figure pourtant offert à l'amiral Godfroy). L'amiral Somerville avait cependant reçu pour instruction de s'y rallier, comme pis-aller, pour le cas où les Français le proposeraient. A condition, toutefois, que l'opération pût être menée à bien en moins de six heures et de façon telle que les navires fussent hors d'état de prendre la mer pendant au moins un an.

Il était près de sept heures quand le destroyer *Foxhound* s'approcha de la passe en ayant à son bord le *captain* Holland : il demandait à rencontrer l'amiral Gensoul, pour lequel il affirmait être porteur d'un message de la plus haute importance. Mais l'amiral, averti que s'était déployée au large une flotte anglaise en ordre de bataille, refusa de le recevoir et délégua, pour le rencontrer au large, un de ses subordonnés, le lieutenant de vaisseau Dufay. Entre le navire-amiral et le *Foxhound* se déroula un ballet compliqué d'allées et venues, puisque, décidément, Gensoul persistait dans son refus d'admettre à bord du *Dunkerque* le plénipotentiaire envoyé par l'amiral Somerville. Dufay et Holland, qui avait naguère été l'officier de liaison de l'Amirauté britannique auprès de la marine française, s'appréciaient suffisamment pour que Holland suppliât son camarade de plaider auprès de son chef le bien-fondé et le côté «raisonnable» des demandes britanniques.

Dialogues pathétiques ! Car l'amiral Gensoul avait sèchement fait répondre : «*Primo*. Les assurances données par l'amiral Gensoul à l'amiral Sir Dudley North, quelques jours auparavant, demeurent entières. En aucun cas, les bâtiments français ne tomberont intacts aux mains des Allemands ou des Italiens. *Secundo*. Étant donné le fond et la forme du véritable ultimatum qui a été présenté à l'amiral Gensoul, les bâtiments français se défendront par la force.» On a bien lu *ultimatum* : le drame était noué. Dans le même temps, vers les neuf heures, il câblait à l'Amirauté française un rapport laconique et pour le moins

singulier : «Forces anglaises comportant 3 cuirassés, un porte-
avions, croiseurs et torpilleurs devant Oran. Ultimatum envoyé :
coulez vos bâtiments dans six heures ou nous vous y contrain-
drons par la force. Réponse : bâtiments français répondront à
la force par la force.» C'était jouer avec le feu. Ordre était
également donné du branle-bas de combat. Ce qui n'échappa
pas aux Britanniques qui larguèrent cinq mines magnétiques au
travers de la passe : on ne pouvait plus se méprendre, les
choses se gâtaient.

Quelques heures furent pourtant gagnées, et qui auraient pu
être précieuses. Vers treize heures, l'amiral Gensoul envoyait
un second télégramme, dans lequel il relatait que «le commandant Holland a[vait] indiqué que désarmement [...] à Mers el-
Kébir serait susceptible donner base à un arrangement, ceci
sous toutes réserves [...].» Deux heures plus tard, il acceptait
finalement de recevoir Holland à bord du *Dunkerque* et, après
un échange relativement vif, lui lisait dans son intégralité
l'ordre d'autosabordage envoyé par Darlan le 24 juin, avant de
l'autoriser à communiquer au *Hood* : «L'amiral Gensoul dit
que son équipage est en voie de réduction et que, s'il était
menacé par l'ennemi, il partirait pour la Martinique et les États-
Unis. Mais ce n'est pas exactement conforme à nos propositions. Je ne puis rien obtenir de mieux.»

C'était en tout cas trop tard. Après avoir reçu le premier
télégramme de Gensoul, l'amiral Le Luc avait enjoint à tous
les navires disponibles de rallier Oran. Un ordre que confirmait
Darlan après avoir fait entériner la décision dans un Conseil
des ministres tenu à cinq, qui dura à peine un quart d'heure et
qui se termina sur cette formule lapidaire de l'amiral de la
flotte : «L'amiral Gensoul propose de répondre à la force par
la force, l'honneur de la marine empêche qu'il en soit fait
autrement.» Et fut envoyé *en clair* ce message impératif :
«Ordre à tous les bâtiments de guerre français se trouvant en
Méditerranée occidentale de prendre la mer pour se concentrer
au large d'Oran [...].» Voulait-on contraindre à la retraite la
«force H»? Encore une fois, c'était se méprendre. L'Amirauté
britannique réagissait tout au contraire par ce câble non moins
impératif : «Réglez rapidement les choses, sinon vous aurez
affaire à des renforts.» Quelques minutes plus tard, l'amiral
Somerville envoyait un ultime message : «Si une des propositions britanniques n'est pas acceptée à 17 h 30 BST, il faut que
je coule vos bâtiments.»

Une heure après, c'étaient des blessés qu'on relevait et des morts qu'on comptait. Le bilan aurait été moins lourd si la *Bretagne* n'avait pas coulé aussi brutalement, emprisonnant dans un gigantesque cercueil d'acier 37 officiers et 940 marins. Au total, en y incluant les victimes du deuxième raid, opéré contre le *Dunkerque* le 6 juillet, on dénombra à Mers el-Kébir 1297 tués (47 officiers, 196 sous-officiers, 1054 matelots).

« Une tragédie grecque ».

« Une tragédie grecque », c'est le jugement que, dans ses *Mémoires*, formule Churchill, après avoir écrit que « ce fut une décision odieuse, la plus inhumaine de toutes celles que j'ai eu à partager ». Un jugement qui a sa part de vérité. Et, comme dans toute véritable tragédie, l'action se joue entre trois personnages.

Du côté de l'Amirauté française, on se heurte à l'énigme posée par Marcel Gensoul. Sur lui — comme sur tout un chacun — pesaient les contraintes de la Convention d'armistice. Lisons soigneusement les conditions posées par les Britanniques : elles ne lui laissaient qu'une marge de manœuvre étroite, puisque le départ vers les Antilles françaises était dans une large mesure contraire à l'esprit de l'article 8 qui imposait que les navires fussent « rappelés en France ». Il eût pu, cependant, négocier un désarmement sur place : Somerville en avait reçu l'autorisation. Mais encore fallait-il que Gensoul négociât. Or, tout au long de cette journée, le comportement de celui que Darlan avait volontairement placé à la tête de la « force de Raid » — un « atout politique [à] garder bien en main » —, parce que, disait-il, Gensoul « exécuterait ses ordres avec diligence et exactitude », ne laisse pas de surprendre.

Gensoul passait plutôt pour anglophile mais on savait également qu'il était très à cheval sur les usages et les manières qui devaient, selon lui, régir la vie sur la mer. La démarche du *captain* Holland lui apparut sur-le-champ insupportable, à tous les sens du terme, d'autant que, comme il l'explique lui-même en témoignant lors du procès de Paul Baudouin : « Au point de vue de l'honneur du pavillon français, et en tant qu'amiral, j'estimais que sous la menace des canons, fussent-ils anglais, je ne pouvais pas mollir et accepter les termes de cet ultimatum. » C'est pourquoi il refusa, dans un premier temps, de recevoir Holland. Pis, il se crut autorisé à tronquer ledit « ultimatum » de la manière que l'on sait : quasiment une version maritime de la « dépêche d'Ems ». Après quoi, sans fermer vraiment la porte à la négociation, il s'efforça de gagner du temps, ne serait-ce que pour faire pousser les feux ; tout en sachant que, embossés comme ils l'étaient, le *Strasbourg* et le *Dunkerque* n'avaient pas leurs tourelles battantes. L'amiral Gensoul est bien l'un des hommes clefs du drame.

Sous ses grands airs de pécheur repenti, Churchill a-t-il la conscience aussi tranquille qu'il l'affirme ? Sans doute, rien ne permet jusqu'à plus ample informé d'affirmer, comme le prétendent quelques inconditionnels de l'État français, que le Premier ministre britannique a monté « Catapult » pour raffermir en Grande-Bretagne une autorité qui aurait été contestée depuis la campagne de France. Qu'on ne s'y trompe pas : quand il célèbre devant les Communes le succès de l'opération, c'est pour signifier aux puissances neutres, et singulièrement aux États-Unis, que la Grande-Bretagne était résolue à faire face. Et l'historien ne désavouera pas la comparaison qu'il fait figurer dans ses *Mémoires :* « Je pensais aux paroles de Danton : 'Jetez-leur une tête de roi.' » Non, la question qu'on est en droit de se poser, c'est de savoir ce que cherchaient exactement les « Lords de la mer » : neutraliser, couler ou « emprunter » les navires français ? Vraisemblablement les trois à la fois, si l'on considère la diversité des consignes imposées pour chacun des lieux de l'opération.

Versons encore une dernière pièce au dossier pour illustrer l'ambiguïté profonde de « Catapult ». Toujours ce même 3 juillet, le croiseur *Dorsetshire* recevait pour mission de surveiller le *Richelieu* mouillé à Dakar, et son commandant avait pour le cas où le cuirassé ferait route vers les Antilles cet ordre précis : « Faites l'impossible pour le détruire à la torpille et, si vous n'y réussissez pas, abordez-le (je répète abordez-le). » Du moins le gouvernement de Sa Majesté et Roosevelt, qui avait discrètement accordé son *nihil obstat*, étaient-ils soulagés. Le réalisme musclé avait été payant : si l'on met à part le *Strasbourg* que son « pacha », le capitaine de vaisseau Collinet, faisait habilement sortir de la nasse et ramenait, sain et sauf, à Toulon, les autres grosses unités ou n'étaient pas parées — le *Jean Bart* — ou étaient immobilisées : le *Dunkerque* fut attaqué à nouveau avec succès par l'aviation le 6 juillet et le *Richelieu* atteint par une torpille le 7. La flotte de haute mer française cessait d'obséder les rêves du Premier ministre britannique. Simplement, les marins seront, à l'avenir, parmi les plus résolus à s'opposer aux Anglo-Saxons, que ce soit à Dakar, le 23 septembre 1940, au Levant, en juin 1941, ou à Casablanca, le 7 novembre 1942.

Reste le troisième homme, celui par qui, le plus souvent, le drame arrive. Lui, en l'occurrence, avait gagné sur tous les tableaux. Réprimant la boulimie de son tardif et encombrant allié, Hitler avait donné à Mussolini le 18 juin une magistrale leçon de stratégie politique. Une leçon qui allait s'exercer aux dépens des Britanniques, qui ne parvinrent pas à percer un plan qu'ils allaient rendre diabolique, et des Français, qui allaient se faire piéger dans l'engrenage de la collaboration d'État.

Drôle de drame.

Ce fut une affaire mal engagée, qui tourna mal, mais dont les retombées ne laissent pas de déconcerter. Qu'on en juge : l'amiral Cunningham, qui avait délibérément biaisé avec les ordres reçus, en octroyant de son propre chef des délais supplémentaires à l'amiral Godfroy, était chaudement félicité par les «Lords de la mer» pour le compromis auquel il était parvenu ; alors que, sans lui donner la moindre explication, Darlan retirait à Gensoul, ce bon élève, tout commandement et lui confiait la direction des œuvres sociales de la marine (les méchantes langues, et elles étaient légion dans les palaces vichyssois, susurrant qu'il passait pour la «première assistante sociale de la marine»). Tout est un peu à l'image de ce chassé-croisé. Et, en tout cas, rarement décalage fut plus manifeste entre l'événement et ce qui demeure enfoui dans la mémoire collective.

Car l'empoignade entre Français et Britanniques ne modifia quasiment en rien la politique que Hitler avait arrêtée à l'égard de la France vaincue. Certes, à Wiesbaden, l'amiral Michelier constatait le 23 juillet que, dans la sous-commission d'armistice «Marine», se mettait à régner «une atmosphère très détendue», mais il notait le 26 que ses interlocuteurs allemands ne relâchaient pas leur «méfiance». L'exécution de l'article 8 de la Convention d'armistice fut bien suspendue et les Français purent réarmer une partie de leur flotte de haute mer ; pourtant les nouveaux maîtres, à Vichy, ne parvenaient pas à rencontrer les responsables du Reich. La canonnade de Dakar, qui, en septembre, fit échouer la tentative de rallier l'AOF à la France Libre, impressionna beaucoup plus le Führer ; et, surtout, c'était la nécessité qu'il y avait de verrouiller la Méditerranée avant de s'élancer vers les steppes russes qui incita Hitler, en octobre, à se prêter à la collaboration d'État. Simplement, la *Propagandastaffel*, qui savait ne jamais prendre de retard, lança aussitôt une campagne d'affiches avec pour thème « N'oubliez pas Oran » et comme acteur un matelot français coulant en brandissant le drapeau tricolore.

Il serait tout aussi erroné d'affirmer que Mers el-Kébir modifia radicalement les rapports franco-britanniques : le divorce, redisons-le, avait déjà été consommé. Sans doute Laval — et encore plus Darlan, rendu littéralement fou furieux par la nouvelle attaque subie le 6 juillet par le *Dunkerque* — exigeait non seulement qu'on appliquât la peine du talion mais n'excluait plus un renversement des alliances : n'imaginait-il pas de foncer, aidé de la flotte italienne, sur Alexandrie ! Mais Baudouin et Weygand surent faire preuve d'habileté et de réalisme (il faut se souvenir de ce qu'était la France en ce début de juillet avec près du cinquième de ses habitants déracinés par l'exode) pour s'en tenir à la rupture des relations diplomatiques et limiter les représailles à l'envoi de quelques avions sur Gibraltar, les 4 et 5 juillet, et à l'autorisation donnée aux navires français de tirer à vue sur les bâtiments britanniques.

Il est vrai que les « Lords de la mer », tout en lançant d'ultimes opérations de commandos contre les plus grosses des unités françaises, s'efforçaient de faire le dos rond : ne vit-on pas l'Amirauté britannique « exprimer son plus vif regret » pour le torpillage, le 4 juillet, au large d'Oran de l'aviso *Rigault de Genouilly* ; et le 14, dans un discours radiodiffusé, Churchill annonçait que la Home Fleet n'ouvrirait plus le feu sauf si des bâtiments cherchaient à gagner des ports en zone occupée. Pour sa part, Somerville avait quelques jours auparavant, le 6 juillet, écrit à sa femme : « Ainsi donc cette sale besogne est enfin terminée. » Darlan, sans doute, crut prendre sa revanche lorsqu'il devint le principal des ministres en février 1941. Il est vraisemblable qu'il apprit sans déplaisir que le *Bismarck* avait réussi à couler le *Hood* en mai 1941 ; surtout, le même mois, pour sauvegarder la flotte et l'Empire français, et en espérant que Hitler se contenterait de dépouilles anglaises, il paraphait les « Accords de Paris ». Mais suite ne fut pas donnée à ce qui aurait pu déboucher sur une véritable cobelligérance franco-allemande. Et pourtant c'est à ce même Darlan que les Anglo-Saxons eurent affaire après avoir débarqué en Algérie et au Maroc, en novembre 1942. Un Darlan qui tourna casaque et

que les Américains jugèrent commode d'utiliser, à titre, il est
vrai, «d'expédient provisoire». En vérité, on n'en était plus à
un paradoxe près dans une guerre décidément déroutante!

Que Mers el-Kébir ait choqué un grand nombre de Français
semble peu contestable. Pierre Limagne, rédacteur à *la Croix,*
anglophile et antinazi patenté, notait dans ses *Éphémérides :*
«Le *Dunkerque* est de nouveau attaqué par l'aviation britannique. Les Anglais ne font vraiment pas de sentiment! Le
nom de Dunkerque devrait leur rappeler quelque chose.»
Lisons le discours que prononçait de Gaulle le 8 juillet : il
s'y montrait perspicace pour le long terme, mais l'écho rencontré dans le très immédiat était pour ainsi dire nul. Et à
peine 5 000 marins avaient rejoint les forces navales françaises
libres à la fin de l'année 1941. Cela dit, les morts de Mers
el-Kébir firent tout autant l'objet de soins intéressés : Laval
les utilisa pour hâter le hara-kiri parlementaire, et la classe
politique s'en servit pour justifier quelque lâche soulagement
ou, plus simplement, pour se donner bonne conscience. *Le
Figaro* du 5 juillet discernait sous «les graves événements de
Mers el-Kébir» un «avantage» : «c'est qu'il nous libère
d'un poids moral», celui d'avoir abandonné l'alliée de naguère.
Et toute la presse nationale repliée en zone sud, de *l'Action
française* à *la Dépêche de Toulouse,* abondait dans le même
sens. Mieux, comme l'affirme *le Temps* (journal anglo-
mane s'il en fut et qui en battait sa coulpe avec d'autant plus
de vigueur), daté du 6 juillet, c'était pour la diplomatie française l'occasion de «renaître et recouvrer une indépendance
totale».

Ce bon spécialiste des questions militaires qu'est Liddell Hart
n'a consacré à l'événement que trois petites lignes et ce témoin
attentif de la vie politique française qu'était le président du
Sénat, Jules Jeanneney, n'y fait même pas allusion dans son
Journal politique. Il n'empêche : dans la mémoire collective de
bon nombre de Français il demeure une référence et, mieux
qu'un nom quelconque de bataille, le symbole même du coup
bas. Peu d'entre eux savent qu'Honoré d'Estienne d'Orves,
commémoré dans un bon nombre de lieux publics, était un polytechnicien entré dans la marine, lieutenant de vaisseau, officier d'ordonnance de l'amiral Godfroy, qui rejoignit Londres le
21 septembre 1940, avant de demander à partir en mission en
France occupée, d'y être dénoncé par un agent double et d'être
fusillé le 29 août 1941. L'inconscient collectif, selon toute
vraisemblance, se raccroche plus volontiers à cette tombe que

représentait *Gringoire,* dans son numéro du 1ᵉʳ août 1940, et sur laquelle était gravée cette épitaphe :

« Ci-gît le quartier-maître Jean Yves blessé à Dunkerque le 30 mai 1940 en protégeant l'embarquement des Anglais, assassiné à Mers el-Kébir le 3 juillet 1940 par les Anglais. »

Pour en savoir plus

Deux récits honorables.

D. Baldensperger, *Mers el-Kébir*, Éd. Rouff, 1967.

A. Heckstall-Smith, *La Flotte convoitée*, Presses de la Cité, 1964 (très critique à l'égard des « Lords de la mer »).

Le meilleur témoignage sur la politique choisie par la diplomatie française.

Fr.-Ch. Roux, *Cinq mois tragiques aux Affaires étrangères*, Plon, 1949.

A compléter par :

P.-M.-H. Bell, « Prologue de Mers el-Kébir », *Revue de la Deuxième Guerre mondiale*, janvier 1959.

La déposition de l'amiral Gensoul dans le procès en Haute Cour intenté contre Paul Baudoin (Paris, 1947) : témoignage consultable à la Bibliothèque de documentation internationale contemporaine de Nanterre (BDIC).

Deux histoires militaires.

Amiral Auphan et J. Mordal, *La Marine française pendant la Deuxième Guerre mondiale*, Hachette, 1958 (ne cachent pas leurs sympathies pour l'État français, mais les jugements portés sont suffisamment nuancés).

J. R. M. Butler, *History of the Second World War. Grand Strategy*, Londres, éd. 1957, vol. 2.

4

Le PCF en 1940

Denis Peschanski

La période 1939-1940 a été une des plus sombres dans l'histoire du parti communiste français. Le 26 septembre 1939, un mois après le pacte germano-soviétique et une dizaine de jours après l'entrée de l'Armée rouge en Pologne, le PCF est interdit par le gouvernement Daladier. La répression achève ce que la mobilisation avait commencé : le groupe parlementaire puis l'ensemble des militants sont frappés ; la répression culmine au printemps 1940.

Dans le mois qui a suivi le fameux pacte, le Parti, à l'instar de l'Internationale, a développé conjointement deux thèmes : la défense de l'accord Hitler-Staline et la nécessaire défense nationale face à l'Allemagne hitlérienne. Cependant, à la fin de septembre 1939, on entend de sa part un autre son de cloche. C'est alors, en effet, que la guerre est définie par le PCF comme une «guerre impérialiste» puisque l'URSS se trouve en dehors du conflit : après avoir poussé en vain l'Allemagne contre l'Union soviétique, l'Angleterre et la France disputaient à Hitler le partage du monde. Le capitalisme avait tout naturellement engendré la guerre ; il restait aux communistes à la dénoncer, à flétrir ses responsables et à en supprimer la cause. Cette analyse d'ensemble, qui contredisait tout ce que le PCF avait dit depuis des années, devait rester la sienne pendant plus d'un an et demi, moyennant diverses inflexions. Ainsi, d'octobre 1939 à mai 1940, les thèmes pacifistes occuperont toujours plus de place dans la presse clandestine communiste.

Pendant l'été 1940, les positions communistes se font plus complexes ; à tout le moins donnent-elles matière à discussion chez les historiens *. Stratégie de prise du pouvoir visant à

---

* Cf. «Pour en savoir plus», en fin de chapitre.

combler un vide politique ou ébauche d'une stratégie de lutte pour la libération nationale du territoire ? Cohérence de la ligne ou contradictions ? Monolithisme des communistes ou sensibilités diverses ? Telles sont les questions toujours en débat.

En réalité, trois problèmes précis doivent être examinés : les propositions dites du 6 juin ; l'appel au peuple de France dit du 10 juillet ; la politique légaliste [1].

Des propositions fantômes.

Au moment où les armées allemandes pénètrent en France, la direction du PCF est dispersée : Benoît Frachon est à Paris, Jacques Duclos et Clément-Fried [2] à Bruxelles, Maurice Thorez à Moscou. Début juin, pour faire face à la nouvelle situation, la mise en place de deux centres de direction en France est décidée, mais le contact prévu ne peut finalement avoir lieu entre Duclos et Tréand, d'une part, qui viennent de Bruxelles, et, d'autre part, Frachon, Arthur Dallidet, Mounette Dutilleul, Danièle Casanova, qui partent pour Limoges *via* Bordeaux ou Toulouse. Le retour de ces derniers à Paris s'échelonne entre le 3 et le 8 août. C'est le 10 août que se rencontrent Jacques Duclos et Benoît Frachon dans une « planque » de la Poterne des Peupliers (XIIIe arrondissement).

Ainsi la direction subit-elle les fluctuations de l'exode. Il faut bien garder à l'esprit l'impression de décomposition que donne la situation intérieure de la France durant ces quelques semaines. Précédant l'avance allemande, ce sont près de 7 à 8 millions de personnes, le cinquième de la population, qui se retrouvent sur les routes, tandis que 1,5 million de soldats sont faits prisonniers. Paris compte 700 000 habitants à l'entrée des Allemands et 2 350 000 deux mois plus tard. Sur ces 700 000, on ne dénombre que 180 à 200 communistes plus ou bien moins organisés, a précisé Jacques Duclos dans ses *Mémoires*. C'est dans ce climat de déliquescence que se situe l'épisode contesté des propositions du 6 juin.

Reprenons le récit que nous en a fait le dernier témoin vivant, Mounette Dutilleul : le ministre Anatole de Monzie, lors de la campagne de France, aurait posé à un proche du savant Paul Langevin la question de l'attitude des communistes en cas de menace contre Paris. Il aurait aussi formulé le désir de rencontrer Marcel Cachin ou un autre dirigeant du Parti. L'information parvient à Politzer, alors mobilisé à l'École militaire, qui la transmet à Frachon par l'intermédiaire de

Mounette Dutilleul. Avec Politzer, qu'il a fait chercher, et Arthur Dallidet, Frachon rédige la lettre dite du 6 juin dans laquelle sont indiquées les propositions du PCF. Cette lettre remonte la filière, mais personne ne sait depuis lors ce qu'elle est devenue (précisons qu'à l'issue du remaniement ministériel du 5 juin Anatole de Monzie n'était plus ministre et que, le 10, le gouvernement quittait Paris pour Tours).

Ces propositions auraient été au nombre de cinq :

« 1. Transformer le caractère de la guerre ; en faire une guerre nationale pour l'indépendance et la liberté.

» 2. Libérer les députés et militants communistes, ainsi que les dizaines de milliers d'ouvriers emprisonnés ou internés.

» 3. Arrêter immédiatement les agents de l'ennemi qui grouillent dans les Chambres, dans les ministères et jusque dans l'État-major, et leur appliquer un châtiment exemplaire.

» 4. Les premières mesures créeraient l'enthousiasme populaire et permettraient une levée en masse qu'il faut décréter sans délai.

» 5. Il faut armer le peuple et faire de Paris une citadelle inexpugnable. »

S'appuyant sur le fait que le PCF ne fit état de cet épisode que dans un tract de 1943 et dans la revue mensuelle éditée à Alger, *France nouvelle* (n° 1-2) en décembre 1944, nombre d'historiens ont mis en doute l'existence ou le contenu de ces propositions. D'autres, tel Stéphane Courtois*, tout en reconnaissant l'existence de ces propositions, refusent d'y voir l'expression d'une lutte pour la défense nationale. Enfin, bien sûr, l'historiographie communiste officielle défend la thèse de l'existence de ces propositions et y voit un appel à défendre le territoire contre l'occupant.

La démarche gouvernementale est pourtant évoquée dès 1942 dans l'ouvrage d'un Soviétique très bien introduit dans les sphères dirigeantes françaises, Ilya Ehrenbourg, intitulé *la Chute de Paris*.

Une dizaine de pages y sont consacrées au rapprochement franco-soviétique et aux propositions faites au parti communiste par l'un des personnages semi-fictifs de son livre, le ministre radical Tessart. Quarante ans après l'événement, Tillon témoigne dans ses Mémoires *(On chantait rouge)* qu'arrivées à Bordeaux au milieu du mois de juin 1940 Claudine Chomat et Danièle Casanova lui présentèrent un tract ronéoté appelant à la défense de Paris. Rédigé la veille de leur départ par Politzer, il n'avait pu être distribué.

Deux articles parus dans les hebdomadaires de l'Internationale, *Die Welt* et *World News and Views*, de 1940 nous permettent de nous faire une opinion à peu près définitive.

Le numéro 28 de *Die Welt* (28 juin 1940) publie une « Lettre d'un soldat français », communiste, décrivant la situation au front et à l'arrière fin mai, début juin. Deux thèmes sont principalement développés :

1. Les communistes continuent à dénoncer la guerre comme étant une guerre impérialiste menée par les gouvernants français plutôt contre l'Union soviétique que contre l'Allemagne, avec des Anglais qui paient grassement leurs soldats et se gardent bien de les envoyer en première ligne.

2. Les communistes, dont tout le monde sait « qu'ils sont au front et sur la ligne Maginot et y accomplissent leur devoir avec tout le monde », sont de plus en plus entendus. Au front comme à l'arrière « tous arrivent à la même conclusion : ouvriers et paysans n'ont rien à attendre de cette guerre ; ce n'est pas leur guerre ». Cette prise de conscience massive est riche de promesses : « Une nouvelle chanson a jailli. C'était le chant de *Madrid martyrisée*. C'était certainement des camarades des brigades internationales, et de nombreuses voix les rejoignirent. L'atmosphère est complètement changée. Le prolétariat exige l'organisation de la défense de la capitale. L'opinion générale est contre une paix tant que l'ennemi se trouve sur le sol français. »

L'allusion est plus nette encore dans l'article que signe Raymond Guyot dans le numéro 44 de *World News and Views* (2 novembre 1940) intitulé : « Pourquoi la France fut-elle vaincue ? »

« Les mesures sociales, politiques, économiques et organisationnelles extraordinaires proposées par les communistes et ayant pour but la mobilisation de toutes les richesses et de toutes les ressources du pays, auraient pu être accomplies pour mettre fin à l'oppression de la classe ouvrière et épurer le gouvernement, les fonctionnaires et l'armée de tous les capitulards et éléments de la 5e colonne[3]. »

Mais rien ne fut fait. « Paris aurait pu être défendu. Le peuple de Paris, les soldats et officiers le réclamaient et érigeaient des fortifications, creusaient des tranchées, dressaient des barricades. Suivant l'exemple de la population de Madrid, le peuple voulait défendre sa fameuse cité et appelait aux armes. Mais les ministres traîtres et les chefs de l'armée, Pétain et Weygand, ne voulaient pas sauver Paris. Les gros capitalistes désiraient l'entrée des Allemands dans Paris et l'occupation de la France par les troupes de Hitler. »

Contre l'occupant et la bourgeoisie.

Ces deux articles confirment, à notre avis, l'existence probable, et donc le contenu, de démarches que plusieurs schémas de référence traditionnels pouvaient inspirer : la Commune de Paris, la défense de Madrid, souvent citées, mais aussi la Révolution russe (les bolcheviks après octobre 1917 dénoncèrent la guerre comme impérialiste et décidèrent, pour sauver leur pouvoir, une cessation unilatérale des combats qui aboutit au traité de paix séparé avec l'Allemagne à Brest-Litovsk, en mars 1918).

Les modalités de la démarche d'Anatole de Monzie, les délais invoqués et les personnalités concernées font songer à une initiative personnelle de part et d'autre.

Toutefois, le développement conjoint des deux thèmes (la condamnation de la guerre impérialiste et de ses responsables ; la dénonciation de l'offensive allemande à laquelle il faut se donner les moyens de faire face) se retrouve dans nombre de documents du Parti écrits entre la mi-mai et la mi-juin. Stéphane Courtois avait déjà noté cette inflexion de la ligne dans les publications du PCF à partir de la seconde quinzaine de mai. Des articles développant les mêmes thèmes se multiplièrent alors dans les journaux de l'Internationale. Ainsi le numéro 28 de *World News and Views* daté du 29 juin 1940 cite longuement une déclaration du parti communiste allemand, faite deux ou trois semaines auparavant, et intitulée : « Mettez fin à cette guerre monstrueuse ! » Le gouvernement nazi y est très vivement dénoncé. Dans le même numéro, on trouve une déclaration du parti communiste français peu connue mais très importante [4]. Rappelons-en les thèmes principaux. La déclaration part d'un constat : « La France est menacée de disparaître en tant que nation, en tant 'qu'État indépendant' ». Suit une longue dénonciation des responsables : « La bourgeoisie impérialiste et ses hommes, Laval, Flandin, Bonnet, mais aussi ses complices, le parti socialiste et la CGT ; enfin, les généraux incompétents. Pendant la drôle de guerre, la bourgeoisie française a engagé la guerre non contre l'Allemagne mais contre la classe ouvrière et son avant-garde, le parti communiste. Obsédée par ses petits intérêts de classe, [elle] ne s'est absolument pas occupée de la défense des frontières au nord de la France et de Paris. Elle ne pensait qu'à une chose : comment maintenir et consolider sa domination sur les colonies. »

Dès lors, poursuit l'article, pour sauver la France du désastre, il faut prendre des mesures extraordinaires contre les vrais traîtres et pour les libertés démocratiques. Conclusion : « Nous, communistes français, avons toujours combattu contre l'exploitation capitaliste, contre l'oppression politique exercées par la bourgeoisie, contre l'exploitation et l'oppression des peuples coloniaux. Nous avons toujours lutté contre la rapacité de la politique impérialiste de la bourgeoisie française envers les autres peuples, et particulièrement envers le peuple allemand. Et c'est de même avec le droit, les raisons et l'énergie les plus forts que nous lutterons contre l'asservissement par l'étranger. »

Ainsi, loin d'être isolées, les propositions du 6 juin s'intègrent dans un ensemble de textes et de déclarations convergents. On peut avancer deux hypothèses, nullement incompatibles par ailleurs :

1. Un courant plus sensible à la question nationale a pu l'emporter un temps dans l'Internationale communiste, tirant argument du subit et spectaculaire déferlement des troupes allemandes sur l'Europe occidentale.

2. Ce spectaculaire déséquilibre en faveur de l'un des « camps impérialistes », pour reprendre la terminologie officielle, aura sans doute surpris la diplomatie soviétique qui spéculait probablement sur un affaiblissement réciproque dans une guerre longue. Au début de l'offensive, le 10 mai 1940, Molotov expliquait à Schülenburg, l'ambassadeur allemand en poste à Moscou, qu'il « comprenait que l'Allemagne doive se protéger contre l'attaque franco-britannique [et qu'il] n'avait aucun doute sur le succès [de l'Allemagne] ». A l'issue de l'offensive, Molotov montre le même optimisme, selon un télégramme de Schülenburg à Ribbentrop daté du 17 juin : « Molotov m'a convoqué ce soir à son bureau et exprimé les plus chaleureuses félicitations du gouvernement soviétique pour le splendide succès de l'armée allemande. Là-dessus, Molotov m'informa de l'action soviétique contre les États baltes. »

Ne faut-il pas comprendre que l'Union soviétique joua, jusqu'à la victoire nazie, sur ces tractations complexes ? Avec l'annexion des États baltes puis de la Bukovine du Nord et de la Bessarabie, les dirigeants soviétiques ont vite compris quel parti ils pouvaient tirer de cette nouvelle situation.

Le contexte idéologique des propositions du 6 juin aide à

mieux comprendre la portée de l' «appel au peuple de France», dit appel du 10 juillet. Ici encore, les historiens débattent du contenu et de la date du texte : est-ce un appel à la résistance ? Date-t-il du 10 juillet ou de la mi-août ?

L'appel est contradictoire : il s'inspire certes des thèmes nationaux développés entre la mi-mai et la mi-juin, mais, entre-temps, la situation a changé : la défaite est consommée ; et surtout, le Parti a esquissé une politique légaliste.

A plusieurs reprises reviennent dans l'appel les revendications de «liberté» et d' «indépendance». Il est dit nettement que «la moitié du territoire français subit l'occupation de l'armée allemande aux frais de la France», que «les masses laborieuses, en demandant que *la France soit aux Français*, expriment à la fois *la volonté d'indépendance nationale de tout un peuple* et sa ferme résolution de le débarrasser à tout jamais de ceux qui l'ont conduit à la catastrophe». «Vive la France libre et indépendante !» conclut l'appel.

Le 10 juillet ou la mi-août ?

La ressemblance avec les textes précédents n'est pas seulement thématique. Rappelons-nous cette phrase de la déclaration parue fin juin dans *World News and Views :* «La classe ouvrière et le peuple de France n'accepteront jamais l'asservissement par l'étranger.» Le style Duclos en fera la célèbre formule : «Jamais un grand peuple comme le nôtre ne sera un peuple d'esclaves.» Mais l'adjectif «national» n'est presque jamais accolé au mot «indépendance», car les revendications répétées d' «indépendance» et de «liberté» ont toujours un double contenu, social (contre la bourgeoisie française) et national (contre l'occupant allemand). On remarquera surtout le contraste entre l'absence de référence explicite à la politique allemande en France et la continuelle dénonciation des responsables français de la guerre et du régime de Vichy, «dictature des forbans», «gouvernement des ploutocrates et des fauteurs de guerre».

L' «appel au peuple de France» est une suite d'objectifs revendicatifs pour une France libre et indépendante : la tâche prioritaire est de «remettre la France au travail». Mais, pour cela, il faut confisquer les bénéfices de guerre, opérer un prélèvement sur les grandes fortunes. Les Français doivent s'organiser en comités populaires de solidarité et d'entraide : il faut rétablir les libertés démocratiques et signer un pacte d'amitié franco-soviétique. Plus globalement, au gouvernement de Vichy doit succéder un gouvernement du peuple. Le contenu de cet appel aide à préciser les conditions de son élaboration.

Sans nul doute, la déclaration parue dans les journaux de l'Internationale a été une première source d'inspiration pour Duclos. On peut donc, pensons-nous, souscrire à la double signature (Duclos, Thorez) de l'«appel au peuple de France». Maurice Thorez précise dans ses *Carnets* combien la gestation de la déclaration fut longue ; il fut exigé diverses retouches, au point qu'il en fut énervé. C'est sans doute de cet appel qu'André Marty parla à Charles Tillon dans les années 50 ; il affirmait qu'il fut le fruit d'une discussion lors d'une promenade sur la Moskova. La date indiquée par Marty — 14 juin — nous semble cependant tardive : on peut penser qu'une première ébauche fut rédigée fin mai, début juin, puis envoyée en Belgique. C'est ce texte qu'Angèle Grosvalet, agent de liaison de Maurice Tréand, aurait reçu, en trois morceaux, sur l'appareil radio dont elle avait la responsabilité à Bruxelles.

Jacques Duclos connaît la teneur de cette première déclaration avant d'élaborer l'appel. Suivons le témoignage de Raymond Dallidet : le 2 ou le 3 juillet, Jacques Duclos avait son texte en main et essayait à tout prix de le faire imprimer. Ce fut finalement Jean Jérôme qui en fut chargé par Tréand, car il avait mis sur pied, à cette époque, un appareil clandestin fait d'un réseau d'imprimeries. Une fois l'imprimeur trouvé — Tirand, boulevard Poniatowski à Paris —, il fallut composer le long document puis le soumettre à Jacques Duclos, qui aurait demandé de refaire la morasse : par manque de place, un petit passage concernant la lutte pour la libération des peuples coloniaux avait été supprimé. On ne peut donc envisager un premier tirage, à quelques centaines d'exemplaires, que vers le 20 ou 22 juillet. Une deuxième mouture fut ensuite exécutée car une actualisation était nécessaire. A partir du mois d'août, l'appel fut diffusé par dizaines de milliers d'exemplaires dans la région parisienne tout d'abord, puis dans tout le pays.

Rien ne nous autorise, dans l'état actuel des choses, à contester ce témoignage. Cependant *nous avons pu retrouver la date du premier ramassage effectué par la Préfecture de police : c'était le 31 juillet à la Sorbonne.* L'«appel au peuple de France» ne pouvait paraître dans les *Humanité* clandestines de l'été 40 : sa nature contradictoire portait à faux dans les grandes manœuvres politiques entreprises entre-temps par le Parti.

Depuis le 17 juin 1940, en effet, les négociations sont engagées pour la parution légale de *l'Humanité*. La confrontation du témoignage écrit de Robert Foissin avec les autres sources orales et écrites nous permet de les détailler[5].

Des communistes chez Abetz.

Un premier contact a donc eu lieu le 17 juin, au palais de justice, entre Me Foissin, chargé des affaires juridico-politiques du PCF après le départ de Paris quelques semaines auparavant de Me Willard, consultant juridique du gouvernement soviétique en France depuis dix ans, et Me André Picard, ancien membre du mouvement fasciste « la Solidarité française »[6].

Après la visite d'une délégation au siège de la Kommandantur, les Allemands autorisent la publication légale de *l'Humanité*. Pourtant, le 20 juin, quand tout semble réglé, Maurice Tréand, Jeanne Schrodt et Denise Reydet-Ginollin sont arrêtés à la porte Saint-Denis. Valentine Grunenberger, chargée d'apporter les fonds nécessaires au tirage chez l'imprimeur Dangon, est arrêtée chez elle et se retrouve au dépôt avec ses camarades.

L'arrestation était le fait de la police française. Bavure française, calcul français ou calcul allemand ? Reste que l'ambassade d'Allemagne intervient pour les faire libérer.

Le 25 juin, c'est chose faite. Parallèlement, plusieurs centaines de communistes, qui avaient été arrêtés durant la « drôle de guerre » pour avoir défendu le pacte germano-soviétique, sont libérés par les nazis.

26 juin 1940 : Foissin, Tréand, Catelas et Reydet sont dans le bureau d'Abetz, rue de Lille ; Abetz demande le changement du titre du journal et le programme concret du PCF. La délégation s'engage à fournir un plan de travail.

27 juin : Foissin remet ce mémoire à Abetz.

4 juillet : Dans la lettre qu'il envoie à Picard, Foissin note que la veille « mes camarades » ont accepté de donner au journal le titre *l'Humanité du soir.* « Il y a urgence, écrit-il, à laisser paraître *l'Humanité* dans les conditions plus haut précisées : les masses ont besoin de cet organe pour coordonner tous les efforts constructifs. »

4 juillet au soir : A Otto Abetz qui le reçoit, Foissin précise que finalement lui et ses camarades acceptaient de reprendre le titre *Ce soir*[7].

5 juillet : nouvelle conférence à l'ambassade ; Abetz demande de faire préparer le premier numéro.

6 juillet : Foissin et le colonel Dumont, directeur général, remettent la morasse du premier numéro à Abetz. Le fait nous a été confirmé par un militant communiste, Maurice Berlemont, qui a lu le texte de cette morasse. Une note provenant des *Carnets* de Maurice Thorez y fait également référence.

13 juillet : Conférence à l'ambassade entre Abetz, Mass (de la *Propagandastaffel*), Catelas, Tréand et Foissin. Mais rien n'est décidé. On traîne. Abetz part bientôt à Berlin pour plusieurs jours. Avant son retour, Foissin, selon son témoignage, rencontre le chargé d'affaires soviétique à Vichy, qui lui indique qu'il pouvait poursuivre ses pourparlers mais sans être le « prisonnier moral des Allemands ».

Les affaires se gâtent ; fin juillet, l'appartement de Foissin est perquisitionné par les Allemands ; parallèlement, les arrestations de communistes se multiplient. Cela donne l'occasion à l'avocat communiste d'écrire le 5 août à Picard, « à la demande de ses camarades ». Il énumère les griefs et menace de rompre. Cette lettre nous révèle surtout les bases du compromis alors intervenu :

— du côté allemand : aucune arrestation tant que les pourparlers continuent ;

— du côté PCF : une inflexion de sa propagande et de son action :

« On nous avait formellement assuré que nous étions couverts jusqu'à l'issue des pourparlers que tu sais [...]. Les tracts distribués ne contiennent absolument rien à l'encontre soit du Reich, soit des autorités et des troupes d'occupation. [...] Il faut se préparer à une bataille prochaine : mon Parti ne peut par conséquent pas suspendre indéfiniment son action pour attendre des décisions qui tardent tant » (archives Daladier, FNSP, 3DA 12).

Dès lors, Foissin reste le seul interlocuteur côté communiste. Il n'évoque cependant pas une manœuvre de grande ampleur dont nous avons trace dans deux sources différentes.

Dans ses *Carnets*, Maurice Thorez écrit en date du 2 août : « Commun. Df. Intrigues A continuent. A demandé voir M. Danger grave. Foissin. Un gouvernement national-révol. avec comm. [...] *Avertissement catégorique Exclusion de ceux qui seraient compromis* (M. les tentatives représentant all. ici joindre comm. fcs)[8]. »

Dans son journal, le général Halder écrit en date du 10 août :

« 20 h, général von Stülpnagel à dîner. Entretien suivant : Abetz doit prendre contact avec les communistes français pour, au besoin, porter à la barre un gouvernement fort dirigé à gauche. Il doit sonder ! Jeu dangereux. »

Foissin indique une reprise de contact le 22 août avec Picard. Ce dernier avait été chargé par Abetz de fonder un quotidien, *la France au travail*, qui devait être diffusé notamment dans les milieux ouvriers et visait à influencer les milieux communistes. Le premier numéro était sorti le 30 juin 1940 : J. Drault en était le directeur et Charles Dieudonné le rédacteur en chef. Picard informe Foissin qu'Abetz lui a fixé rendez-vous pour le soir même. Là, l'ambassadeur lui expose le fruit de ses discussions avec Ribbentrop et Hitler :

« 1. Accord sur le développement des comités d'entreprises.

» 2. Impossibilité de la reparution de *Ce soir*, trop marqué par sa position lors de la guerre d'Espagne, mais entrée des communistes à *la France au travail* de Picard, dont l'équipe serait profondément remaniée.

» 3. Accord sur la libération des détenus de la zone non occupée[9]. »

25 août : Catelas rend visite à Foissin et lui demande de prévoir un rendez-vous avec Abetz pour le 27 ; mais Catelas ne sera pas au rendez-vous.

Les négociations en vue d'une publication légale de *l'Humanité* auraient donc débuté au plus tard le 17 juin, pour être définitivement rompues dans les dix derniers jours d'août.

Ces démarches s'inscrivent dans une politique légaliste plus globale du Parti.

Ainsi, les numéros de *l'Humanité* clandestine contrastent à cette époque avec les numéros précédents comme avec les suivants, que l'on se réfère aux termes utilisés pour nommer les Allemands ou à la fréquence des demandes de parution légale de *l'Humanité*. En effet, si le régime de Vichy, régime capitaliste de politiciens corrompus, de ploutocrates et de fauteurs de guerre, est constamment fustigé, quasiment aucune mention des Allemands n'est faite dans les 15 numéros de juillet et d'août. On ne rencontre jamais les substantifs « Allemagne », « Hitler », « Allemands », « hitlériens » (l'adjectif « hitlériens » n'apparaît qu'une seule fois). Si l'adjectif « allemands » est utilisé à trois reprises, c'est pour exalter les contacts entre travailleurs français et soldats allemands, au nom de la fraternisation des prolétaires pour la paix.

Pour parler des Allemands, *l'Humanité* préfère évoquer les

« autorités » auxquelles on demande de régler les problèmes sociaux et économiques et de libérer les militants communistes. Parallèlement, la « demande de libre parution de *l'Humanité* » est constamment avancée en juillet et en août. Pourquoi, écrit-on en substance, le journal des défenseurs de la paix reste-t-il interdit tandis que les fauteurs de guerre tel Doriot voient la sortie de leurs journaux autorisée ?

La politique légaliste s'exprime aussi dans l'action. C'est le cas notamment de la réoccupation des mairies de la banlieue parisienne tenues par les communistes avant guerre. *L'Humanité* du 17 juillet 1940, n° 62, indique : « Dans une localité, tous les habitants, y compris nos adversaires politiques, ne veulent pas reconnaître le maire et suivent nos amis en qui ils trouvent les meilleurs défenseurs. Voilà des exemples à suivre par tous les membres du Parti et sympathisants. »

A l'occasion du témoignage qu'il fournissait à Alain Guérin pour son livre sur *la Résistance* (paru en 1973, aux Éditions sociales), Jean Chaumeil, responsable de la région Paris-Est pendant l'été 40, indiquait qu'au cours de deux réunions avec Catelas et Tréand il reçut la consigne de mobiliser les masses pour permettre aux élus municipaux déchus de récupérer les mairies.

On sait aussi qu'à Paris et à Amiens, par exemple, les communistes intervinrent pour obtenir la légalisation de syndicats interdits durant la « drôle de guerre ».

Trop de faits convergents prouvent que le PCF mène alors une politique légaliste, même si toute son activité, de la mi-juin à la fin août, ne s'y réduit pas.

Pourquoi une telle politique ? Côté PCF on peut faire le point : les personnes concernées, l'organisation du Parti, l'ampleur de la politique en jeu excluent l'hypothèse de la seule responsabilité de quelques individualités isolées. Les communistes qui soutinrent ces initiatives, de la base au sommet, faisaient référence à des précédents historiques. Si, entre la mi-mai et la mi-juin, on a beaucoup pensé à la Commune de Paris et à la défense de Madrid, durant l'été c'est à la Première Guerre mondiale et à la révolution bolchevique que l'on fait référence. Utiliser toutes les possibilités légales, tel était le maître mot : « En de nombreuses occasions, les partis communistes ont montré leurs facultés de tirer avantage de la moindre possibilité légale, si faible soit-elle, de prendre contact avec les masses » peut-on lire alors dans *The Communist International* (n° 9, septembre 1940).

Mais tous les témoignages concordent : la direction du PCF fut loin d'être unanime. A Paris, Gabriel Péri refuse de participer aux démarches dirigées par Jacques Duclos. Quant aux dirigeants partis en province, Frachon et Arthur Dallidet en tête, ils ne furent prévenus que tardivement et marquèrent vivement leur réprobation ; ils regagnèrent Paris pour en faire part.

Dans une discussion que, peu de temps après, Mounette Dutilleul eut avec Tréand, ce dernier, à bout d'arguments, lâcha : « N'importe comment, c'est un ordre de la Maison » (en d'autres termes, de l'Internationale communiste, l'IC).

La simultanéité des démarches menées (quelquefois avec succès) dans divers pays de l'Europe occupée, pour obtenir la parution légale des journaux communistes (en Belgique — Bruxelles, Gand et Anvers —, en Norvège et au Danemark) révèle qu'il y eut bien des directives centrales. Venaient-elles de l'IC ou du parti soviétique directement ? Si la première hypothèse est la bonne, il y a eu cependant des divergences d'opinion, à en croire du moins ces quelques extraits des *Carnets* de Maurice Thorez :

« Juillet 12 : [...] Sk Leg. à la sortie de prison a été conduit chez Abetz qui lui a offert de publier un journal pour remplacer *l'Humanité* (tentative « collaborer » avec le Parti, le compromettre parce qu'il reste la seule force. M.).

« Août 17 : Com. Cl. sur absence liaisons de sa part Paris très détaillée. Sur dangers contacts qui continuent.

« Août 27 : Télé du 21.8 [...] Cessé relations [...].

« Septembre 13 : L'exclusion de Foissin. Une déclar. à propos de ' F au T ', et autres très bonnes[8]. »

Outre l'indication — implicite mais très précieuse — sur le statut de Maurice Thorez à Moscou en 1940, ce passage nous apporte des informations sur les réactions de quelques responsables de l'Internationale. Maurice Thorez n'est averti que tardivement des tractations, le 12 juillet (soit près d'un mois après le début des démarches), et il marque immédiatement sa réprobation. La poursuite des contacts en août inquiète Dimitrov et Clément. Nous pourrions avancer l'hypothèse de divergences au sein de l'appareil de l'IC, comme nous les avions décelées en France.

Assurances soviétiques ou manœuvres allemandes ?

Diverses sources et la structure du Mouvement communiste international en cette période nous amènent à penser que les intérêts d'État soviétiques ont joué un rôle important.

L'Union soviétique a-t-elle joué jusqu'au bout la carte allemande ? La politique légaliste des partis communistes en Europe de l'Ouest serait-elle le complément de la politique active de Moscou en Europe de l'Est ? L'été 40 a vu, en effet, occuper les États baltes, la Bessarabie et la Bukovine du Nord sans contestation allemande. Dès août 1939, l'accord s'était fait par un protocole secret, annexe au pacte germano-soviétique sur la délimitation des zones d'influence [10]. Les relations germano-soviétiques sont au beau fixe, comme le soulignent les documents diplomatiques mais aussi le discours prononcé le 1er août par Molotov au Soviet suprême. Le télégramme envoyé par Schülenburg à Ribbentrop, le 13 juillet 1940, mérite à ce titre d'être cité (in « Documents on German Foreign Policy) » : « Molotov m'a informé aujourd'hui que Cripps, l'ambassadeur britannique ici, avait été reçu par Staline il y a quelques jours à la demande du gouvernement soviétique. Sur les instructions de Staline, Molotov m'a donné un mémorandum de cette conversation. » Aux questions posées par Cripps sur l'évolution de la situation en Europe, le danger d'hégémonie de l'Allemagne, les réponses de Staline furent les suivantes : « Le gouvernement soviétique était bien sûr très intéressé dans les présents événements en Europe, mais il [Staline] ne voyait aucun danger d'hégémonie d'un quelconque pays en Europe et encore moins un quelconque danger de voir l'Europe avalée par l'Allemagne. [...] Staline ne pensait pas que les succès militaires allemands menaçaient l'Union soviétique et ses relations d'amitié avec l'Allemagne. Ces relations n'étaient pas fondées sur des circonstances conjoncturelles, mais sur des intérêts nationaux fondamentaux des deux pays. Le prétendu équilibre des forces en Europe avait opprimé jusqu'alors non seulement l'Allemagne mais aussi l'Union soviétique. Dès lors, l'Union soviétique prendrait toutes mesures pour empêcher le rétablissement de l'ancien équilibre des forces en Europe.

Si nous en sommes réduits aux hypothèses concernant la stratégie d'État de l'URSS, côté allemand aucun doute n'est désormais permis.

Il se confirme que les Allemands eurent un rôle moteur dans ces démarches et peut-être distribuèrent-ils les cartes d'un jeu dont ils avaient les atouts maîtres, comme le laisse entendre une note datée du 7 juillet 1940, jusque-là inédite (CDJC, E.M. Majestic LXXIX a-1).

Cette note part d'un constat : la situation économique et sociale qui s'aggrave, la survie politique du parti communiste et sa dénonciation de la guerre dès l'origine risquent de voir les communistes gagner rapidement en audience dans toutes les couches de la population. Suivent les mesures à prendre pour « lutter contre le danger communiste en France » :

1. Prendre contact pour récolter le maximum de noms et repérer ceux qui peuvent être utilisés.

2. Utiliser ces indicateurs.

3. Introduire des communistes dans la direction des communes pour les faire participer à la gestion des problèmes économiques et sociaux.

4. « La permission d'un journal qui porte le titre d'un des journaux les plus connus du mouvement de Front populaire, *Ce soir*, pour éveiller la confiance chez les masses imprégnées de marxisme. Les rédacteurs désignés par le mouvement communiste pour la rédaction de ce journal se sont déclarés disposés à soumettre non seulement les numéros prêts à l'impression mais aussi le plan des contributions et, dans le traitement de toutes les questions politiques, de se tenir aussi près que possible du journal que nous rédigeons, *la France au travail.* »

La conclusion est claire : face aux communistes qui essaieront peu à peu de faire leur propagande, le rédacteur de la note appelle à la vigilance afin que le journal, « introduit dans les masses ouvrières comme un organe communiste, soit la voix de nos pensées pour elles », que le parti communiste soit « dupé » et non les Allemands.

Ce texte et plus généralement ces tractations de l'été 40 nous éclairent sur les fondements et les mécanismes de la stratégie nazie.

Mais alors, pourquoi les négociations ont-elle échoué ? Nous ne pouvons formuler que des hypothèses. Nous avons déjà noté l'importance des contradictions au sein de la direction du PCF et de l'Internationale. Le journal du général Halder reflète, quant à lui, l'opposition de l'armée d'occupation aux tractations de l'ambassadeur Abetz, couvert sans doute par Ribbentrop.

Il reste à étudier comment la stratégie du PCF a été prise en charge par les militants, de la base à la direction, dans cette situation de l'été 40 qui favorisait à la fois l'absence de contacts entre nombre de régions et la direction parisienne, et la stricte dépendance hiérarchique.

Sensibilités diverses.

On a trop souvent réduit la question, nous semble-t-il, à l'opposition, au sein du Parti, entre deux lignes, l'une résolument anti-hitlérienne, l'autre légaliste. On approcherait plus de la réalité en envisageant un espace politique aux limites floues entre lesquelles se situent les diverses sensibilités.

Première sensibilité : la tradition pacifiste ; le schéma d'analyse de la Première Guerre mondiale ; la défense de l'URSS ; le maintien du Parti à tout prix ; les illusions nées du pacte germano-soviétique ; la répression durant la « drôle de guerre » ; l'attitude des Allemands les premiers mois de l'occupation.

Deuxième sensibilité, qui n'exclut pas la première : le processus d'insertion nationale engagé par le PCF depuis le tournant de 1934-1935 ; la tradition de lutte antifasciste ; le souvenir de la guerre d'Espagne.

On sait que la coupure avec la direction parisienne a favorisé les initiatives régionales ou locales. Une carte reste à dresser : le Massif central ou l'Ouest s'opposeraient sans doute à la Région parisienne et au Nord.

L'exemple de Charles Tillon à Bordeaux a été maintes fois évoqué : dès le 17 juin, en effet, il lance un appel à l'unité et à l'action « contre le fascisme hitlérien et les deux cents familles », pour un gouvernement populaire « s'entendant avec l'URSS pour une paix équitable ». Dans la brochure de 19 pages écrite le 18 juillet et tirée en août, intitulée *L'ordre nouveau, c'est le fascisme*, Tillon fait aussi appel à « l'union du peuple pour libérer la France ». Il y dénonce à la fois la guerre impérialiste et lance un appel à la lutte contre l'occupation. La conclusion est nette : « Prolétaires de France [...] Notre devoir est de nous unir pour conquérir notre patrie, pour en chasser à la fois les capitalistes, leur tourbe de valets et de traîtres et les envahisseurs auxquels ils ont livré l'indépendance du pays, de nous unir pour aider à la défaite de tous les impérialistes. »

C'est dans le même esprit — dénonciation des impérialistes et unité pour chasser l'occupant — qu'Auguste Havez, « interrégional » du PCF pour les 10 départements de l'Ouest, rédige son appel. En août, Georges Guingouin, qui réorganisait le Parti dans son rayon d'Eymoutiers, en Haute-Vienne, rédigea un appel à la lutte.

Dans les trois cas, la reprise de contacts avec la direction parisienne n'eut lieu que dans le courant du mois de septembre.

Mais il y avait aussi des militants qui avaient une lecture sélective des textes ; ainsi, Lise Ricol-London nous a dit n'avoir retenu de l'«appel au peuple de France» que la phrase : «Jamais un grand peuple comme le nôtre ne sera un peuple d'esclaves.»

Les historiens se sont cependant trop souvent contentés de cette vision générale. Raymond Dallidet nous a raconté combien, à l'inverse, nombre de militants de la Région parisienne ont cru à l'accord avec l'occupant : «Avec la mobilisation, m'a-t-il dit, 80 à 90% des communistes sont isolés du Parti ; le Pacte reste un mystère pour eux ; on accepte cette idée en gros, mais il y avait des ombres. Et brusquement c'est la France qui est mise k.o. en trois semaines de temps, et l'URSS est en dehors du conflit. Pour beaucoup de camarades, l'essentiel est sauvé. Et comme des bruits courent que *l'Humanité* va ressortir, que Staline et Hitler semblent faire ami-ami, alors vient la révélation : il y a une possibilité d'entente comme l'avait montré le Pacte ; Hitler est national-socialiste, et anticapitaliste ; l'armée allemande se comporte de façon remarquable, sans accrochage avec la population ; *la France au travail* paraît, et l'on dit de bouche à oreille : c'est *l'Huma.*» Son propre secrétaire de section (à Montrouge) lui a tenu ce genre de propos.

La trêve est finie.

Voilà donc à nouveau citée *la France au travail.* C'est la pierre angulaire du dispositif d'Abetz. La lecture en est stupéfiante et la comparaison avec *l'Humanité* clandestine de l'été n'est pas incongrue : la même dénonciation de l'impérialisme britannique et des fauteurs de guerre ; la même exaltation des nécessaires bons rapports avec l'Union soviétique ; la même attaque contre les ploutocrates capitalistes de Vichy ; surtout, la même exigence, sans arrêt répétée, de la libération des militants communistes emprisonnés durant la «drôle de guerre» pour avoir défendu la paix. Seule différence importante : *la France au travail* est ouvertement antisémite. Le premier numéro sortit le 30 juin ; le tirage atteignit rapidement les 92 000 exemplaires. La chute fut brutale ; elle s'explique, pour une large part, par la dénonciation acharnée qu'en fait le PCF à partir de début septembre.

En septembre, *l'Humanité*, s'attaquant toujours à Vichy, reprend sa dénonciation des «autorités d'occupation». L'inflexion de la ligne est nette dans *l'Humanité* clandestine comme dans les tracts parisiens et, les mois passant, la répression s'accentuant, les critiques contre l'occupant se feront de plus en plus virulentes, même si le schéma d'analyse de la guerre impérialiste durera jusqu'à l'agression de l'Union soviétique par Hitler le 22 juin 1941.

Sur le plan stratégique, la fin du printemps et le début de l'été 1940 montrent ainsi une évolution complexe. La stratégie d'ensemble, fondée sur une caractérisation de la guerre comme guerre impérialiste, connaît une inflexion à l'échelle de l'Internationale communiste comme à l'échelle de sa section française. Entre la mi-mai et la mi-juin, en effet, thèmes nationaux et actions s'en inspirant apparaissent. Dans quelle mesure et dans quel but la politique étrangère soviétique a-t-elle pesé ? La question reste posée. Peu après l'arrivée des Allemands, le PCF se lance dans une politique légaliste d'ensemble axée sur les négociations en vue de la reparution légale de *l'Humanité*. Les intérêts d'État (État soviétique et Reich allemand) ont sans nul doute primé une nouvelle fois.

Mais ce sont manifestement les Allemands qui ont joué le rôle moteur et lancé une gigantesque entreprise d'intoxication, — de désinformation, dirions-nous aujourd'hui.

L'«appel au peuple de France» de juillet 1940 se situe dans ce double contexte : l'inflexion nationale de la fin du printemps et la politique légaliste de l'été. Son contenu contradictoire, à l'origine de tant de débats, en est le reflet.

Pour les militants, l'apprentissage de la clandestinité fut laborieux ; les illusions sur le pacte germano-soviétique et les tractations de l'été rendirent nombre d'entre eux d'autant plus vulnérables. Dans une circulaire aux préfets du 31 août 1940, le délégué du gouvernement de Vichy à Paris, La Laurencie, appelle à renforcer la répression contre les communistes. L'autorité d'occupation, précise-t-il, « ne nous paraît nullement hostile à des mesures fermes et énergiques vis-à-vis des ex-communistes, et semble, au contraire, disposée à seconder notre action».

Le 5 octobre, la police française lance une rafle avec le plein accord des autorités allemandes. Plusieurs centaines de militants communistes, pour la plupart syndicalistes et anciens élus municipaux, sont arrêtés au petit matin à leur domicile officiel. La trêve était finie.

Notes

1. *Témoignages oraux :* Mounette Dutilleul, agent de la direction du Parti en 1940 ; Angèle Grosvalet (ex. Salleyret), agent de liaison de Tréand, lui-même responsable aux cadres avant la dissolution de 1939 ; Raymond Dallidet, en laison avec Jacques Duclos dès le début juillet 1940 ; Maurice Berlemont, responsable à la propagande pour Paris-Ville à partir du 6 juillet 1940.

Sources écrites : pour les sources françaises, nous avons plus particulièrement exploité le fonds Daladier déposé à la Fondation nationale des sciences politiques (dossier Foissin élaboré pour la Commission d'épuration de l'ordre de 1944-1945), les archives du Centre de documentation juive contemporaine (note du 7 juillet 1940, E.M. Majestic LXXIX a-1), les archives du Centre Jean-Moulin à Bordeaux (tracts de Tillon), les *Carnets* de Maurice Thorez conservés par Jeannette Thorez-Vermeersch.

Sources étrangères : les versions de l'hebdomadaire de l'IC publiées à Londres et à Stockholm, *World News and Views* et *Die Welt*, ainsi que le mensuel paraissant à Londres, *The Communist International*, la collection des « Documents on German-Foreign Policy » publiée par le Département d'État américain dans les années 50. Je remercie très vivement témoins et responsables d'archives de leur aide et de leur gentillesse.

2. Eugen Fried (Clément). Envoyé en France par l'Internationale dès 1931, il participe depuis, de très près, à la direction du PCF. En août 1939, il reçut l'ordre de rejoindre Bruxelles pour mettre sur pied un centre de liaison et de direction provisoire.

3. Il s'agit des mesures proposées non pas le 6 juin, mais dans la Déclaration du PCF publiée par les journaux de l'IC fin juin et en juillet 1940 (voir *infra*).

4. Stéphane Courtois a reproduit dans son ouvrage *le PCF dans la guerre* (Ramsay, 1980) la version parue dans ce mensuel (numéro daté de juillet 1940).

5. Pour la critique des sources, que je ne peux mener ici, voir mon article paru dans *le Mouvement social*, oct.-décembre 1980.

6. Cf. l'article de Michel Winock, « Le fascisme en France », *L'histoire*, n° 98, novembre 1980, p. 40-49 ; cf. du même auteur, *Drumont et Cie*, Éd. du Seuil, 1982.

7. *Ce Soir*, journal du soir pour grand public, fut lancé par le

parti communiste en 1937. Dirigé par Aragon, il fut interdit à la suite du pacte germano-soviétique.

8. *Sk* : Sorkine, contact des Français en URSS ; *Cl* : Clément-Fried ; *M* : Maurice Thorez ; *André* : André Marty, membre du présidium et du secrétariat de l'IC depuis 1935 ; *Df* : Dimitrov, principal dirigeant de l'IC ; *Leg ou Lg* ou *Legros* : Maurice Tréand ; *Com* ou *Cm* : communication ; *télé* : télégramme ; *F' au T'* : *France au travail.*

9. Tillon parle de la transformation éventuelle de *la France au travail* dans *On chantait rouge*, Laffont, 1977, p. 231. Les «détenus politiques de la zone occupée» étaient en particulier les députés communistes arrêtés et jugés durant la «drôle de guerre».

10. Cf. l'article de René Girault, «Pourquoi Staline a signé le pacte germano-soviétique», *L'histoire*, n° 14, juill.-août 1979, p. 105-112.

Pour en savoir plus

Sur le PCF en 1940.

La collection des *Humanité* clandestines, G. Willard *et al.*, Éditions sociales, 1975 (une source indispensable).

C. Angeli et P. Gillet, *Debout! partisans*, Fayard, 1970 (une histoire style roman, fondée sur de nombreux témoignages).

S. Courtois, *Le PCF dans la guerre*, Ramsay, 1980 (le meilleur travail sur l'ensemble de la période).

S. Courtois et D. Peschanski, *La Stratégie du PCF*, colloque sur le PCF de la fin 1938 à la fin 1941, organisé par la Fondation nationale des sciences politiques, le CRHMSS et l'IHTP, octobre 1983, à paraître (une actualisation).

A. Guérin, *La Résistance*, Livre Club Diderot, 1973 (une somme brouillonne mais très riche en documents et en témoignages).

A. Rossi, *Une page d'histoire, les communistes pendant la drôle de guerre*, Les Iles d'or, 1951; rééd. Éd. de l'Albatros, 1978 (un livre tendancieux mais très bien informé).

C. Tillon, *On chantait rouge*, Laffont, 1977 (Mémoires).

P. Villon, *Résistant de la première heure*, entretiens avec C. Willard, Messidor/Éditions sociales, 1983 (et surtout les lettres de prison de l'hiver 1940-1941).

Deux versions «officielles» récentes.

F. Crémieux et J. Estager, *Sur le Parti 1939-1940*, Messidor/Temps Actuels, 1983 (retenir la preuve apportée par les auteurs, malgré eux, du rôle moteur joué par Jacques Duclos dans la politique légaliste).

Le PCF 1938-1941, numéro spécial des *Cahiers d'histoire de l'IRM*, n° 14, septembre 1983 (*N.B.* : La morasse du numéro de *Ce soir* présentée à la censure allemande en juillet 1940).

Sur la demande de reparution légale de l'Humanité.

D. Peschanski, « La demande de parution légale de *l'Humanité* (17 juin 1940-27 août 1940) », *le Mouvement social,* n° 113, oct.-décembre 1980, Éditions ouvrières.

Pour avoir un point de comparaison.

J. Gotovitch, J. Gérard-Libois, *La Belgique occupée. L'an 40,* Bruxelles, CRISP, 1982.

Une histoire générale du PCF.

P. Robrieux, *Histoire intérieure du parti communiste, 1920-1980,* Fayard, 1980-1982, 3 vol.

5

Vichy joue l'Allemagne

Yves Durand

Le régime de Vichy est né de la « débâcle ». En juin 1940, tout s'effondre : l'armée, l'administration, l'État, le tissu même de la nation. Les séquelles immédiates de la défaite accentuent et prolongent le désordre ainsi créé. Par l'armistice, la France est coupée en morceaux. Les milliers de réfugiés du nord de la Loire restent bloqués au sud de la ligne de démarcation pendant plusieurs semaines — et ceux de la zone interdite, pendant des mois. Les habitants de la zone occupée demeurés sur place sont livrés à eux-mêmes et à l'occupant, privés de tout contact avec les autorités centrales françaises. Les prisonniers entassés dans les *Frontstalags* (camps improvisés en France même) attendent, incertains, ce que sera leur sort futur. Les Allemands eux-mêmes mettent du temps à maîtriser le « butin » humain, matériel et territorial d'une victoire plus rapide et plus complète qu'ils ne l'attendaient. Le sort et la durée de la guerre restent indécis.

Le vide ainsi créé, le désordre général engendré par l'événement, ont suscité l'accession, à la tête de l'État, du maréchal Pétain. Pour lui cependant, et pour les hommes que la « débâcle », avec lui, a portés au pouvoir, tout se passe comme si l'avenir était préservé de toute incertitude[1]. Nullement surpris par la défaite mais, au contraire, confirmés dans leur diagnostic sur le régime écroulé, ils entreprennent aussitôt — et même avec fébrilité — la mise en œuvre de projets politiques qui ne sont pas nés des circonstances. La conviction les anime que la « débâcle » est bien une fin ; qu'il ne faut pas envisager à terme prévisible une quelconque reprise de la guerre contre l'Allemagne ; que l'occasion, au contraire, est venue de « reconstruire » le pays sur des bases « nouvelles », des « valeurs » retrouvées, dans le cadre d'un monde — européen — où la

victoire de Hitler et la domination durable de l'Allemagne nazie
sur le continent sont acquises. Ils veulent incontestablement
relever la France mais croient inévitable sa dépendance, et
salutaire l'entente avec le dictateur nazi. Avec celui-ci, Vichy
va rechercher la négociation. Sur le plan intérieur, il entreprend
l'instauration d'un régime nouveau, autoritaire et personnel.

Le préfet d'Orléans reconstruit.

Il s'écoule toutefois un temps où l'autorité du nouveau
pouvoir ne s'exerce guère au-delà de sa capitale de fortune. Les
communications sont interrompues. Le réseau administratif est
en miettes. Le gouvernement n'a donc de prise que sur une
partie limitée du pays. Mais partout à travers celui-ci, chaque
secteur géographique livré à lui-même, chaque organisme en
l'absence de tutelle étatique, réagit aussi aux événements. Et
si, comme on l'a dit souvent, l'abattement est grand, on voit
aussi surgir spontanément, un peu partout, toutes sortes d'initiatives, marquées à la fois par la nécessité de remettre en route
les activités vitales interrompues et par le sentiment que de
grands projets peuvent être lancés.

En porte témoignage, jusque dans les camps de prisonniers
de guerre, la naissance d'activités — tels des embryons
d'universités — compensatrices du désarroi dans lequel la
capture a plongé la plupart. Jean Guitton, qui fut l'un des
pionniers d'une telle activité au camp de Mailly puis plus tard
dans son *Oflag* (camp pour officiers) en Allemagne, parle dans
une publication éditée là-bas dès la fin de 1940 de cette
impression de recréer un monde, en quelque sorte de le
« réinventer » à partir du vide laissé par juin 40. « Pendant quatre semaines, on avait pu voir là un spectacle unique : dans une
terre déserte, malgré la nourriture, la pauvreté, les épreuves
inouïes de la retraite, dans l'incertitude et l'inquiétude, sans
livre, sans plumes, presque sans locaux, une université véritable avec tous ses organes essentiels était sortie du sol comme
par enchantement [...]. Ceux qui se passionnent aux origines,
ceux surtout qui se plaisent à voir les êtres naître de rien et se
chercher d'abord avant de trouver leur forme, ceux-là auront
profit à examiner ici comment une école apparaît. » Et de
montrer comme renaît et prend forme une « université » à partir
non de plans abstraits, mais des possibilités offertes par les
hommes présents[2].

Autre exemple de cet état d'esprit, dans un autre contexte,

avec des modalités différentes. Nous sommes à Orléans, en zone occupée, au lendemain de la «débâcle». La ville est en partie détruite par les bombardements et les incendies consécutifs. Beaucoup de ses habitants l'ont fuie et, rentrant peu à peu, retrouvent leurs maisons pillées. Les Allemands imposent leur présence et leurs exigences. Un nouveau préfet est arrivé de Bordeaux fin juin pour remplacer l'ancien, parti lors de l'exode avec toutes les autorités locales. C'est un haut fonctionnaire de l'administration centrale, qu'inspirent ses traditions familiales de catholicisme social dans le style de La Tour du Pin et le sens de l'efficacité acquis à l'École polytechnique et à celle des Ponts et Chaussées.

Lié par sa famille à des milieux patronaux, ce nouveau préfet l'est par ses anciennes fonctions à quelques-uns des plus brillants «techniciens» de l'administration d'État : les Pomaret, Gibrat, Dautry, Parodi. Il entreprend aussitôt de remettre en place une administration française dépendant de lui et non plus des seules autorités allemandes, aux échelons départemental et municipal. Il commence aussi, d'emblée, le relèvement des ruines laissées dans les villes du bord de Loire par les bombardements de juin. Pour ce faire, il rassemble une équipe entièrement improvisée, unie toutefois par d'anciennes relations et un esprit commun. Et là, en quelques semaines, deux ou trois fonctionnaires, un banquier, deux ingénieurs, un architecte, un journaliste vont lancer des projets pour le déblaiement et la reconstruction des villes sinistrées. Les plans d'urbanisme ainsi élaborés vont être prêts dès l'automne. Ils sont alors présentés aux notables locaux et au public dans des expositions destinées aussi à attirer sur eux l'attention des instances parisiennes. Des articles de presse les mettent en valeur comme modèles d'une «reconstruction» plus générale, morale autant que matérielle, placée, en cette région des châteaux du XVIe siècle, sous le signe de la «Renaissance[3]».

Sur l'ambiance caractéristique, en juillet-août 1940, de ce cénacle orléanais, nous avons recueilli, naguère, le témoignage de l'un de ses membres, l'architecte Jean Royer. Et c'était bien, selon lui, au milieu des difficultés immenses, une véritable euphorie créatrice qui les animait, lui et ses compagnons. Tout paraissait à faire ou à refaire et pouvoir être entrepris dans la plus grande liberté, le pouvoir étatique momentanément éclipsé. Le sentiment d'être ainsi exceptionnellement libres de décider avait fait baptiser par cette équipe orléanaise de 1940 le champ (départemental) de son activité : «le Royaume».

« Royaume d'Orléans » donc, comme il semble en avoir existé bien d'autres un peu partout en France, malgré la présence pesante, mais qu'on pense devoir être brève, de l'occupant. Une sorte de révolution par le vide a ouvert le champ de la décision et de l'action à des hommes nouveaux, cependant nantis d'idées précises, venues de ces « années 30 », où le non-conformisme proclamé sous divers sigles « néo » couvrait bien des conservatismes. Car tout n'était certes pas novateur dans ces projets de « révolution », de « reconstruction » ou de « renaissance ». Ainsi, dans les plans d'urbanisme élaborés à Orléans, l'imitation des formes architecturales passées pour la reconstruction des maisons voisinait avec une véritable rénovation de la voirie urbaine, mettant celle-ci à l'heure de l'automobile. « Passéisme » et « technicité » forment, nous semble-t-il, un mélange bien caractéristique de l'esprit du temps, tel qu'il se manifeste aussi à Vichy.

Un « royaume du Maréchal » ?

Ce qui se passe en effet aux quatre coins de France — et même en Allemagne, quand des Français y ont été emmenés prisonniers — n'est pas sans analogie avec ce qui se passe, dans le même temps, à Vichy. Actes et projets y ont évidemment une autre dimension. Hommes et groupes y fourmillent et bouillonnent de propositions et d'offres — plus ou moins désintéressées — de services. Toute proportion gardée, c'est bien le même mélange d'improvisation devant les pressantes et immédiates nécessités et d'activisme idéologique foisonnant. De même qu'ailleurs on réagit secteur par secteur, ici, on prend coup par coup décision sur décision. Entre juillet et septembre 1940, surviennent une série de mesures ponctuelles, affectant aussi bien l'organisation économique que la « francisation » des administrations. Une des principales créations de l'État français voit le jour dans ces conditions : les « Comités d'organisation ».

Les « Comités d'organisation » répondent d'abord au besoin de remettre en route l'économie en assurant entre les entreprises la répartition des ressources et des activités dans le cadre de la pénurie imposée par la guerre et l'occupation. Mais aussi au désir de grouper les firmes industrielles françaises, appuyées sur l'État, pour leur permettre de négocier ensemble avec leurs homologues allemands et d'éviter que, prises isolément, elles ne cèdent trop aisément aux pressions de l'occupant. Enfin, les

« Comités » répondent au projet, nourri de longue date dans les milieux patronaux et parmi les tenants du nouveau pouvoir, de créer, face à la crise qui sévit depuis le début des années 30, les organes propres à assurer l'alliance étroite entre le capitalisme de monopole et l'État — alliance faussement baptisée « corporatisme ». Les « Comités d'organisation » grouperont, en effet, les entreprises branche par branche, excluant de leur sein toute représentation ouvrière, et seront si ouvertement placés sous la direction de représentants des sociétés capitalistes les plus puissantes de chaque branche qu'ils susciteront la grogne des petites et moyennes entreprises elles-mêmes en 1941.

Jusqu'en septembre 1940, les mesures prises par Vichy sont donc déjà nombreuses, marquées du double sceau qui lui vient, et lui restera toujours, de ses origines accidentelles et de ses aspirations profondes. Mais, fragmentaires, elles restent limitées dans leur application tant que les moyens manquent de les mettre en œuvre dans une France divisée et encore désorganisée.

Serait-on fondé, dès lors, à parler par analogie pour Vichy d'un « royaume du Maréchal[4] » ? Peut-être, à condition de se limiter au temps très court de juillet à septembre 1940 et d'éviter ce qui serait, à notre avis, une double erreur historique. L'expression en effet invite à la comparaison avec le « royaume de Bourges » de Charles VII. Elle donnerait à penser que l'action de Vichy s'est cantonnée à la seule zone libre et que son attitude s'est apparentée à celle du roi du XVe siècle. Or celui-ci, rejeté par l'envahisseur hors de sa capitale et de la majorité de ses États, s'est appuyé sur ce qui lui restait de terre française afin de lutter pour la reconquête du pays par les armes, sans concession aucune à l'ennemi. Cette attitude, on pourrait, d'une certaine façon, en faire la comparaison avec celle du général de Gaulle ; et certes, l'invocation de Jeanne d'Arc, si à la mode en 1940, lui conviendrait mieux qu'à Pétain. Car Vichy cherche bien à faire admettre son autorité sur le « royaume » tout entier, non point en visant à « reconquérir » sur l'occupant le territoire perdu, mais en recherchant un accord avec lui.

« Souverain » de tous les Français.

C'est bien un des objectifs fondamentaux de la politique de Vichy, que d'être reconnu comme souverain non seulement dans la partie du territoire qui échappe à l'occupation, mais sur l'ensemble des Français, y compris ceux qui sont directement soumis à la domination allemande — en zones occupée et interdite et dans les *Stalags* (qui fonctionnaient avant tout comme des *Kommandos* de travail) et *Oflags* en Allemagne. Préserver l'unité des Français, protéger ceux que les malheurs de la guerre ont placés aux mains des Allemands, c'est un souci constamment proclamé par le maréchal Pétain et qu'il s'efforce effectivement, avec son gouvernement, de mettre en pratique. Avec cette réserve qu'il ne croit pas pouvoir s'opposer en fait à la perte d'une partie du territoire — Alsace et Moselle ; et qu'il croit, au contraire, conforme à ses principes de distinguer du sort commun fait à l'ensemble des Français ceux qui le sont, à ses yeux, de trop fraîche date — ce qui implique la révision des naturalisations récentes ; ceux que distinguent leur religion et leur race — les juifs ; et enfin les «diviseurs», communistes, gaullistes, francs-maçons, visés à des degrés divers par des lois restrictives et des condamnations. Mais d'une façon générale — et même en ce qui concerne les mesures prises à l'encontre des catégories que nous venons de citer —, Vichy agit pour que ses décisions soient valables sur l'ensemble du territoire français. Il obtient ainsi que le *Journal officiel*, dans sa version unique pour les deux zones, soit introduit dans celles qu'occupent les Allemands et qui sont soumises à leur autorité en vertu de l'armistice. Les Allemands l'acceptent moyennant contrôle de toutes les décisions de Vichy qui y sont publiées.

L'accord intervient en septembre. C'est le moment où Vichy commence à affirmer sa ligne politique et devient «opérationnel», c'est-à-dire capable, grâce au réseau reconstitué des administrations, de faire appliquer ses décisions. A Vichy même, les services ministériels se sont installés dans le cadre peu fonctionnel mais durable des hôtels pour curistes qui les hébergent. Un remaniement ministériel, le 6 septembre 1940, marque le souci de mieux définir les contours du nouveau régime par élimination de tous les anciens parlementaires, à l'exception de Laval ; tandis que les «activistes» les plus remuants qui grouillaient autour du pouvoir ou y participaient peu ou prou s'en éloignent, n'y trouvant pas leur voie, qu'ils vont désormais chercher à Paris, auprès des Allemands, dans le «collaborationnisme». A partir d'octobre 1940, lois et décrets prolifèrent, ordonnés cette fois en vue de grandes réformes cohérentes. Le 26 septembre, un vaste mouvement préfectoral achève de mettre en place dans les départements des agents du nouveau régime entièrement acquis à sa politique.

Ainsi se reconstitue le réseau administratif nécessaire au gouvernement de la France depuis sa « capitale » vichyssoise, à nouveau reliée à Paris, où une bonne partie des administrations centrales ont recommencé à fonctionner au siège des anciens ministères.

Capitale, Vichy.

Vichy dispose à Paris d'un représentant officiel, le général de La Laurencie. Le 2 septembre 1940, celui-ci transmet aux préfets de zone occupée les premières instructions qui leur parviennent du gouvernement. Le 25 septembre, il les avise que les autorités allemandes les autorisent désormais à entretenir avec Vichy, à travers la ligne de démarcation, une correspondance officielle, limitée mais régulière. Ainsi, la restructuration administrative et la reprise en main générale du pouvoir central s'étendent bien à la zone occupée. Le temps des « royaumes » est fini. Les mesures prises à Vichy sont effectivement mises en application dans les deux zones, sauf dans quelques cas comme celui de la « Légion des combattants », dont les Allemands interdisent l'extension en zone occupée[5]. De même, la propagande orchestrée de Vichy en faveur du Maréchal s'étend de part et d'autre de la ligne de démarcation, et les journaux de zone nord, comme ceux de zone sud, exaltent dans les mêmes termes les vertus du Maréchal, traitent au même moment les grands thèmes de la « Révolution nationale », les Allemands n'y faisant pas obstacle. Le cas des départements du Nord et du Pas-de-Calais seul est — avec celui de l'Alsace et de la Moselle — tout à fait différent, puisque ces départements demeurent interdits aux envoyés de Vichy pendant longtemps et échappent beaucoup plus à son action[6].

En revanche, les prisonniers de guerre eux-mêmes sont en partie replacés dans le champ d'action de Vichy. En ce domaine aussi, des initiatives diverses ont précédé la prise en charge par l'État. Ainsi, le préfet de la Seine a créé dès le 6 juillet 1940, à Paris, un « Centre d'information sur les prisonniers de guerre » pour donner aux familles des nouvelles de leurs soldats perdus dans la « débâcle ». En novembre, il est absorbé par la « Direction des services des prisonniers de guerre », créée à Vichy sous l'autorité du ministre de la Guerre, de même que le « Comité d'assistance aux prisonniers de guerre », qui, lui aussi, avait vu le jour à Paris en juillet. Reprise en main par le pouvoir central, là aussi, et de part et d'autre de la ligne de démarca-

tion, à l'automne 1940. Parallèlement, sont menées par Vichy
des négociations pour agir sur le sort des prisonniers en
Allemagne même.

Offres de collaboration.

Aussitôt qu'il a trouvé sa stabilité, le nouveau régime fait
preuve en effet d'initiatives non seulement dans le domaine intérieur, mais aussi en direction des Allemands. Divers mobiles l'y
poussent. Encore une fois, la nécessité d'abord. L'armistice
accepté en juin 1940 se révèle un carcan. « L'armistice étant un
fait, ses clauses étant ce qu'elles étaient, la vie de la France
métropolitaine dépendait du bon vouloir des Allemands »,
reconnaîtra dans ses Mémoires un des principaux ministres de
Vichy, Yves Bouthillier[7]. La manière dont les Allemands se
servent, en particulier, de la ligne de démarcation comme d'une
frontière étanche pour priver la zone sud des ressources de la
zone nord indispensables à sa survie incite Vichy à rechercher
le contact pour lever ce verrou imprévu.

Au reste, le maréchal Pétain et son gouvernement se font de
graves illusions, non seulement sur la durée de la guerre et son
issue, mais aussi sur leur véritable latitude d'action. Ils n'ont
pas compris — ce que révèlent aujourd'hui clairement les
archives allemandes — que Hitler ne les a tolérés — et même
souhaités — que parce qu'ils servent ses intérêts. Par la
notoriété et l'influence d'un chef prestigieux et par l'action
contrôlée de l'administration française, ils retiennent les populations occupées dans la passivité et la soumission à l'égard de
l'occupant. Ils croient pouvoir entreprendre, malgré la présence
allemande, de grands projets. Ils s'illusionnent sur les réactions
qu'ils attendent des Allemands à leurs initiatives[8].

Enfin, il ne faut pas négliger le fait qu'à Vichy certaines au
moins des conceptions propres aux régimes autoritaires de type
fasciste trouvent des partisans. L'Ordre nouveau prôné par
Hitler à l'échelle européenne compte en France, dès avant la
guerre, des sympathies suffisantes pour préparer le terrain
d'une entente avec le dictateur nazi. L'anticommunisme foncier
est commun aux hommes de Vichy et aux responsables
allemands, militaires et civils. Le renforcement du pouvoir
central, sa « personnalisation », son alliance étroite avec les
forces économiques et sociales dominantes, la volonté de
mouler l'opinion dans un unanimisme imposé par la propagande
et, au besoin, par la répression, tout cela fait partie des

composantes idéologiques de Vichy comme des régimes fascistes — sans qu'on puisse, au demeurant, l'assimiler absolument à ceux-ci [9]. Est-il toutefois formule plus « totalitaire » que celle-ci, inventée par les propagateurs officiels du culte du Maréchal : « Pense Pétain et tu vivras Français » ?

Ainsi, par nécessité, par illusion et, en partie, parce que négocier avec Hitler ne les rebute pas, les dirigeants de Vichy ont, d'eux-mêmes — et Pétain autant que Laval —, recherché le contact pour une négociation au sommet avec les dirigeants allemands. On le sait, là encore, par les archives allemandes, étudiées d'abord par Eberhard Jäckel puis par Robert O. Paxton [10] : la négociation de Montoire, les 22 et 24 octobre 1940, est bien le fruit d'initiatives françaises, d'abord négligées par Hitler puis acceptées quand la conjoncture diplomatique et militaire les lui fait paraître conformes à ses intérêts. Le maréchal Pétain, comme Laval, a sollicité les dirigeants du Reich par divers intermédiaires et aussi par son discours du 11 octobre où il appelle à une « politique toute nouvelle de collaboration », pour une rencontre au sommet, une négociation d'État à État, non plus entre belligérants ayant conclu une trêve, mais entre partenaires soucieux de résoudre leurs problèmes en tenant compte des intérêts de chacun, dans le cadre d'une Europe pour longtemps voués à l'hégémonie de l'Allemagne nazie.

Cette acceptation de rapports nouveaux, inspirés par l'esprit de collaboration, n'est cependant pas le fait du seul gouvernement et du chef de l'État. Les propos échangés par exemple à la Commission d'armistice de Wiesbaden entre Duchemin, représentant du patronat français de l'industrie chimique — et ancien président de la Confédération générale de la production française, ancêtre du CNPF —, et Hemmen, représentant du ministère de l'Économie du Reich, montrent que, de ce côté aussi, on s'illusionnait, au lendemain de Montoire, sur les possibilités de relations mutuelles entre entreprises allemandes et françaises. Duchemin ne croit-il pas que les Allemands accepteront de reprendre ces relations dans le cadre des accords de cartel signés avant la guerre [11] ?

Du côté des prisonniers.

On trouvera un autre exemple à l'appui du bien-fondé des analyse de Jäckel et de Paxton dans la politique de Vichy à l'égard des prisonniers de guerre. Toujours dans la ligne de ses efforts pour faire reconnaître sa souveraineté sur l'ensemble des Français, le gouvernement de Vichy accepte, en novembre 1940, de se substituer, comme « puissance protectrice » de ses propres prisonniers, au pays neutre qui exerçait jusque-là cette fonction en vertu de la Convention internationale de Genève, en l'occurrence les États-Unis. La substitution est entérinée par un protocole d'accord signé à Paris le 16 novembre 1940. Georges Scapini, aveugle de la Première Guerre mondiale, président de l'Association des aveugles de guerre, ancien député, un des fondateurs du « Comité France-Allemagne » au moment où Hitler était déjà au pouvoir, est nommé par Pétain, avec le titre d'ambassadeur, chef d'un « Service diplomatique des prisonniers de guerre », chargé dès lors de toutes les négociations avec l'Allemagne à leur sujet. Déjà, fin juillet 1940, il avait été chargé par le Maréchal d'une mission auprès des autorités d'occupation et du gouvernement du Reich pour « aplanir les difficultés éventuelles qui pourraient affecter le sort de nos prisonniers de guerre » (lettre du maréchal Pétain à Scapini du 31 juillet 1940). Tout naturellement, il avait aussitôt utilisé, pour réaliser les objectifs à lui confiés, ses relations avec Otto Abetz.

Abetz, dirigeant avant-guerre du comité allemand correspondant au Comité France-Allemagne, expulsé de France en 1939 pour activités d'espionnage, était revenu à Paris en 1940 comme ambassadeur extraordinaire représentant d'Adolf Hitler en France pour les questions politiques. Par lui, Scapini obtient le contact avec les responsables allemands du traitement des prisonniers de guerre : le général Reinecke à l'Oberkommando der Wehrmacht et le Dr. Bran, des services de Ribbentrop, chargé de « l'entretien moral des prisonniers de guerre ». Avant même de devenir chef du SDPG, il se rend à Berlin et l'on sait, par les travaux de Robert O. Paxton, qu'il profite de ce séjour pour mener à bien, au nom du maréchal Pétain, une mission exploratoire en vue de la rencontre au sommet qui se concrétisera à Montoire [12]. Or, à cette occasion, a lieu sa première entrevue avec le général Reinecke et il lui fait, au nom de Vichy, des propositions concernant les prisonniers de guerre. Vichy pense alors pouvoir obtenir du Reich, de manière progressive, leur complète libération. C'est le but que s'est fixé Scapini. Et il va, dans ce sens, proposer aux Allemands ce qui, plus tard, sous Laval en 1942, deviendra « la Relève ». Il y fait allusion dans ses Mémoires : « L'idée en était ancienne ; elle remonte au début de la captivité. Je l'avais moi-même envisagée en septembre 1940, en proposant aux Allemands de libérer trois prisonniers de guerre pour un travailleur que nous leur fournirions [13].» Une note remise le 27 septembre 1940 au général Reinecke (dont copie est conservée aux Archives nationales — cote F9 2176) indique en effet :

«On conçoit que, pour un pays encore en guerre et que l'ampleur de ses victoires a amené à occuper la plus grande partie de l'Europe continentale, le problème de main-d'œuvre se pose avec une certaine acuité. Il est naturel que l'Allemagne songe à utiliser les possibilités de main-d'œuvre que représentent les prisonniers de guerre, surtout lorsqu'ils sont en nombre aussi considérable.

» La main-d'œuvre prisonnière est une main-d'œuvre à mauvais rendement parce qu'elle est une main-d'œuvre improvisée et que le réflexe naturel du prisonnier le met dans un état psychologique défavorable. En se plaçant sous ce seul angle, ne serait-il pas possible d'envisager une sorte de système compensatoire qui jouerait par exemple de la manière suivante : le gouvernement allemand ferait connaître au gouvernement français ses besoins en main-d'œuvre par catégories. Le gouvernement français réunirait la main-d'œuvre désirée par le gouvernement allemand. Les salaires de cette main-d'œuvre seraient à la charge du gouvernement français. Ils seraient payés soit par l'industriel employeur, soit par le gouvernement allemand, et compensés par le gouvernement français sous une forme qui serait déterminée d'accord entre le gouvernement français et le gouvernement allemand. En contrepartie, l'autorité militaire allemande mettrait en congé de captivité un certain nombre de prisonniers à calculer à raison de X... prisonniers pour une unité de main-d'œuvre fournie, le coefficient X étant déterminé d'accord entre le gouvernement français et le gouvernement allemand. »

Cette première proposition de « Relève » des prisonniers par des ouvriers français présente des différences avec celle qui sera réalisée en 1942 par Laval. Celui-ci cédera trois ouvriers spécialisés pour un seul prisonnier. Scapini, pour sa part, instruit par l'expérience et par l'évolution de la guerre, s'y montrera alors, comme il l'indique dans ses Mémoires, personnellement hostile. Il faut ajouter que le projet d'une « Relève » aurait sans doute pu rencontrer, en 1940, un certain écho dans l'opinion, tant en France que chez les prisonniers eux-mêmes, l'idée étant répandue que les ouvriers auraient bénéficié pendant la guerre d'une «planque» grâce aux affectations spéciales [14]. Cela dit, on voit que «l'inventeur» de la « Relève » n'est pas Laval mais bien le « premier Vichy » — un « Vichy de Pétain », incontestablement. On remarquera que Vichy, en septembre 1940, se déclare prêt à tenir compte des intérêts — militaires — du Reich encore en guerre et qu'il offre — contrairement à ce qui sera le cas en 1942 — de prendre en charge les salaires des ouvriers français fournis par lui à l'économie allemande. Enfin, alors qu'en 1942 c'est à une pression allemande du Gauleiter Sauckel, pour obtenir un surcroît de main-d'œuvre, que Laval répondra par la « Relève », c'est Vichy qui, en septembre 1940, en ce domaine comme en bien d'autres, prend l'initiative.

Comme en la plupart des autres domaines aussi, le résultat de cette initiative sera un échec. Les Allemands, encore en guerre contre la seule Angleterre, restent confiants dans les vertus de la « guerre éclair », ménagère de leurs ressources en hommes comme en matériel, qu'ils n'abandonneront pour la « guerre totale » qu'après l'échec de la Wehrmacht devant Moscou en décembre 1941. Ils ne tiennent nullement à lâcher la main-d'œuvre captive déjà en leur possession pour l'échanger contre des spécialistes qui ne leur font pas encore défaut. De façon plus générale, les autorités allemandes ne sont pas disposées à accepter des propositions fondées sur la base de la satisfaction réciproque des intérêts de chacun. Pour eux, il ne s'agit que d'utiliser au mieux le régime de Vichy et son chef pour maintenir les Français tranquilles ; pour leur faire accepter plus facilement l'occupation et l'exploitation des ressources du pays, objectif fondamental de leur politique, impliquant l'intégration de l'économie française dans une économie « européenne » dominée par les grands groupes monopolistes allemands appuyés par l'État national-socialiste. A cet égard, la réponse de Hemmen à la démarche citée plus haut de Duchemin est significative : ni « collaboration », ni cartel, dit-il, mais insertion de l'industrie chimique française dans un ensemble européen dominé par l'IG Farben.

Telle est la première raison, allemande et non vichyste, pour laquelle la collaboration offerte, appuyée d'initiatives du maréchal Pétain et de son gouvernement, n'ira pas plus loin. (Ce qui fait des démarches de Vichy, à cette époque, les premiers « actes manqués » d'un régime qui n'a pas saisi la portée véritable de la « bataille de France » et de l'armistice.) Une autre raison tient aux réalités du corps social français. Bientôt Vichy va s'apercevoir que celui-ci résiste plus qu'il ne pensait, malgré le traumatisme subi et l'intense propagande déployée pour le rendre malléable, aux réformes entreprises dans l'euphorie fiévreuse de 1940. La «débâcle» de juin 40 a bien été un choc, mais un choc trop bref pour déraciner les habitudes liées aux institutions créées par plusieurs générations républicaines. Le prolongement de la guerre et les conditions d'existence qu'elle impose ne se prêtent pas non plus à la réalisation des projets de cette époque. Les Français attendent du pouvoir des solutions aux problèmes concrets et immédiats que sont : ravitaillement, travail, retour des prisonniers... C'est là-dessus qu'ils déterminent leur attitude à son égard beaucoup plus que sur l'établissement d'institutions nouvelles qui les laissent, pour la plupart, indifférents. Les réactions des Français sont une autre raison de l'échec des initiatives trop marquées de Vichy dès la fin de 1940.

« Quarante millions de pétainistes ? »

Contrairement à ce qu'on pourrait déduire d'une formule comme «40 millions de pétainistes», il a bien existé dès le début une opposition à Vichy. Celle-ci n'est guère perceptible dans cette période de juin à septembre 1940, pendant laquelle les forces politiques non acquises à Vichy se trouvent elles aussi désorganisées ou encore incapables de s'exprimer autrement que par des actes isolés. Mais des signes nombreux montrent que l'opposition, elle aussi, commence à devenir «opérationnelle» fin septembre-début octobre. Graffiti gaullistes, tracts et journaux clandestins communistes se répandent avec une ampleur suffisante pour qu'en zone occupée les Allemands s'en inquiètent et exigent des mesures de rétorsion des autorités de Vichy. L'écoute de la radio de Londres doit déjà prendre, elle aussi, assez d'ampleur pour que, conjointement, Vichy et les Allemands entreprennent de la brouiller et de l'interdire.

Certes, un courant d'anglophobie s'est développé dans certains milieux, notamment après Mers el-Kébir [15]. Mais combien plus profonde et répandue nous paraît être l'hostilité aux Allemands. L'aspiration unanime à voir cesser la guerre et l'occupation ne souffre d'exception que dans le cercle étroit des milieux collaborationnistes. Or cet espoir de voir partir au plus tôt celui que, partout, on ne cesse de considérer comme l'ennemi est associé beaucoup plus généralement qu'on ne le dit au vœu d'une victoire anglaise. Ce vœu, Étienne Dejonghe l'a noté dans le département du Nord et pense pouvoir l'attribuer surtout à des données et traditions locales. Cependant, David Bobhot, qui a étudié les archives d'Indre-et-Loire, signale une égale anglophilie dans ce département, dès le début de l'occupation[16]. Le préfet du Loiret, dans son premier rapport au gouvernement de Vichy, daté du 10 novembre 1940, écrit, parlant des citadins : «quelques-uns» craignent «le rétablissement de l'ancien état de choses à l'occasion de la victoire anglaise», mais, «la plupart» souhaitent cette victoire «sans arrière-pensée de politique intérieure» ; tandis que les paysans de Beauce et de Sologne, moins portés à se placer sur le terrain politique, «manquent le sympathie à l'égard des Allemands» et manifestent «le très vif désir de voir l'occupation cesser». La «collaboration» n'est admise que comme moyen, imposé par les nécessités, de résoudre les problèmes posés par la défaite et l'occupation, en aucun cas comme une politique tendant à associer la France et l'Allemagne comme partenaires.

Sur ce point nous sommes en complet désaccord avec l'historien américain Paxton, quand il laisse entendre que la population française se serait montrée prête, en 1940, à suivre ses dirigeants dans la collaboration beaucoup plus poussée qu'ils recherchaient. Il y a, au contraire, nous semble-t-il, un décalage entre ce que l'opinion française attend de la négociation de Vichy avec l'Allemagne, la manière dont elle la conçoit, et celle pratiquée par les dirigeants du pays derrière le maréchal Pétain, telle que nous la révèlent les archives françaises aussi bien qu'allemandes. On peut bien dire, à la lumière de ces sources, que Pétain et Vichy trahissent sur ce point la confiance que des millions de Français mettaient effectivement en eux en 1940. Les contacts avec les Anglais, invoqués pour entretenir l'idée d'un «double jeu», peuvent-ils réellement être mis en balance avec les initiatives prises en direction des Allemands, dès lors qu'on connaît la nature réelle de celles-ci[17]? Aujourd'hui encore, combien d'hommes qui, sincèrement, furent pétainistes dans l'ignorance de ce qu'était la politique réelle du Maréchal, qui parfois s'engagèrent derrière lui pour œuvrer au redressement de la France dans l'ambiance d'«euphorie créatrice» de l'été 40, n'arrivent pas à admettre qu'ils ont été à ce point trompés! Et pourtant, les faits sont là.

Ils montrent que Vichy a bien pris l'initiative de s'engager dans une négociation pour remplacer les rapports entre belligérants par des relations entre partenaires, comme il prit l'initiative, dans le désarroi de la défaite, de transformer la vie politique, économique et sociale de la France, en voulant certes un redressement de celle-ci, mais comme si juin 40 ouvrait les temps durables d'une domination de l'Allemagne nazie sur une Europe où la France devrait accepter une situation de dépendance. Le terme d'«attentisme» ne convient certainement pas pour qualifier la politique du «premier Vichy». Ajoutons que, malgré les échecs de la fin de 1940, il récidivera dans l'initiative et la recherche de la collaboration, tout en persévérant dans sa politique de «Révolution nationale», en 1941. Tandis qu'au contraire l'hostilité aux Allemands de la majorité des Français ne fera que se renforcer et que les réticences aux entreprises de réformes autoritaires de l'État français deviendront plus nombreuses.

Notes

1. Cf. leurs confidences, entre autres, à des diplomates américains, dans H. Michel, *Vichy année 40*, Laffont, 1966, ou R. Paxton, *la France de Vichy*, Éd. du Seuil, 1973.

2. Extrait des *Cahiers d'Osterode*, n° 1, sept.-oct.-nov.-décembre 1940.

3. Cf. Y. Durand, « Chantiers et projets urbains sur les ruines de juin 40 », *Revue d'histoire de la Deuxième Guerre mondiale*, n° 79, juill.-septembre 1970.

4. Titre d'un ouvrage de J. Delperrie de Bayac, Laffont, 1977.

5. Voir notre contribution au colloque *le Gouvernement de Vichy 1940-1942*, Colin, 1972.

6. E. Dejonghe, « Le Nord isolé : occupation et opinion, mai 1940-mai 1942 », *Revue d'histoire moderne et contemporaine*, janv.-mars 1979.

7. Y. Bouthillier, *Le Drame de Vichy*, Plon, 1950-1951, t. I, p. 131.

8. *Le Temps des illusions* est le titre donné par un ancien chef de cabinet civil du Maréchal, Du Moulin de Labarthète, à ses Mémoires (A l'enseigne du Cheval ailé, 1946).

9. Le débat, sur ce point, reste ouvert. Cf. R. Bourderon, « Le régime de Vichy était-il fasciste ? », *Revue d'histoire de la Deuxième Guerre mondiale*, juill.-septembre 1973, et « Nouvelles remarques sur l'État français 1940-1944 », *Cahiers d'histoire de l'Institut Maurice-Thorez*, n° 20-21, 1977, et la discussion dans H. Michel, *Pétain et le régime de Vichy*, PUF, 1978, et dans J.-P. Azéma, *De Munich à la Libération 1938-1944*, Éd. du Seuil, coll. « Points-Histoire, Nouvelle histoire de la France contemporaine, n° 14 », 1979.

10. E. Jäckel, *La France dans l'Europe de Hitler*, Fayard, 1968, et R. Paxton, *op. cit.*

11. *Comptes rendus de la délégation française près de la Commission allemande d'armistice*, t. II, p. 552 sq. — cité dans Y. Durand, *Vichy 1940-1944, op. cit.*

12. R. Paxton, *op. cit.*, p. 77-78.

13. G. Scapini, *Mission sans gloire*, Morgan, 1946, p. 98.

14. En réalité les ouvriers sont proportionnellement aussi nombreux parmi les prisonniers que les paysans, comparativement à la

population active française totale, cf. *la Captivité, histoire des prisonniers français, 1939-1945*, Éd. SNCTG, 1980.

15. Cf. plus haut J.-P. Azéma, « Le drame de Mers el-Kébir ».

16. Mémoire de maîtrise inédit, soutenu sous la direction de Ph. Vigier à l'université de Tours.

17. Cf. Gal Schmitt, *les Accords secrets franco-britanniques, histoire ou mystification*, PUF, 1957.

Vichy et l'année 1940

10 juillet	Vote des pleins pouvoirs au maréchal Pétain.
11 juillet	Promulgation des trois premiers actes constitutionnels instaurant l'État français.
30 juillet	Loi « francisant » l'administration. Institution des chantiers de la jeunesse.
13 août	Dissolution des « sociétés secrètes ».
16 août	Mise en place des « comités d'organisation ».
3 octobre	« Statut » des juifs.
24 octobre	Rencontre Pétain-Hitler à Montoire.

Pour en savoir plus

J.-P. Azéma, *De Munich à la Libération, 1938-1944*, Éd. du Seuil, coll. «Points-Histoire, Nouvelle histoire de la France contemporaine, n° 14», 1979.

R. Bourderon et Germaine Willard, *La France dans la tourmente*, Éditions sociales, 1982.

Y. Durand, *Vichy 1940-1944*, Bordas, 1972.

E. Jäckel, *La France dans l'Europe de Hitler*, Fayard, 1968.

H. Michel, *Pétain et le régime de Vichy*, PUF, coll. «Que sais-je?», 1978, et *Pétain, Laval, Darlan, trois politiques?*, Flammarion, 1972.

R. O. Paxton, *La France de Vichy, 1940-1944*, Éd. du Seuil, coll. «L'univers historique», 1973; rééd. coll. «Points-Histoire», 1974.

6

Vichy
et les enfants juifs

Michael Marrus *

Parmi toutes les péripéties de l'Holocauste, il en est peu qui soient plus horrifiantes, et moins bien comprises aujourd'hui, que le meurtre par les nazis de plus d'un million d'enfants juifs. A travers toute l'Europe, et pas seulement dans l'immense charnier qu'était devenu l'Est du continent, les autorités allemandes firent la chasse aux victimes les plus innocentes qui se puissent concevoir, et dont plusieurs centaines de milliers devaient faire le terrible voyage vers les usines de mort du territoire polonais. Mais, même en cette circonstance, dans ce qui, sans aucun doute, constitue le crime le plus révoltant de l'hitlérisme, il s'est trouvé partout des complices pour lui prêter main-forte.

On a beaucoup discuté dernièrement pour savoir dans quelle mesure les dirigeants politiques et l'administration française ont contribué au génocide. Tout bien considéré, évidemment, leur part de responsabilité a été très variable. Parmi les Français qui ont participé à l'œuvre de mort se trouvaient non seulement d'authentiques tueurs, mais aussi des hommes tout à fait ordinaires, dont la sensibilité était obnubilée par la peur, l'ambition personnelle, la routine bureaucratique, l'absence totale d'imagination. Nulle part ce phénomène n'apparaît avec plus d'évidence que dans la déportation de France des enfants juifs. Non qu'il y ait eu volonté délibérée du gouvernement français de livrer les enfants à leur bourreau. Ni, comme on le prétend souvent, soumission à contrecœur à des pressions allemandes devenues irrésistibles. C'est d'autre chose qu'il s'agit : un nombre important de Français, s'étant trouvés

* Trad. de l'anglais par J. Bacalu.

confrontés à des problèmes complexes, ont choisi, comme il arrive souvent, la voie de la facilité. Ce faisant, ils ne se sont pas laissé fléchir par la plus effroyable des souffrances humaines qu'ils aient contribué à infliger : l'angoisse d'un enfant. Plus que toute autre chose, la politique de Vichy à l'égard des enfants juifs montre comment des responsables ont pu dresser un mur entre eux et la réalité, se retrancher dans la routine, se bercer d'illusions quant à leur propre rectitude, ignorant souvent aujourd'hui encore de quel crime monstrueux ils se sont rendus complices.

« Juifs étrangers contre juifs français ».

C'est en 1942 que la persécution des juifs par Vichy atteint son point culminant. Au cours des deux années qui ont précédé, des dizaines de lois et d'ordonnances ont contribué à faire des juifs une minorité de parias en les isolant du reste de la société française. C'est le gouvernement français qui a pris l'initiative de ces mesures, puisant par la suite encouragements et inspiration dans un programme analogue mis en œuvre à l'intérieur du Reich et dans l'Europe occupée. L'année 1942, toutefois, est marquée par une nouveauté : la mise en application par les Allemands de leur projet, déjà ancien, de déportation des juifs, dont l'objectif était pour Hitler « la solution finale de la question juive en Europe ». L'été et l'automne 1942 vont voir la déportation à Auschwitz de plus de 42 500 juifs de France, dont une poignée seulement survivront aux chambres à gaz et aux fours crématoires qui les attendent en Pologne. Parmi ces victimes, un peu plus de 1 000 enfants de moins de six ans, 2 557 âgés de six à douze ans, et 2 464 âgés de treize à dix-sept ans. Plus de 6 000 enfants pour la seule année 1942 [1]. Comment a-t-on pu en arriver là ?

A l'origine, évidemment, il y a le nazisme et la volonté implacable du Reich hitlérien de profiter de l'état de guerre pour éliminer physiquement les juifs d'Europe. La machine administrative est mise en marche à la suite de la conférence tenue au début de 1942 à Wannsee, dans la banlieue de Berlin : l'Europe sera ratissée d'Ouest en Est, les juifs seront déportés dans des camps d'extermination installés en Pologne. La France, qui n'est que partiellement occupée par les Allemands, n'en sera pas moins appelée à fournir d'importants contingents de juifs pour cette œuvre de mort. Une autre conférence nazie, organisée cette fois en juin 1942, fixe un objectif précis pour la première phase de l'opération en France : 100 000 juifs, à trouver dans les deux zones, occupée et non occupée. C'est le gouvernement français qui devra assumer les frais de l'opération : 700 reichs-marks par juif pour le transport, plus les vivres et tout l'équipement nécessaire pour les quinze jours suivant le départ (sur ce dernier point, les Français étaient tout simplement dupés : il n'y avait que trois jours de voyage jusqu'à Auschwitz, où la plupart des déportés étaient immédiatement exterminés).

Pourtant, malgré leur détermination, les nazis devaient agir avec prudence. Contrairement à ce qui se passait dans les territoires de l'Est, où leurs forces étaient nombreuses, les Allemands ne disposaient pour l'ensemble de la France, au milieu de l'année 1942, que de trois bataillons de police, soit de 2 500 à 3 000 hommes. Les autorités d'occupation confiaient parfois à l'armée ou à la *Feldgendarmerie* des tâches directement liées aux déportations, mais l'administration militaire répugnait à ces missions, préférant laisser cette besogne aux services de sécurité de la police : la Gestapo. Relativement isolée au sein de la société française et souvent haïe par la population, la police allemande avait du mal à fonctionner. Rares étaient ses membres qui parlaient le français, et plus rares encore ceux qui connaissaient bien la France urbaine ou rurale.

Dès le début, les chefs allemands vont cultiver la police, l'administration et les hommes politiques français, car ils savent à quel point ces derniers sont indispensables à la réalisation même des objectifs de l'Occupation. Du point de vue allemand, la solution finale pose en effet un problème délicat : la collaboration française est une condition *sine qua non* ; mais, pour se l'assurer, il faut ménager les sensibilités, éviter la provocation ouverte. Pour y parvenir, les Allemands combinent la menace brutale d'une action unilatérale avec l'offre alléchante de laisser les Français procéder à leur guise. Ils vont élaborer un stratagème qui n'abusera que peu de responsables français ou allemands, mais qui de toute évidence a son utilité au niveau des relations publiques : l'affirmation selon laquelle les juifs sont déportés dans des colonies à l'Est, pour y être mis au travail.

Heureusement pour les Allemands, les Français ont accepté les premiers quotas fixés pour les déportations. Harcelé par une série de nouvelles exigences nazies, dont la plus douloureusement ressentie est celle portant sur l'envoi en Allemagne de

250 000 jeunes travailleurs français, Vichy décide de céder sur ce qu'il considère comme une question secondaire : les juifs étrangers devront partir, débarrassant ainsi la France d'une masse indésirable de réfugiés. Par la collaboration, les Français, espère-t-on, pourront s'attirer à l'avenir les bonnes grâces de l'occupant. Et les juifs français, pense-t-on, seront peut-être finalement autorisés à rester.

Laval livre les enfants...

Il n'avait pas été fait mention des enfants par les nazis, même entre eux. C'est ainsi que, dans sa note du 15 juin 1942, le responsable SS des affaires juives en France, Theodor Dannecker, les exclut provisoirement de la déportation de manière explicite : « La condition essentielle est que les juifs [des deux sexes] soient âgés de seize à quarante ans, 10 % de juifs inaptes au travail pourront être compris dans ces convois. »

A la surprise des Allemands, ce sont les Français qui les premiers proposent que les enfants juifs soient inclus dans les trains de la déportation. Au début de juillet, le SS *Obersturmbannführer* Adolf Eichmann, coordinateur des déportations pour l'ensemble de l'Europe, vient à Paris pour mettre au point les détails de l'opération. Des entretiens avec Pierre Laval, chef du gouvernement français, s'ensuivent immédiatement, et, le 6 juillet, Dannecker adresse à Berlin une note qui donne le frisson : « Le président Laval a proposé, lors de la déportation des familles juives de la zone non occupée, d'y comprendre également les enfants âgés de moins de seize ans. La question des enfants juifs restant en zone occupée ne l'intéresse pas. »

Berlin va-t-il accepter ? Dannecker réclame à plusieurs reprises une réponse. Quelque temps plus tard, la réponse se faisant toujours attendre, le successeur de Dannecker, Heinz Röthke, note que la police française a « exprimé à différentes reprises le désir de voir les enfants également déportés à destination du Reich ». Finalement, le 20 juillet, Eichmann téléphone sa réponse : les enfants peuvent être déportés, de même que les personnes âgées.

Pour les enfants juifs, le martyre avait commencé plusieurs semaines avant. Au cours des rafles organisées contre les juifs en juillet, les enfants avaient été arrêtés avec leurs parents, pour être finalement conduits dans l'énorme camp sous administration française de Drancy, dans la banlieue nord-est de Paris. Ce sinistre groupe de bâtiments, constitué par un ensemble d'habitations inachevé, était le principal point de départ des convois quittant la France à destination de l' « Est ». Au bout de quelques jours seulement, certains parents avaient été embarqués dans les trains de déportés. Quelque 4 000 enfants âgés de deux à douze ans ont été internés à Drancy à la suite de l'ignoble rafle du Vel' d'Hiv' ; ils sont arrivés seuls, sans leurs parents. D'autres devaient suivre, à mesure que se poursuivait l'arrestation des juifs dans toute la France. En août, Drancy et les autres camps, situés dans le Loiret, voient arriver une bonne partie des enfants de la zone non occupée dont les parents ont déjà été transférés au Nord pour être déportés.

Dès le début, ces enfants ont eu à subir des souffrances indicibles. Dans les conditions sordides et dans la désorganisation qui caractérisent la vie du camp, l'arrivée d'enfants pousse nombre de détenus au désespoir. Rien n'a été prévu pour eux. Georges Wellers a décrit — dans *l'Étoile jaune à l'heure de Vichy* — quelques-unes des conséquences : « Les enfants se trouvaient par cent dans les chambrées. On leur mettait des seaux hygiéniques sur le palier, puisque nombre d'entre eux ne pouvaient descendre le long et incommode escalier pour aller aux cabinets. Les petits, incapables d'aller tout seuls, attendaient avec désespoir l'aide d'une femme volontaire ou d'un autre enfant. C'était l'époque de la soupe aux choux à Drancy. Cette soupe n'était pas mauvaise, mais nullement adaptée aux estomacs enfantins. Très rapidement, tous les enfants souffrirent d'une terrible diarrhée. Ils salissaient leurs vêtements, ils salissaient les matelas sur lesquels ils passaient jour et nuit. Faute de savon, on rinçait le linge sale à l'eau froide, et l'enfant, presque nu, attendait que son linge fût séché. Quelques heures après, un nouvel accident, tout était à recommencer. Les tout-petits ne connaissaient souvent pas leur nom, alors on interrogeait leurs camarades, qui donnaient quelques renseignements. Les noms et prénoms, ainsi établis, étaient inscrits sur un petit médaillon de bois [...]. Chaque nuit, de l'autre côté du camp, on entendait sans interruption les pleurs des enfants désespérés et, de temps en temps, les appels et les cris aigus des enfants qui ne se possédaient plus. »

Le pédiatre Germain Bleckman, débordé de travail, a vu passer à Drancy entre le 21 juillet et le 9 septembre le chiffre de 5 500 enfants, arrivés très souvent dans des wagons à bestiaux plombés. Environ 20 % d'entre eux devaient être hospitalisés dans des conditions totalement inadaptées (soit en gros entre 900 et 1 000).

Les détenus qui s'occupaient d'eux étaient bouleversés de les voir si amaigris et couverts de crasse et de plaies. On installa des douches, mais les responsables du camp ne fournirent que quatre serviettes de toilette par groupe de 1 000 enfants. La plupart, après des jours ou des semaines passés dans divers camps, étaient en haillons ; beaucoup avaient perdu leurs chaussures. Pour leur redonner courage, des volontaires leur disaient qu'ils retrouveraient bientôt leurs parents...

...Jean Leguay les envoie à Auschwitz.

Rapidement, les enfants vont être regroupés et ajoutés aux convois quittant Drancy plusieurs fois par semaine « pour une destination inconnue ». Durant le mois de juillet, les trains de déportés comprennent de nombreux adolescents ; en août et septembre sont emmenés également des enfants plus jeunes — y compris même des nouveau-nés. Finalement, les convois à destination d'Auschwitz emportent des centaines d'enfants, lesquels constituent souvent le gros des déportés. Le voyage s'effectue dans des wagons de marchandises plombés, transportant chacun entre 40 et 60 enfants, plus une poignée d'adultes. La participation allemande à l'arrestation des enfants semble avoir été nulle et certains indices permettent même d'affirmer que les nazis désapprouvaient l'affaire. En août 1942, un employé américain d'une œuvre de secours rapporte que les Allemands se sont « mis à rejeter, au-delà de la ligne de démarcation, les enfants juifs restés seuls en zone occupée » après l'arrestation de leurs parents, les livrant ainsi à Vichy et créant un nouveau casse-tête pour le gouvernement français. Déjà 1 600 enfants se sont présentés, et d'autres sont à prévoir.

Ce sont les Français qui ont pris l'initiative de rafler les enfants et de les expédier à Drancy, et c'est le chef de la police française en zone occupée, Jean Leguay, qui les a affectés aux divers convois en partance pour Auschwitz ; les Allemands ont établi le calendrier, mais c'est la police française, en accord avec les SS, qui décide de la composition des convois. Tout cela, Leguay l'explique au début du mois d'août dans une lettre à Darquier de Pellepoix, le commissaire général aux Questions juives du gouvernement de Vichy, précisant que les convois au départ de Drancy prévus les 19, 21, 24 et 26 du même mois seront « constitués par les enfants des familles qui avaient été internées à Pithiviers et Beaune-la-Rolande ».

Peu de choses sont plus difficiles à cacher que la souffrance des jeunes enfants. Au sein du gouvernement français, il n'y avait pas de doute sur ce qui se passait ; les informations dont Pétain disposait, concernant la grande rafle de juillet, témoignent non seulement d'une grande précision quant au nombre des enfants, mais aussi d'une cruelle clairvoyance à prévoir les problèmes qui vont se poser : « Quand les juifs seront emmenés à Drancy [depuis les camps du Loiret), le triage sera opéré pour envoyer les parents par wagons plombés de 50 vers l'Est après avoir été séparés de leurs enfants. La question d'enfants se posera donc très prochainement. Ces enfants, au nombre de 4 000, ne peuvent, d'une façon immédiate, être pris en charge utilement par l'Assistance publique ; le concours du Secours national est naturellement acquis à cette Administration [2]. »

Quelques semaines plus tard, Berlin ayant donné le feu vert à la déportation des enfants, la nouvelle parvient aux responsables du ministère de l'Intérieur : ils vont devoir veiller à ce que les groupes prévus de déportés se trouvent en temps voulu à l'endroit prévu.

« Pas un enfant ne doit rester en France. »

Un défenseur de Laval a prétendu que celui-ci avait tenté de venir en aide aux juifs, notamment en procurant des visas à 5 000 enfants juifs. Il est exact qu'un effort a été entrepris pour sauver les enfants juifs, mais le rôle de Laval dans cette affaire n'a pas été des plus glorieux. Ce qui s'est passé peut être reconstitué grâce aux archives de l'organisation quaker *American Friends Service Committee*, de la YMCA *(Young Men's Christian Association)* et du Département d'État des États-Unis ; l'examen en vaut la peine.

Dès les années 1940-1941, les quakers et l'organisation juive *Jewish Joint Distribution Committee* ont tenté de faciliter l'émigration des enfants juifs. Ce qui a permis à un petit nombre d'enfants, quelques centaines peut-être, de s'échapper à une époque où les départs étaient encore autorisés et où l'on pouvait obtenir un visa. Mais Vichy va bloquer les filières normales de l'émigration au cours de l'été 1942. Le 22 août, les responsables de la communauté juive de France écrivent au chef de la police française, René Bousquet, le suppliant d'autoriser l'émigration d'une cinquantaine d'enfants pour lesquels un visa d'entrée aux États-Unis a déjà été obtenu.

Mais, dans le même temps, s'organisait un autre projet, beaucoup plus ambitieux, qui devait regrouper toutes les tentatives destinées à venir en aide aux enfants juifs. Au début de ce même mois d'août 1942, un groupe de quakers avaient eu une entrevue avec Laval et en étaient ressortis avec le mince espoir que certains enfants pourraient être autorisés à se rendre aux États-Unis. Le 26 août, le ministre américain, Pinkney Tuck, presse Laval de faire un geste en faveur des enfants ; il n'est toutefois pas habilité à proposer une action précise. Profondément inquiet, Tuck demande au Département d'État américain de faire une offre concrète à Laval. Informé des horreurs de la déportation, Tuck estime qu'il y aura bientôt entre 5 000 et 8 000 de ces malheureux dans des maisons d'enfants ; et sachant ce que signifie la déportation par les nazis, il ajoute : « Beaucoup de ces enfants peuvent déjà être considérés comme orphelins. » Un mois plus tard, le 28 septembre, le secrétaire d'État, Cordell Hull, envoie de Washington une réponse positive : « Sous réserve de l'approbation par les autorités françaises de l'autorisation de quitter la France », un millier de visas ont été accordés et un projet est à l'étude en vue de permettre l'accueil de 5 000 enfants supplémentaires. Au bout d'une huitaine de jours, Laval paraît avoir donné son accord et la négociation s'engage.

Certains indices, toutefois, révèlent que les choses ne vont pas sans difficultés. Le pasteur Boegner, chef de la communauté protestante, a eu avec Laval le 9 septembre une entrevue orageuse. Le chef du gouvernement a été catégorique : les enfants ne doivent pas être séparés de leurs parents que l'on déporte ; et Boegner se rappelle l'avoir entendu dire : « Pas un ne doit rester en France. » Pendant près d'un mois, le gouvernement va chercher à gagner du temps. Le 15 octobre, le Département d'État finit par rendre publique son offre d'accueillir quelque 5 000 enfants. Le lendemain, Bousquet se trouve réuni dans le bureau du diplomate américain Tuck avec deux représentants quakers et Donald Lowrie, un responsable de la YMCA, chargé des réfugiés. Le chef de la police française insiste sur l'un des soucis majeurs de Laval : que cette émigration ne soit pas l'occasion d'une « publicité défavorable aux gouvernements français ou allemand ». Assortissant son offre d'un grand nombre de conditions, Bousquet finit par concéder 500 visas ; il n'en envisagera d'autres que lorsque les bénéficiaires des premiers seront arrivés aux États-Unis.

Bousquet, nous apprend le compte rendu des deux quakers, « a insisté pour que nous limitions le premier convoi à des orphelins authentiques, c'est-à-dire à des enfants dont les parents étaient effectivement décédés ou disparus depuis plusieurs années ». Lowrie, dont le rapport confirme en tous points la version des représentants quakers, fait état à ce propos d'un litige ; le responsable de la YMCA protesta contre la formulation adoptée par Bousquet, faisant valoir qu'il n'existait probablement pas 500 « orphelins » dans le sens où l'entendait le chef de la police française ; celui-ci répondit « qu'il n'existait aucune information quant au sort des juifs déportés et que, par conséquent, il ne pouvait supposer que leurs enfants restés en France étaient des orphelins ».

Vichy refuse l'émigration en Amérique.

Lorsque s'achève la rencontre, les trois Américains croient avoir au moins obtenu les 500 visas de sortie. Les délégués quakers se rendent à Marseille pour s'occuper des détails. Cependant, Vichy s'enferme dans le mutisme. Les jours passent. Les responsables administratifs de Marseille affirment n'avoir reçu aucune instruction. Le 20 octobre, Tuck informe la délégation quaker que Laval a été très contrarié par la publicité défavorable donnée par les Américains à cette affaire, et qu'il est en train de reconsidérer la question. Tuck lance un nouvel appel à Laval le 23 : le chef du gouvernement français propose maintenant de n'accorder que 150 visas, mais finit par porter le chiffre à 500 sur la demande insistante de l'Américain.

De nouveaux retards administratifs s'ensuivent, dus essentiellement à l'exigence française, transmise par l'intendant de police de Marseille, du Prozic, que seuls soient pris en considération les « orphelins authentiques ». Tandis que les délégués américains travaillent d'arrache-pied à tout mettre en ordre, du Prozic va imposer des conditions de plus en plus extravagantes : il veut, par exemple, pour chaque enfant, que soient fournis des renseignements sur le statut de ses parents (toujours et encore la question de l'« authenticité » des orphelins) et exige que toutes les demandes de visa de sortie soient soumises par l'intermédiaire de l'UGIF (Union générale des isaélites de France), qui est l'organisation communautaire juive mise en place par Vichy.

Même ces exigences vont finir par être satisfaites, au prix d'efforts héroïques. Puis, les délégués des œuvres américaines de secours vont faire le tour des camps de concentration de la zone libre, procédant à la sélection déchirante des enfants admis à émigrer. L'un de ces délégués nous a laissé ce témoignage saisissant : « Le choix des enfants était très difficile à faire. A de rares exceptions près, c'étaient des enfants intelligents, d'aspect agréable, bien élevés, souples de caractère — chose remarquable quand on songe à ce qu'ils ont subi : d'abord trois mois à deux ans de la vie pénible et démoralisante des camps, et maintenant cette séparation cruelle d'avec leurs parents. Nous avions parfois du mal à dominer notre émotion, comme ce fut le cas pour ce petit homme de huit ans aux grands yeux bleus et tristes, qui se présenta ainsi à nous : ' Je m'appelle Michel, et voilà mon dossier et voilà aussi la clé de ma valise. ' Et il nous montra un gros dossier contenant les documents d'émigration de ses parents, parfaitement en règle (ce qui n'avait pas empêché leur déportation), ainsi qu'une petite clé qu'il portait attachée à une ficelle autour du cou. Et nous nous sommes également trouvés face à une fillette de douze ans et à son petit frère âgé de deux ans et demi. Leurs parents avaient été déportés de Tours et les deux enfants avaient passé la ligne grâce à la bienveillance d'un Français qui les avait placés dans une colonie d'enfants. La petite ' Tchaya ' était si pénétrée de sa responsabilité envers son jeune frère que, la première chose qu'elle voulait, c'était apprendre un métier pour pouvoir s'occuper de lui. Le directeur, un homme plein de compréhension, l'avait mise dans l'atelier où on travaillait le cuir. Le bébé, inconscient de tout ce qui se passait autour de lui, était comme un petit rayon de soleil, mais, lorsque quelque chose n'allait plus, il ne criait jamais : ' Maman ', mais toujours : ' Tchaya, Tchaya ! ' »

C'est parmi des milliers de cas semblables que 1 000 enfants furent sélectionnés ; 500 furent désignés pour partir immédiatement, et les 100 premiers furent appelés à Marseille pour les derniers préparatifs. Et toujours pas de visas.

Le 9 novembre, un appel urgent est adressé à Laval. Et soudain, voilà que tout s'effondre : le chef du gouvernement n'est pas d'humeur à traiter avec les États-Unis ; la veille, en effet, a commencé le débarquement allié en Afrique du Nord. Les relations avec les Américains sont rompues, et, le 11, les Allemands occupent la zone Sud. Finalement, nous révèle un compte rendu, 350 enfants ont réussi tant bien que mal à gagner les États-Unis. Ainsi s'acheva l'entreprise destinée à sauver les enfants.

La déportation, une « solution de facilité » ?

Qu'est-ce qui peut expliquer l'attitude de Vichy ? De Laval, qui a personnellement retardé la délivrance des visas de sortie et qui a paru si intraitable à Tuck, au pasteur Boegner et aux délégués quakers ? De la police, qui a demandé si instamment la déportation des enfants avant même que les Allemands en aient fait le projet ? On ne peut guère prétendre que ces décisions résultaient de l'ignorance du sort des déportés. S'il n'y a, en effet, aucune preuve que les responsables politiques français avaient au début de juillet une idée bien claire des plans d'extermination nazis, jamais cependant ils n'ont pu avoir le moindre doute que les convois en eux-mêmes constituaient déjà une épreuve impitoyable : des dizaines et des dizaines de personnes entassées dans des wagons de marchandises plombés sans le moindre souci pour la vie humaine. Ni que, pour beaucoup d'entre elles au moins, la déportation équivalait à un arrêt de mort. Et cela restait vrai, il faut le souligner, *même si* on croyait à l'invraisemblable fiction allemande des « colonies de travail » à l'Est. Donald Lowrie, qui était bien renseigné, évoque sur un ton désespéré, en août 1942, « le sort général [des déportés], au sujet duquel personne ne se faisait aucune illusion : tomber aux mains des Allemands, cela signifiait soit le travail forcé, soit l'extermination lente dans la 'réserve' juive de Pologne ».

Deux années de Révolution nationale avaient révélé l'étonnante cruauté d'un régime dont la législation avait eu pour objectif, entre autres, d'écarter progressivement les juifs de toute activité économique et sociale. Précédent suffisant pour justifier qu'on se débarrasse maintenant des juifs, notamment des étrangers. Mais la brutalité gratuite n'avait pas jusqu'à présent fait partie du style de Vichy et l'antisémitisme officiel avait, à l'occasion, fait l'objet de certains assouplissements pour raisons culturelles ou même humanitaires. Les responsables de la politique antijuive avaient admis qu'il puisse y avoir des exceptions. Étant donné alors le peu d'empressement des Allemands à déporter les enfants au cours de l'été 1942, comment se fait-il que les Français paraissaient maintenant si impatients de les voir partir ?

Peut-être y a-t-il une explication dans le fait que l'inclusion des enfants aidait Vichy à remplir les quotas de déportation imposés par les Allemands, en retardant l'expulsion des juifs nés en France par la livraison de milliers d'enfants d'étrangers (dont beaucoup, cependant, étaient eux-mêmes français). Berlin avait décidé en juin 1942 que 100 000 juifs devaient être déportés de France dans un premier temps, dont la moitié en provenance de la zone non occupée. Le 3 juillet, le cabinet français donne son accord de principe pour la déportation des juifs apatrides, mais ceux-ci ne suffisent guère à eux seuls pour remplir les quotas. De fortes pressions dans ce sens sont exercées sur Laval, et l'offre qu'il fait à Dannecker d'inclure les enfants — formulée selon toute vraisemblance dans la soirée du 4 — n'a peut-être pour but que d'accroître le nombre total des « déportables ». Joseph Billig, pour sa part, voit dans cette décision une illustration de la bureaucratie vichyssoise : « Le terrifiant esprit d'inertie au sommet des organismes responsables de toutes sortes ; les autorités se dérobant du côté français devant la perspective d'un sauvetage parce qu'il promettait de déranger la routine administrative. Laval a soutenu cette tendance. » En définitive, nous dit cette thèse, il était tout simplement plus facile de se débarrasser des enfants que de prendre les dispositions nécessaires à leur entretien en France.

Les deux interprétations sont plausibles, mais les preuves nous manquent pour trancher cette question. Pour moi, l'explication la plus satisfaisante est que les enfants posaient d'énormes problèmes pratiques que Vichy n'avait tout simplement pas le courage d'affronter. En cet été 1942, la police participait depuis un certain temps déjà à l'application de plus en plus dégradante des mesures prises contre les enfants : port de l'étoile jaune dans la zone Nord, limitation des déplacements, exclusion des lieux publics (jardins publics, piscines, musées, etc.). En déportant les parents seulement, on risquait de créer des difficultés encore plus grandes. Que faire des enfants ?

A la suite de la visite d'Eichmann, Leguay demanda s'il y avait des foyers pour les enfants des déportés. La réponse fut particulièrement décevante : on disposait de 300 places, et peut-être y en aurait-il 700 autres si Vichy rendait les biens communautaires juifs réquisitionnés, et 550 de plus si les nazis en faisaient autant. Mais c'étaient plus de *4 000 enfants* qui allaient se trouver jetés entre les mains de Vichy après la grande rafle ! Sans compter ceux qui suivraient. La même situation surgissait en France non occupée, si bien qu'en août 1942 une partie du travail des camps situés dans cette zone consistait à regrouper les familles avant leur transfert en zone occupée. Pour les fonctionnaires concernés, déporter les enfants en même temps que leurs parents paraissait sans doute la solution la plus simple. Darquier de Pellepoix, qui au début s'était montré favorable au placement des enfants dans des foyers, se prononçait maintenant pour la déportation. Telle était aussi, nous l'avons vu, l'attitude de la police.

« Purger la France des indésirables. »

Politiquement aussi, ces enfants sont encombrants. Les protestations internationales parviennent presque immédiatement à Pétain et à Laval, et continuent à s'exprimer par toutes sortes de voies. Le gouvernement canadien manifeste son inquiétude pour les enfants arrêtés, proposant d'en accueillir 250 ; Rafael Trujillo, le dictateur de la République dominicaine, offre d'en héberger 3 500. Même Mme Laval est l'objet de démarches, par l'intermédiaire de la femme de l'ambassadeur de France en Espagne, qui elle-même a fait l'objet d'une demande de la part d'une organisation de secours américaine. En France, le martyre infligé aux enfants a contribué à renforcer l'opposition à l'antisémitisme de Vichy, laquelle se manifeste pour la première fois publiquement. Malgré la démission manifeste du Vatican, toutes sortes de groupes chrétiens ont attaqué Vichy sur ce point, de même que les communistes et bien d'autres organisations de résistance. Le tollé est d'ailleurs si grand à l'automne 1942 que le bruit en parvient jusqu'au ministère des Anciens Combattants, lequel offre alors timidement une aide aux enfants d'anciens combattants — «les mineurs juifs séparés de leurs parents» — lorsqu'ils sont orphelins de guerre ou pupilles de la nation.

Se posant en grand protecteur de la famille, le régime de Vichy était particulièrement vulnérable à l'accusation selon laquelle il arrachait les enfants à leurs parents. D'ailleurs, la seule mention d'une telle idée valait immanquablement à son auteur une enquête menaçante des agents de la police spéciale antijuive. Lorsque Tuck et le pasteur Boegner lui demandent d'intervenir, Laval nie énergiquement la réalité. Sans doute a-t-il calculé que la déportation des enfants avec leurs parents épargnera à son gouvernement les attaques angoissées et allégera en partie la pression qui s'exerce de l'extérieur : la propagande de Vichy, certains documents à usage interne le laissent précisément supposer. Un rapport adressé à Pétain en date du 29 septembre 1942 sur les déportations de la zone libre regrette qu'il y ait eu un certain démembrement des familles, mais fait observer que, « devant l'émotion produite partout par cette mesure barbare, le président Laval demanda et obtint que les enfants ne seraient pas séparés. Aussi dans les arrestations de la zone non occupée les enfants ont-ils suivi leurs parents ». Lorsque de vastes rafles d'enfants sont organisées en zone Sud à la mi-août, Vichy dément officiellement que l'on procède à la séparation des familles. Chose incroyable, Laval semble avoir cru que déporter les enfants à Auschwitz améliorerait son image de marque. Voici en tout cas le communiqué publié par l'Agence télégraphique juive le 14 septembre 1942 : « Selon la radio de Paris, M. Laval a annoncé vendredi dernier, lors d'une conférence de presse, que le gouvernement de Vichy est disposé à faire une concession en ce qui concerne la déportation des enfants juifs. Ceux-ci, au lieu d'être séparés de leurs parents, seront dorénavant déportés en même temps qu'eux. Il a toutefois ajouté : ' Personne, ni rien, ne pourra nous dissuader de mener à bien la politique qui consiste à purger la France des éléments indésirables, sans nationalité. ' »

Derrière la déclaration se cache le cynisme habituel de Laval : en effet, le chef du gouvernement français avait entendu rapporter de plusieurs sources au cours de l'été le sort horrible qui attendait les juifs s'ils survivaient au voyage à destination de la Pologne. Au début de septembre, Laval s'était concerté avec le responsable SS pour la France, le général Karl Albrecht Oberg, pour dissimuler la vérité en reprenant à son compte la fable des colonies de travail dans les territoires de l'Est.

Des enfants victimes de l'indifférence.

A cela s'ajoute une certaine dose de crédulité, d'illusion administrée à soi-même. Laval, comme beaucoup d'autres, était devenu la victime de sa propre dissimulation : s'il pensait que la décision qu'il avait prise de déporter les enfants apparaîtrait comme une « concession », c'était parce qu'il s'était coupé de la réalité, obnubilant non seulement son sens moral, mais aussi sa perception de la façon dont réagiraient les autres. Une fois admise l'idée que la conséquence logique de sa politique était la déportation des jeunes enfants, il ne pouvait plus voir d'autre solution, ne voulait plus entendre ni critique ni doléances. Têtu, insensible, brutal, Laval ne croyait qu'en lui-même.

Les autres lui ont emboîté le pas, et c'est précisément en cela

que réside la différence fondamentale entre l'antisémitisme nazi
et celui de Vichy. La haine que les Allemands vouaient aux
juifs reposait sur une théorie raciste, selon laquelle les enfants
représentaient pour l'Ordre Nouveau une menace au moins
aussi sérieuse que leurs parents : en Pologne comme en France,
le programme consistait purement et simplement à les extermi-
ner. La plupart des responsables de Vichy, pour leur part, ne
croyaient pas à une guerre totale contre les juifs. Ce n'est ni
le fanatisme ni la haine qui ont lancé l'appareil de l'État
français contre les enfants juifs, c'est tout bêtement l'indifférence. Deux années de discrimination officielle avaient érigé
une barrière morale entre les juifs et le reste de la société
française. S'étant accoutumés à considérer les juifs comme des
parias, s'étant peu à peu accommodés du discours prônant leur
exclusion, les hommes de Vichy ont fini par traiter les
personnes comme de simples objets. Deux ans de Révolution
nationale avaient endormi bien des consciences. Certaines,
d'ailleurs, à l'heure qu'il est, dorment encore.

Sans doute ce jugement paraîtra-t-il à certains moins sévère
que la thèse selon laquelle Vichy aurait pris la résolution
sanguinaire de détruire des vies humaines. Bien au contraire,
cependant, il montre à quelles extrémités peut conduire l'insen-
sibilité, et à quel point une telle insouciance était nécessaire
pour l'accomplissement du meurtre. Car ensemble, les deux
conceptions de la persécution — celle de Vichy et celle des
nazis — ont perpétré un crime d'une étonnante cruauté,
chacune alimentant l'autre et chacune sans l'autre étant entra-
vée. Résultat : entre 1942 et 1944, près de 2 000 enfants de
moins de six ans et 6 000 de moins de treize ans ont été déportés
de France à Auschwitz. Pour autant qu'on puisse le savoir,
aucun n'a survécu.

Notes

1. S. Klarsfeld, *Le Mémorial de la déportation des Juifs de
France*, Paris, édité par l'auteur, 1978.
2. Référence : A.N.A.G. II - 495 77 A.

Pour en savoir plus

Ouvrages et articles généraux.

J.-P. Azéma, *De Munich à la Libération, 1938-1944*, Éd. du Seuil, coll. «Points-Histoire, Nouvelle histoire de la France contemporaine, n° 14», 1979.

J. Billig, *Le Commissariat général aux questions juives*, Éd. du Centre, 1955-1960, 3 vol.

F. Delpech, *Sur les juifs*, Presses universitaires de Lyon, 1984.

La France et la Question juive, 1940-1944, Actes du colloque du Centre de documentation juive contemporaine, Éd. Sylvie Messinger, 1981.

S. Friedländer, «L'extermination des juifs», *L'histoire*, n° 11, avril 1979, p. 5-14.

S. Klarsfeld, *Le Mémorial de la déportation des juifs de France*, Paris, édité par l'auteur, 1978.

F. Kupferman, *Pierre Laval*, Masson, 1976.

C. Lévy et P. Tillard, *La Grande Rafle du Vel'd'Hiv' (16 juillet 1942)*, Laffont, 1967.

C. Lévy, «L'affiche rouge», *L'histoire*, n° 18, décembre 1979, p. 22-32.

M.R. Marrus et R.O. Paxton, *Vichy et les juifs*, Calmann-Lévy, 1981.

R.O. Paxton, *La France de Vichy, 1940-1944*, Éd. du Seuil, coll. «L'univers historique», 1973; rééd. coll. «Points-Histoire», 1974.

Z. Szajkowski, *Analytical Franco-Jewish Gazetteer, 1939-1945*, New York, édité par l'auteur, 1966.

G. Wellers, *De Drancy à Auschwitz : l'étoile jaune à l'heure de Vichy*, Éd. du Centre, 1946; n^lle éd. revue et corrigée, Fayard, 1973.

Sur les enfants.

S. Friedländer, *Quand vient le souvenir*, Éd. du Seuil, 1978.

G. Garel, « Le sort des enfants juifs pendant la guerre », *Le Monde juif*, janv.-mars 1978.

D. A. Lowrie, *The Hunted Children*, New York, Norton, 1963.

C. Vegh, *Je ne lui ai pas dit au revoir. Des enfants de déportés parlent*, Gallimard, coll. « Témoins », 1979.

Sources manuscrites.

Archives nationales.

Centre de documentation juive contemporaine.

Comité d'histoire de la Deuxième Guerre mondiale.

7

Où en est l'histoire de la Résistance

Henry Rousso

La Résistance — son histoire, son souvenir, sa légende — a toujours occupé une place de choix dans la mémoire collective des Français. Mythe fondateur de notre société, elle appartient depuis au panthéon des valeurs républicaines.

Pourtant, depuis le début des années 70, le vent a semblé tourner. A l'image d'une France unanime dans la révolte contre l'occupant nazi a peu à peu succédé celle d'un pays tout aussi unanime dans la lâcheté et la délation. A la célébration incessante de la « flamme de la Résistance » a fait place un désir, parfois inconscient, d'autoflagellation collective. Après s'être crus « Tous des résistants », les Français redoutent de se découvrir « Tous des fascistes ». Le temps des hagiographes est révolu. L'heure — la mode, le marché littéraire? — est aux policiers de la mémoire, dont certains n'hésitent pas à sacrer le pétainisme source de l' « idéologie française ».

Alors, oubliée la Résistance? Certes pas. Cette enquête a débuté sur une question restée en suspens : quelle place occupe le souvenir de la Résistance dans notre vie politique ou culturelle? La réponse fut donnée par l'actualité. En mai 1981, par caméras interposées, gauche et droite présidentielles bataillaient ferme à coups de francisques, de légions d'honneur ou de chars Leclerc. La campagne du second tour se terminait sur le rappel, tambour battant, des valeurs et du souvenir, apparemment vivaces, de la Résistance. Pour prétendre gouverner la France des années 80, on allait une fois de plus chercher des arguments au fin fond des années 40...

Que sait-on aujourd'hui de la Résistance? Si le thème est moins présent dans l'esprit du grand public, il reste un domaine d'élection des historiens. Traverser le champ historiographique

couvert à l'heure actuelle, tel est le but de cette enquête. Sans
prétendre à la synthèse, nous avons isolé quelques questions
significatives, soit par leur nouveauté, soit par leur contenu
encore très discuté. Notre ambition : montrer que les véritables
problèmes posés par l'histoire de la Résistance s'écartent le
plus souvent des polémiques stériles qui s'éternisent dans tel
ou tel débat télévisé. Derrière les disputes d'anciens combattants, une histoire complexe, multiforme, parfois insaisissable,
est en train de se construire. Contribue-t-elle à entretenir les
mythes dominants, à les détruire... ou à déplacer la caméra ?

Sources, méthodes, lectures.

Tous ceux qui travaillent sur cette question — nous avons
restreint le champ d'investigation à la Résistance intérieure —
connaissent une difficulté majeure quant aux sources et aux
matériaux : comment saisir un phénomène en grande partie
clandestin ? Comment apprécier son importance réelle, son
rayonnement ou son efficacité ? « Rares sont les clandestins qui
ont tenu des journaux ou rédigé régulièrement des notes sur
leurs activités [1]. » Même si le chercheur déniche la perle rare,
il doit la traiter avec une grande prudence : « La polémique est
rarement absente des souvenirs et des Mémoires ; la politique
continue de les colorer, surtout lorsque ceux-ci ont été rédigés
à une époque proche de nous [2]. » Autre difficulté majeure :
l'aspect parcellaire des informations. La Résistance française,
au-delà de l'aspect institutionnel souvent surestimé, se caractérise par la multiplication de faits isolés. Peu d'acteurs ont eu
une vision quelque peu globale du phénomène.

Ces quelques caractéristiques expliquent sans doute l'aspect
monographique des études, limitées à une région, un mouvement, un homme important. Mais, contrairement à une idée
répandue, cette histoire ne s'appuie pas sur les simples témoignages écrits ou oraux d'anciens résistants. Les documents sont
divers et nombreux, même s'ils ne sont pas toujours homogènes. Source première : la presse clandestine et les archives de
certains mouvements *(Libération-Sud, Franc-Tireur* ou *Combat)*, de certaines institutions rattachées au *Conseil national de
la Résistance (Commission d'action immédiate, Comité général
d'études...)*, depuis longtemps exploitées. A l'image des enquêtes menées par le Comité d'histoire de la Deuxième Guerre
mondiale, puis l'Institut d'histoire du temps présent [3], dans la
majeure partie des départements, sur l'activité résistante, sur

la répression, le travail obligatoire ou l'épuration, l'histoire de la Résistance se construit comme un puzzle.

L'IHTP n'est pas le seul organisme soucieux de recenser archives et témoignages. Le Service historique de l'armée de terre, les offices départementaux d'anciens combattants, les associations d'anciens résistants, des centres d'études locaux à Lyon, Toulouse ou dans le Morvan, bref, une multitude d'organismes divers témoigne de la vitalité de la « mémoire résistante ».

Mais, tant dans les centres d'études que dans les ouvrages publiés, domine une certaine ambiguïté : le discours sur la Résistance conserve un double aspect, à la fois « commémoratif » et « scientifique ». Dans le premier cas, le souci majeur est d'entretenir la flamme du souvenir, de s'opposer aux assauts très réels de l'oubli systématique, surtout dans le régime présidentiel qui vient de s'achever. Dans le second, on s'attache à la matérialité des faits, à l'audace des hypothèses, à la rigueur de l'analyse. Ainsi s'établit une dialectique entre l'entretien d'une mémoire pieuse et la démarche démythifiante.

Mais les historiens ont du mal à garder l'équilibre entre une légende toujours active et une histoire qui se doit d'être rigoureuse... pour être précisément crédible. « Les faits ne constituent plus que des repères approximatifs ou fragiles et, dans le fond, d'un intérêt secondaire pour le discours. Influencée par les interprétations officielles successivement imposées par la classe politique, la tradition alimente une histoire ambivalente, trop souvent éloignée des composantes complexes de la réalité », écrit Pierre Laborie à propos de la mémoire collective telle qu'elle s'exprime dans un département (le Lot)[4]. Et cette ambivalence est tout aussi présente dans la production historique.

Partagée entre le mythe et la réalité reconstituée, l'histoire de la Résistance est également soumise à de multiples lectures possibles.

Elles varient d'une part suivant la définition globale que l'on donne du fait résistant. Henri Michel note quatre types d'interprétations, toujours en concurrence dans la majorité des ouvrages. Pour la tendance gaulliste ou « londonienne », la Résistance est née de l'appel du 18 juin, lancé par le général de Gaulle à Londres[5]. Pour la majorité des résistants de l'intérieur, c'est un mouvement spontané rallié à la France libre. Germaine Tillion, l'une des premières grandes figures, a très bien exprimé cette nuance en parlant du général de Gaulle comme de « l'homme qui était du même avis que nous[6] ». Les communistes et bon nombre de résistants voient dans la Résistance « une guerre de libération nationale », donc une lutte insurrectionnelle à la fois politique et armée. Ils insistent sur les aspects révolutionnaires du combat résistant. Enfin, aux antipodes, les militaires de l'armée d'armistice reconstituée par Vichy en zone Sud et noyautée par ce qui va devenir l'Organisation de résistance de l'armée se considèrent comme les seuls résistants « authentiques » ; longtemps fidèles à Pétain ou à Giraud, ils sont restés suspects aux yeux des précédents.

« Au fond, ajoute Henri Michel, [ces interprétations] expriment les quatre grands mouvements d'acteurs dont la conjoncture a fait la Résistance[7]. » Souci d'œcuménisme fort louable mais qui ne peut nier que ces divergences sur la nature même de la Résistance sont au contraire la marque de sa profonde diversité. Même solidaires, les différentes familles de résistants ont été largement divisées sur la nature, le sens et les objectifs de leurs combats, l'enjeu étant autant politique (quel régime pour l'après-guerre ?) que militaire (leur rôle dans la Libération).

Les lectures varient d'autre part depuis la fin de la guerre, chaque régime politique ayant plus ou moins favorisé une interprétation dominante[8]. Dans l'immédiat après-guerre, s'imposent les thèses « résistantialistes », l'ensemble du pays s'identifiant à la Résistance, incarnée principalement par les gaullistes et les communistes. Avec le début de la Guerre froide, les thèses pétainistes relèvent la tête ; on dénonce les « crimes » de l'épuration et on accrédite la thèse d'une complicité « objective » entre de Gaulle et Pétain. Les résistants et l' « esprit de la Résistance » se dispersent dans la nouvelle donne politique de la IVe République. Avec le retour de De Gaulle et la guerre d'Algérie, la faille des années 40 se dessine à nouveau. L'image de la Résistance, combat contre le fascisme, semble à nouveau dominante malgré quelques transfuges de poids (tel Georges Bidault) qui rallient le camp de l'Algérie française et de l'OAS. Le long règne du gaullisme semble consacrer une certaine image officielle de la Résistance.

Dans le début des années 70 commence à se profiler un certain « révisionnisme ». *Le Chagrin et la Pitié*, filmé en 1969, soulève les passions car, pour la première fois, on tente pour le grand public un regard démythifiant sur cette époque. Enfin, le septennat giscardien voit l'éclosion d'une tendance inverse à celle de la Libération. Comme en négatif s'impose avec excès

l'image d'une France courbée dans la défaite et sinon collabora-
tionniste, du moins nettement pétainiste. La mémoire résistante
semble se circonscrire à des voix isolées. Il est peut-être trop
tôt pour dire si cette vision va s'estomper avec un ancien
résistant de l'intérieur à la présidence de la République, mais il
est significatif que François Mitterrand ait voulu, d'entrée, se
placer dans la tradition de Jean Jaurès et de Jean Moulin.

Entre ces différents niveaux de lecture qui influencent
grandement la production historique, l'histoire de la Résistance
appelle un double décryptage : celui du «fait résistant»,
complexe et multiforme, celui des positions partisanes ou
idéologiques qui sous-tendent nombre d'analyses. Enquêter sur
cette histoire, c'est toucher un nœud encore mal démêlé de
notre inconscient national.

Les hommes de la Résistance.

En dehors des polémiques entre anciens résistants, les
chercheurs ont axé leurs travaux sur des questions de fond. Qui
sont les résistants ? D'où viennent-ils ? Quelles sont leurs
motivations ? Quelle place occupent-ils au sein de la société
française de l'Occupation ?

C'est sans doute la question majeure qui conditionne toute
analyse. Pourtant, en marge de ce problème, une interrogation
revient souvent : combien étaient-ils ? Un faux débat consistant
à mesurer l'ampleur du fait résistant à travers le dénombrement
des actifs. La seule base sérieuse dont on dispose est le nombre
de cartes de «combattant volontaire de la Résistance» délivrées
après la guerre. Au total, 220 000 personnes en ont bénéficié.
Mais le chiffre n'est guère significatif. Ne sont pas compris
tous ceux qui ont refusé de prendre une carte, par discrétion
ou par pudeur, tous les complices d'un jour ou d'une nuit, tous
les sympathisants, en nombre croissant à partir de 1943, qui ont
permis à la Résistance institutionnelle de «fonctionner comme
poisson dans l'eau[9]». A l'inverse, certaines cartes n'ont pas
toujours récompensé d'authentiques résistants... Or avec un
chiffre compris entre 200 000 et 300 000 combattants réels on
obtient de 1 à 1,5% de la population active de l'époque. Libre
à chacun d'estimer ce pourcentage élevé ou non. Mais il serait
absurde d'évaluer à partir de ces seules données le phénomène
social de la Résistance. A l'évidence, les résistants sont une
minorité. Mais, au sens plein du terme, une minorité exceptionnelle.

Plusieurs approches existent pour cerner le résistant moyen. Michael Foot, spécialiste d'histoire militaire, estime que seul « le caractère, pas la classe [sociale], a formé les résistants ». Les qualités selon lui requises ont d'ailleurs de quoi décourager le commun des mortels... « Des nerfs d'acier et pas d'inhibitions », « une discrétion exemplaire », « une imagination débordante », le sens du danger, de la ténacité, du courage et de la patience, sans oublier « la qualité finale, indispensable [...], la chance [10] ». Dans ce type d'analyse, le « vrai » résistant n'est qu'un agent secret traditionnel, de préférence aux ordres des Alliés. C'est actuellement la méthode la plus répandue pour nier « objectivement » la dimension réelle de la Résistance en France. Bizarrement, cette volonté de réduire la complexité du fait résistant rejoint l'imagerie populaire : « La mémoire collective retient généralement du résistant une image confuse où s'entremêlent l'agent secret, le justicier ou le hors-la-loi qui tiennent de l'acteur de western, du chevalier sans peur et sans reproche faisant sauter, mitraillette au poing, un nombre incalculable d'usines et de trains [11]. »

Beaucoup de chercheurs français essaient, plus finement, de délimiter des tendances sociologiques dans la population résistante. Nous avons choisi, pour illustrer cette démarche, des études portant sur deux départements, l'Ille-et-Vilaine en zone Nord et les Alpes-Maritimes en zone Sud, ainsi qu'une étude pionnière sur un mouvement de résistance, *Franc-Tireur* [12].

Leurs conclusions se rejoignent assez nettement.

La domination masculine est très nette, 91 % pour les résistants des Alpes-Maritimes, 87 % pour ceux de l'Ille-et-Vilaine, près de 90 % parmi les militants de *Franc-Tireur*, alors que la population féminine est en général supérieure à celle des hommes dans la répartition totale. S'agit-il d'une sous-représentation, les femmes sont-elles une minorité dans la minorité ? Ou, au contraire, la proportion est-elle relativement élevée compte tenu des mentalités de l'époque ? Si la réponse est difficile, on ne peut toutefois minimiser l'importance des femmes dans la Résistance : « Leur irruption, dans un conflit pour lequel beaucoup n'étaient pas politiquement préparées, devait avoir une influence profonde sur les décennies à venir », souligne Claude Lévy [13]. En effet, en 1944, la femme obtient l'égalité des droits politiques, reconnaissance implicite de sa participation aux combats de l'époque.

Une forte minorité d'étrangers, très supérieure à la moyenne nationale, milite dans la Résistance. On trouve ainsi 3 %

d'Espagnols en Ille-et-Vilaine et 7% d'immigrés, italiens pour la plupart, dans les Alpes-Maritimes. Leur présence souligne le caractère international de la lutte antifasciste, exprimé pour la première fois lors de la guerre civile espagnole.

La population résistante est jeune, voire très jeune. A *Franc-Tireur*, plus de 71% des militants ont moins de quarante ans. Dans l'Ille-et-Vilaine, les 13-29 ans représentent près de la moitié des effectifs, alors qu'ils ne rentrent que pour un tiers dans la population départementale. « Cette jeunesse est d'autant plus remarquable que ces classes d'âge ont fourni une partie importante des prisonniers de guerre [14]. » Cette jeunesse est l'un des faits les plus marquants. Elle explique pour une bonne part la permanence de l'« esprit de la Résistance » dans la société française contemporaine. Au contraire de l'ancien combattant de la Première Guerre mondiale, l'ancien résistant a sacrifié sa jeunesse volontairement et en toute conscience. Tous se sont battus non seulement par réflexe patriotique, mais pour défendre un idéal politique ou social aussi éloigné du fascisme que des carences de la IIIe République. Après la Libération, l'engagement personnel de l'ancien résistant, outre ses affinités politiques partisanes, ne s'est pas défini sur le seul terrain du refus de la guerre, à l'inverse du rescapé de la Grande Guerre. Et, aujourd'hui, le citoyen ancien résistant n'a sans doute pas fini de s'engager dans les combats du siècle au nom de *sa* résistance, autrement dit de sa jeunesse.

Le camp du refus.

Enfin, l'engagement dans la Résistance est souvent déterminé par la situation professionnelle. Les ouvriers, les employés, surtout ceux du secteur public (transports, postes, administrations locales, etc.) sont surreprésentés par rapport à leur proportion dans la population totale. Dans l'Ille-et-Vilaine, les ouvriers constituent près de 14% des résistants alors que la moyenne dans le département est d'environ 10%. A *Franc-Tireur*, 60% des militants sont des petits commerçants, des cadres administratifs, des cheminots, des postiers ou des intellectuels. Le mouvement « a recruté le plus gros de ses effectifs dans les couches moyennes de la population d'où était issue en grande partie l'équipe initiale du mouvement [15] ». La Résistance n'a pas été un phénomène de classe au sens étroit du terme : son influence s'étend dans l'ensemble des couches sociales, grande bourgeoisie comprise bien qu'ultra-minoritaire.

Il n'en reste pas moins qu'ouvriers et couches moyennes ont fourni les plus gros contingents. Sans nier la diversité politique et sociale de la Résistance, la tradition communiste, socialiste ou républicaine a joué un rôle moteur.

Outre le caractère, l'âge ou le métier, les structures mentales dominantes et le contexte particulier de 1940 jouent un rôle majeur dans les motivations des résistants. Tout a été dit sur le refus de la défaite et/ou de l'armistice, sur les réflexes de honte et de colère des premiers résistants, sur le rejet du nazisme et du pétainisme, le second plus tardif chez certains. L'historien anglais Kedward, bénéficiant d'une saine distance vis-à-vis des sensibilités françaises, introduit une dimension originale. Pour lui, résister, c'est refuser la vision simplifiée du monde proposée et imposée par Vichy, au moins en zone Sud. En liquidant à la hâte le conflit avec l'Allemagne, en rêvant à haute voix et par décrets d'une « France nouvelle » alors que le pays est encore sur les routes de l'exode, en refusant la dimension planétaire et idéologique de la guerre, le *nouveau* régime cherche à préserver les Français de la «complexité» de la situation : le maréchal-père ou les « technocrates » infaillibles en sont des signes manifestes. Au contraire, «l'histoire de la Résistance est l'étude d'individus et de groupes qui perpétuent cette complexité ou la réintroduisent [16]». Autrement dit, avant d'être un danger militaire ou politique, le résistant est un empêcheur de tourner en rond. En affirmant que la guerre n'est pas finie, l'Allemagne non définitivement victorieuse — en réalité, c'est plus un credo qu'une analyse objective —, il brise la coquille rassurante du discours pétainiste et interpelle tous ceux qui font mine de se désintéresser du conflit ou de l'occupation. Mieux, il oblige résignés ou indifférents à prendre conscience que leur position n'est pas dans le cours naturel des choses, mais un *choix politique,* non revendiqué, inconscient ou masqué et pourtant très réel. Choisir le camp du refus, au moins dans les débuts, c'est non seulement risquer une multitude de dangers physiques, mais c'est surtout rompre avec une facilité morale, un «lâche soulagement» dominant. L'héroïsme du résistant réside peut-être plus dans le choix même de résister que dans ses actes ultérieurs.

Une idée reçue a longtemps dominé : le résistant est un «déraciné social»; celui qui peut se permettre précisément de naviguer à contre-courant. «La Résistance a été une façon de vivre, un style de la vie, la vie inventée. Aussi demeure-t-elle dans son souvenir comme une période de nature unique, hétérogène à toute autre réalité, sans communication et incommunicable, presque un songe[17] », écrit Jean Cassou, résistant de la première heure. Dans *le Chagrin et la Pitié*, Emmanuel d'Astier de La Vigerie exprime plus crûment l'isolement de certains « déracinés » : « Les problèmes de la vie normale n'existaient plus [...] nous étions fort libres [...] On pouvait être résistant quand on était inadapté [...] On était en dehors de la société organisée. Nous étions des ratés. » Or les études sociologiques citées plus haut montrent, au contraire, que la plupart des militants ou des agents formant la première génération de résistants sont des gens très insérés dans le tissu social. Beaucoup mènent une double vie et ont une famille. Souvent, tout les incline à choisir la « simplification » pétainiste plutôt que la « complexité » résistante. Et pourtant...

De la première à la onzième heure.

Comment la Résistance évolue-t-elle de 1940 à 1944 ? Quel rôle joue la chronologie dans les différents niveaux d'analyse ? C'est l'écueil majeur rencontré par les historiens. Nous nous sommes limité à deux exemples : l'évolution des mobiles qui poussent un nombre croissant de gens à franchir le pas et les différentes générations de résistants qui se rencontrent dans la clandestinité.

Signalons d'abord une enquête en cours de l'Institut d'histoire du temps présent sur la *Chronologie de la Résistance*. Entreprise à l'échelle départementale, elle prévoit l'établissement de 200 000 fiches, dont plus de la moitié sont terminées, recensant tous les faits de résistance, leur date, leur lieu, leurs auteurs ; un travail considérable qui montre l'intérêt de situer dans le temps, avec beaucoup de précision, toute analyse du phénomène de la Résistance.

« Les résistants de la première heure furent rejoints, dit-on, par un grand nombre en 1941 et un plus grand encore en 1942 et 1943, jusqu'à ce que la sympathie pour la Résistance devienne aussi étendue en 1944 que celle pour Pétain en 1940, même si la proportion d'activistes demeurait relativement faible[18]. » Selon Kedward qui refuse cette vision « positiviste », les motivations évoluent radicalement dans le temps. Celles des « premiers » sont souvent personnelles ou locales, échappant à toute catégorisation. Par la suite, chaque événement majeur voit le ralliement d'un type particulier de résistant : un grand nombre de communistes après juin 1941 ; certains dignitaires ou pétainistes « mous » après le retour de Laval en avril 1942 ; un nombre important de gens après la répression antisémite de l'été de la même année ; des militaires après l'invasion de la zone Sud en novembre 1942 ; les réfractaires du STO en 1943... Mais, refusant tout déterminisme, l'historien doit alors apprécier « la vitesse de prise de conscience face à ces différents maux [...] très variable suivant les individus, les lieux, les groupes sociaux, les formes d'action envisagées ».

Exemple : le problème des réfractaires au Service du travail obligatoire, instauré en février 1943. La corrélation entre réfractaires et maquisards a toujours semblé évidente. « Le STO devient du jour au lendemain le grand pourvoyeur des maquis [19]. » « Le maquis, dont le développement est directement lié, comme d'ailleurs son origine même, à la déportation des travailleurs en Allemagne, constitue l'une des caractéristiques dominantes de l'année 1943 [20]. » Est-ce à dire que, dès l'instant où certains travailleurs décident de ne pas partir ils deviennent *ipso facto* des maquisards ? Les études régionales portant sur l'itinéraire réel des réfractaires nuancent quelque peu la question. Dans le Tarn, les réfractaires n'entrent que pour 19 % (de leur total) dans les rangs de la Résistance. Le refuge majeur, c'est l'agriculture. Dans les Hautes-Alpes, si la moitié des maquisards en 1943-1944 sont des réfractaires, les deux tiers d'entre eux, cultivateurs d'origine, rentrent chez eux. Dans l'Isère, seuls 27 % rejoignent les maquis [21]. On pourrait multiplier les exemples. En fait, la confusion entre réfractaires et maquisards n'est pas possible. D'où provient donc le gonflement des maquis et en quoi le refus du STO est-il un événement majeur dans le développement de la Résistance ? « Le STO a joué un rôle déterminant dans la Résistance en obligeant les mouvements à élargir leur champ d'action, à secouer une certaine passivité à préparer des structures d'accueil [...], à prendre conscience d'une stratégie à long terme [22]. » Autrement dit, le développement des maquis n'est pas dû au simple apport numérique — relativement faible — des réfractaires, mais à la dynamique créée dans la Résistance institutionnelle pour favoriser l'intégration du maximum de réfugiés ou de réfractaires isolés et passer ainsi à une résistance de masse. La « prise de conscience » des précédents n'est donc pas immédiate, et la corrélation entre réfractaires et maquisards n'obéit pas à un déterminisme simple mais à une dialectique en deux temps. Dans une première phase, les réfractaires grandissant constituent un réservoir potentiel pour les maquis déjà constitués de la Résistance. Dans une seconde phase, qui débute à la mi-1943, la Résistance tente d'intégrer au mieux ces réfractaires et de «réaliser» ce potentiel.

Les motivations d'un résistant ne sont pas les même en 1940 ou en 1942. Conséquence : le profil du résistant évolue, ainsi que sa vision du combat. On observe donc au sein de la Résistance un phénomène de génération. Pascal Copeau exprime très nettement les sentiments de la «deuxième génération» de résistants. «Tard-venu» — à l'été 1942 — au mouvement *Libération*, il jouera un rôle déterminant dans l'unification des mouvements de la zone sud. «Quand je suis arrivé là-dedans, j'ai eu un peu l'impression de tomber au milieu d'une organisation d'anciens combattants. Je m'explique : c'était le moment où, sous l'impulsion du grand patron [Jean Moulin], la fusion était à l'ordre du jour : la réunion des trois mouvements de zone Sud, Combat, Libération et Franc-Tireur, et ça leur faisait mal au ventre aux uns et aux autres... Ils avaient cette mentalité que j'appelle d'anciens combattants parce qu'en juillet-août 1942 cela faisait deux ans que, peu ou prou, d'une façon plus ou moins sporadique, ils se considéraient comme des résistants, si bien qu'ils avaient un peu tendance à regarder des gens comme moi — quoi que nous ayons pu tenter de faire auparavant — comme des tard-venus[23].» La «deuxième génération» de l'été 1942 modifie considérablement l'action de la Résistance. Elle se caractérise essentiellement par une absence d'esprit de chapelle et un désir très net d'action immédiate. «Nous sommes tous des fervents de l'action immédiate, et nos théories de la violence sont bien loin de rencontrer l'accord de la majorité des militants de la Résistance, ceux que nous appelons les attentistes», écrit un autre responsable de cette génération[24].

Ces quelques éléments permettent de saisir la difficulté à parler d'un type unique de résistant : diverse par la forme, par les idéologies, par l'âge, le métier ou le lieu, la Résistance se diversifie aussi dans le temps : loin d'être une histoire en évolution continue, elle apparaît en fait comme une série de failles plus ou moins profondes dans l'ordre qu'ont tenté d'établir les nazis, les vichystes ou les collaborateurs.

Derrière les légitimes préoccupations scientifiques se profile une évidence : l'histoire de la Résistance est un lieu d'affrontements idéologiques pugnaces. Le débat toujours actuel autour de la place des communistes dans la communauté résistante en est un exemple flagrant.

Les communistes.

Les communistes français sont-ils « entrés en résistance » au soir de l'invasion allemande de l'URSS, le 22 juin 1941 ? Ou, au contraire, le parti communiste a-t-il été l'un des premiers à s'engager et à appeler à combattre l'occupant ? Une question encore âprement discutée...

De septembre 1939 à juin 1941, le parti communiste se trouve désorganisé par l'existence du pacte germano-soviétique, signé le 23 août 1939. Clandestin à partir de septembre, laminé par la répression, abandonné par nombre de militants assommés par l'alliance « contre nature » entre Staline et Hitler, le Parti navigue à vue... dans le brouillard idéologique et stratégique imposé par l'Internationale communiste.

Après l'occupation de la France, il adopte une ligne dite « neutraliste » : renvoi dos à dos des impérialismes allemand et anglo-saxon, dénonciation du conflit, lutte contre Vichy et les « responsables de la défaite » (de Blum au colonel de La Rocque...), tentatives auprès des autorités d'occupation pour permettre le retour à la légalité du Parti et de son organe de presse, *l'Humanité*. Ménageant fortement l'occupant nazi, le parti de la classe ouvrière apparaît donc en « conjonction objective », selon le mot de Philippe Robrieux, avec lui.

Pourtant, dans le même temps, nombreux sont les actes de résistance à l'occupant à partir de l'été 1940. A l'initiative de quelques-uns, Charles Tillon, Georges Guingouin, Charles Debarge et d'autres, une résistance armée s'ébauche. Parmi les intellectuels réunis autour de Georges Politzer et d'une des premières feuilles clandestines, *l'Université libre*, qui paraît à partir de novembre 1940, se cristallise une ligne farouchement antinazie. Alors, comment explique-t-on cette dualité dans les attitudes ?

Pour certains, anciens résistants non communistes, aucun doute possible : « Je n'ai de compte à régler avec personne [...] mais cela ne m'empêche pas de rester convaincu que la direction du parti communiste ne contrôlait pas ceux de ses membres qui ont accompli avant juin 1941 des actes de résistance à l'occupant », écrit Jean-Louis Vigier, co-auteur avec un socialiste et un ex-communiste d'une vaste histoire de la Résistance. Il ajoute : « Je reste convaincu que la brochure communiste *Jeunesse de France* de septembre 1940, page 26, exprimait la vérité du moment : 'Cette guerre n'est pas la nôtre.' Elle n'était pas encore la leur, mais je n'oublie pas et je salue ceux qui ont apporté alors la preuve que leur patriotisme l'emportait sur leur idéologie[25].» Donc, suivant cette thèse très répandue, des communistes isolés ont résisté, pas le Parti.

«Faux!» répondent les communistes historiens. Bien sûr, on reconnaît aujourd'hui les «erreurs» de la direction de cette époque. Roger Bourderon parle de «l'absence d'analyse générale cohérente de la situation». Lié par les positions de Staline, «le parti communiste français ne peut élaborer une politique pleinement adaptée à la situation concrète de la France[26]». L'historiographie communiste a fort heureusement évolué depuis quelques années et nous sommes loin des affirmations triomphalistes du type: «Le parti communiste (en juin 1940) n'est pas seulement, en effet, la seule force politique organisée — bien que clandestine — qui puisse agir sur l'ensemble du territoire national, contre l'oppression du pays. Il est aussi le seul qui analyse la situation et donne des perspectives[27].»

Pour expliquer alors la dynamique résistante du Parti, les communistes insistent sur la volonté «unitaire». Il est incontestable que le Front national, l'un des mouvements les plus importants de la Résistance organisée de 1942-1944, est créé le 15 mai 1941, plus d'un mois avant l'attaque contre les Soviétiques. Sans véritablement justifier la ligne «neutraliste», les historiens communistes expliquent que Vichy est le danger le plus immédiat, car porteur d'illusions énormes. Donc, «la lutte contre Vichy est le premier pas de la lutte pour la libération nationale[28]...». Certes, mais lutte antinazie et lutte antivichyste n'ont jamais été contradictoires, tant s'en faut...!

Une nouvelle tendance parmi de jeunes historiens, loin des règlements de comptes et des justifications acrobatiques, a cherché à définir les lignes de clivage à l'intérieur du Parti et du monde communiste. Sans prétendre que la rupture éclate brutalement en juin 1941, Stéphane Courtois définit une chronologie plus fine. C'est à la fin de l'année 1940 que la ligne «neutraliste» s'infléchit. De plus en plus, on s'attaque «au maître plutôt qu'au valet[29]», c'est-à-dire à l'occupant nazi plutôt qu'au régime de Vichy. Cet infléchissement est dû pour une bonne part, non pas à l'existence d'un «double parti» (Tillon), mais à trois tendances contradictoires: 1°/ celle de Duclos et donc de l'Internationale, qui respecte les grandes lignes du pacte germano-soviétique; 2°/ celle des antinazis irréductibles comme Charles Tillon, qui entament très tôt une action offensive contre l'occupant ; 3°/ celle enfin de l'appareil syndical, sous la direction de Benoît Frachon, qui maintient une ligne revendicative contre toutes les formes d'exploitation : Vichy, les « trusts » — dont l'action offensive est très réelle dès août 1940 — et l'occupant, maître de l'appareil économique dans toute la zone occupée. Exemple : la grande grève des mineurs du Nord en mai-juin 1941, sans être explicitement dirigée contre l'occupant, gêne l'économie de guerre allemande, et Stéphane Courtois note avec justesse : « Cherchant ou non l'affrontement avec l'occupant, [les communistes] déclenchent le premier mouvement de masse qui ait mis en cause le principe de l'occupation[30]. » A l'image d'autres formes initiales de résistance, l'action des communistes est parfaitement hétérogène. Ils sont soumis, comme l'ensemble des Français, à des situations difficiles à analyser et extrêmement mouvantes. Après tout, et sans esprit polémique, les résistants de certains mouvements de zone Sud qui « se trompent » sur la nature du pétainisme et croient le Maréchal de leur côté sont-ils moins « coupables » que les communistes, du moins une partie d'entre eux, qui « se trompent » sur la nature de la guerre et de l'occupation ? La vitesse de prise de conscience évolue, on l'a rappelé, suivant les lieux, l'âge, le milieu... Elle évolue aussi suivant les idéologies. Il n'empêche que la polémique reste vive : la place des communistes, dans la Résistance comme dans la vie politique française en général, n'est jamais simple à définir[31]...

Les socialistes.

Si l'action du parti communiste a fait depuis longtemps l'objet d'études innombrables, une composante non négligeable de l'univers politique des années 40 s'est vue relativement négligée : celle des socialistes.

Marc Sadoun, dans une étude récente, vient de combler une lacune importante. Il s'attache à analyser un paradoxe : comment un parti, héritier et tributaire des échecs de la IIIe République, parvient-il à se maintenir sous l'Occupation pour devenir à la Libération l'une des principales forces politiques de la France d'après-guerre ? Comment le parti socialiste devient-il l'une des composantes majeures de la Résistance tout en adoptant une position souvent critiquée par ses partenaires ?

En 1940, le monde des socialistes est complètement déchiré.

Après l'éclatement du Front populaire, le ralliement plus ou moins profond à la politique munichoise, l'adhésion de la plupart des députés socialistes aux pleins pouvoirs accordés le 10 juillet 1940 à Pétain et la « trahison » de certains qui rejoignent le camp de Vichy et de la Collaboration, le parti aborde l'Occupation avec un lourd passif. Accusé, à tort ou à raison, d'être parmi les principaux responsables de la défaite, il semble promis à une disparition plus ou moins certaine.

Pourtant, très tôt, les socialistes deviennent l'une des forces majeures de la Résistance. Ils sont à l'origine de nombre de mouvements naissants, tel *Libération-Nord*, animé par Christian Pineau, ou de périodiques clandestins : *la Voix du Nord*, *l'Homme libre*... A tous les échelons, les socialistes sont présents. Selon Sadoun, en zone Sud ils parviendront même à constituer près du tiers des effectifs de la Résistance, montrant la « vitalité du mouvement socialiste sous l'Occupation [32] ».

Dans le même temps, des initiatives sont prises pour reconstituer un appareil politique clandestin. A la fin de l'année 1940, en liaison avec Léon Blum en passe d'être « jugé » à Riom par le nouveau régime, est mis en place le Comité d'action socialiste, animé par une équipe réunie autour de Daniel Mayer. Craignant la concurrence des communistes, « soucieux de privilégier le lendemain », le Comité se transforme peu à peu en véritable parti clandestin, dirigé par un Comité national exécutif comprenant Daniel Mayer, Robert Verdier, Gaston Defferre.

Or, à l'inverse du parti communiste, la SFIO se refuse à constituer des groupes autonomes de résistance. Selon le mot de Daniel Mayer, « il n'y avait pas carence mais volonté [33] ». Fort des nombreux militants actifs dans les mouvements de Résistance, le parti socialiste cherche à promouvoir une ligne « unitaire » sans vouloir, comme les communistes, être le fer de lance de la lutte. « Le parti socialiste conservait son caractère propre, assignait à son action ses buts politiques permanents, proclamait que sa finalité était à la fois de délivrer le territoire français du joug de l'occupant et l'homme du joug du salariat. Mais il n'entendait pas pour autant être une force distincte des forces nationales, créées pour mener à bien le combat patriotique [34]. » Autrement dit, si le parti cherche à préserver son originalité politique, il laisse aux mouvements de résistance le soin de mener le combat sur le terrain. Mais, lors des négociations menées par Jean Moulin au printemps 1943 pour unifier la Résistance intérieure et créer une liaison permanente entre celle-ci et les institutions de la France libre, les socialistes apparaissent en position de faiblesse face aux communistes, forts d'un appareil politique (le Parti), d'une organisation unitaire (le Front national) et d'un appareil militaire (les FTPF). Mise en porte à faux, la SFIO semble raisonner comme si le «débat politique» obéissait aux règles traditionnelles, même dans la clandestinité. C'est ce qu'explique Léon Blum, inquiet de la portion congrue attribuée au parti dans les négociations, au général de Gaulle, dans un message daté du 15 mars 1943 : «[Le] seul objet [des socialistes] était pour aujourd'hui d'assurer l'unité de la Résistance ou tout au moins d'en coordonner l'action, pour demain d'assurer l'unité morale de la nation et de consolider l'action gouvernementale [celle de la France libre][35].»

Mais la volonté d' «union», commune à beaucoup de tendances, n'est pas la seule explication. D'après Marc Sadoun, la SFIO est un parti façonné et prisonnier d'une idéologie parlementaire : «Héritier d'une tradition d'abandon aux organisations spécialisées, syndicats, mouvements d'anciens combattants, ligues antifascistes [...] du domaine qui ne relève pas étroitement du travail politique, le Parti reproduit sous l'Occupation la même stratégie, comme si [l'action directe était une] activité seconde et non la seule forme d'intervention qui, dans la Résistance, mesure la contribution d'une formation à la lutte contre l'occupant[36].» D'où une traversée paradoxale de cette époque : la permanence de certaines habitudes, le primat accordé à la politique «politicienne» risquent de marginaliser et d'accentuer l'éclatement du parti socialiste. Pourtant, à la Libération, il retrouve toute sa place : «En définitive, c'est la permanence d'une structure socialiste identique à celle d'avant-guerre qui, plus que l'échec de son renouvellement, surprend à la Libération. De la IIIe République, la SFIO est, avec le PCF, la seule formation que la crise a ainsi préservée[37].» Si le PCF survit grâce à un engagement tous azimuts, la SFIO se maintient grâce à la culture socialiste «qui, dans une large mesure, ne donne qu'une réinterprétation fidèle du système de croyances national, comme en témoigne l'attachement aux valeurs républicaines, démocratiques, laïques ou patriotiques[38]». C'est vrai, à la nuance près que d'autres familles politiques peuvent tout autant se réclamer de ces valeurs. Le succès des socialistes s'explique aussi par leur présence massive dans la Résistance. Dès l'instant où, en 1945, la politique traditionnelle reprend le pas sur les velléités révolutionnaires, le parti retrouve tout naturellement une place de premier choix.

Le cas des socialistes renvoie en fait à une question plus profonde : en raisonnant sur le long terme, la démocratie parlementaire et traditionnelle française n'a-t-elle pas mieux résisté à l'effondrement de 1940 que l'idéal révolutionnaire de la Résistance à la remise en ordre de 1945 ?

Malgré le vœu du Conseil national de la Résistance d'instaurer en France « une véritable démocratie économique et sociale impliquant l'éviction des grandes féodalités économiques et financières de la direction de l'économie » (*les Jours heureux*, programme du CNR), on assiste en 1945 à une restauration républicaine. « La Révolution n'aura pas lieu, car la vie politique s'est restructurée sur les règles anciennes et les partis ont su accueillir les hommes nouveaux. Les avant-gardes reculent. Elles n'ont pas su peser avec réalisme le poids des contraintes et ont cru un peu vite qu'en politique la dénonciation des héritages et des habitudes acquises est aisée », écrit Jean-Pierre Rioux [39]. Avis partagé par Maurice Agulhon : « Parmi les 90 % de Français qui ont applaudi à la Libération en août 1944, combien, même de milieu populaire, se sentaient assez engagés par la Résistance pour envisager d'inventer à sa suite des structures entièrement nouvelles de participation politique ? Fort peu sans doute. L'enracinement de la démocratie républicaine classique dans les mœurs françaises est tel que les structures des partis (même ceux défaillants ou absents de 1940 à 1944) étaient sans doute, même en 1945, plus réellement populaires que les comités de héros inconnus [40]. »

L'histoire de l'Occupation, côté Vichy ou côté résistant, n'est pas une simple parenthèse dans l'évolution politique de la France : derrière les failles parfois aveuglantes dans l'ordre traditionnel, se profilent des continuités insoupçonnées.

La « question juive ».

Quelle attitude la Résistance a-t-elle adoptée face à la persécution des juifs ? La question peut sembler incongrue tant la lutte contre l'antisémitisme s'inscrit « naturellement » dans l'esprit de la Résistance. Les actes de sauvetage ont été innombrables, les prises de position très fermes et l'antisémitisme a été une motivation majeure de l'engagement résistant. Si nous avons choisi de terminer ce tour d'horizon du champ historiographique par la question dite juive, c'est pour montrer que les choses « n'ont pas été de soi » : le rapport entre la Résistance et le développement hystérique de l'antisémitisme français, avant d'être relayé par celui, plus radical, des Allemands, s'inscrit dans une histoire, donc dans une évolution qui n'est ni linéaire, ni déterminée.

Le problème est encore une fois d'ordre chronologique : pourquoi, en règle générale, le « problème juif » commence-t-il à préoccuper la Résistance seulement à partir de la fin de 1941 ? Pourquoi, à partir de l'année 1943, le problème est-il en grande partie évacué, notamment dans la presse clandestine ?

Les premières mesures antisémites sont prises par Vichy dès le 22 juillet 1940, moins de quinze jours après la prise de pouvoir par Pétain. D'août à octobre, elles sont complétées par un appareil législatif tendant à exclure progressivement l'ensemble des juifs de la vie nationale. Ces lois, scélérates en tous les sens du terme, indiquent de manière claire et très tôt que Vichy et son maréchal se rangent résolument dans la tradition antisémite française et le camp du fascisme européen.

Les réactions chez les résistants sont diffuses et parfois flottantes. Si les premières condamnations explicites de l'antisémitisme datent de la fin de 1940, il faut attendre près d'un an pour voir le problème traité avec la place qu'il mérite, au sein des mouvements et de leur presse. Les explications sont diverses. La Résistance est encore loin d'être en 1940-1941 un assemblage de mouvements cohérents ou organisés. De plus, la mesure du problème juif est souvent mal appréciée : « Même les plus déterminés des mouvements de résistance pouvaient ne pas paraître pleinement conscients, en décembre 1941, voire en octobre 1942, des sanctions et des humiliations infligées aux juifs à cette époque par la loi française [41]. »

Reflet de la société française, la Résistance n'est pas exempte de réflexes antisémites ou xénophobes, dans cette première phase.

« L'exemple de *Défense de la France* confondant étrangers et juifs à propos des lois d'exception de 1940-1941 prouve que même dans les milieux résistants des préjugés n'avaient pas encore totalement disparu [42]. » Plus significative est la tempête de protestations au sein de la Résistance lors de la publication du premier *Cahier de l'OCM* (Organisation civile et militaire) en juin 1942, rédigé en grande partie par Maxime Blocq-Mascart. Colportant un antisémitisme de salons bourgeois, il préconise l'arrêt de l'immigration juive et la dispersion des juifs « pour faciliter leur assimilation ». Publié en même temps que l'obligation faite aux juifs de zone Nord de porter l'étoile jaune, il est, de l'aveu même de son auteur, « une erreur politique ». Une « erreur » qui n'est pourtant pas sans explications. Si la plupart des mouvements de cette époque affichent une haine profonde du racisme, certains mouvements d'essence plus réactionnaire se font tirer l'oreille : « Les grands bourgeois de l'industrie et de la haute administration qui avaient rejoint l'OCM venaient de la droite sinon des ligues et même de la Cagoule [...]. Même au cœur de l'Occupation les membres de ce mouvement gardaient le même mépris du juif et la même méfiance à l'encontre des naturalisés de fraîche date qu'avant-guerre [43]. »

Cet exemple suffit à montrer que, si les courants de pensée de la Résistance sont multiples, certains mouvements appartiennent à la mouvance créée par la Révolution nationale, même s'ils rejoignent pour la plupart, après les « désillusions », le camp de la démocratie.

L'été 1942, les premières rafles de juifs, le début de la déportation, sont un véritable choc. « Dans la sensibilité des Français, les juifs cessent d'être la source d'un problème et deviennent des victimes [44]. » La Résistance s'engage très nettement par des tracts, des analyses comme celles de *Témoignage chrétien* ou de *Franc-Tireur*. L'attitude des communistes est plus paradoxale. *L'Humanité*, reflétant les positions du Parti, n'aborde le problème des juifs que 17 fois entre juin 1940 et septembre 1942. Encore le journal ne devient-il attentif aux mesures de persécution raciale qu'à partir de mai 1941. Après 1942, tout comme l'ensemble de la Résistance, le thème disparaît complètement de *l'Humanité*. Dans le même temps, les communistes organisent une résistance spécifiquement juive au sein de leur mouvement Main-d'œuvre immigrée (MOI), créé entre les deux guerres pour organiser les travailleurs étrangers et devenu un élément essentiel de la lutte armée.

Ne voyant dans l'antisémitisme qu'une « diversion des classes dominantes » pour détourner l'attention des travailleurs — position classique du marxisme-léninisme —, les communistes ne séparent pas, tout comme l'ensemble de la Résistance, la lutte contre le racisme de celle contre le nazisme.

Pourquoi ce silence après 1942 ? La réponse est difficile. La lutte contre le STO, la préparation de l'insurrection armée deviennent des problèmes plus immédiats, dans la logique du combat résistant. La création de brochures spécialisées, animées notamment par les communistes, telles que *J'accuse* en zone Nord et *Fraternité* en zone Sud, souligne une très nette division du travail au sein de la Résistance. Mais le fait est là : « Un lourd silence s'appesantit alors sur les juifs déportés[45]. » A la décharge des résistants, il faut souligner une propension au silence analogue chez les Alliés, le Vatican ou certaines organisations internationales[46].

Plus le génocide devient une réalité, plus on cherche à nier l'ampleur du phénomène car, au fond, cette réalité gêne.

Elle gêne le combat militaire. Prendre en compte la déportation massive des juifs, c'est s'obliger à réagir contre et donc modifier en partie les plans tactiques. A ce sujet, Annie Kriegel pose une question lancinante : « Comment expliquer que ni la résistance communiste juive, ni la résistance communiste dans son ensemble, ni la résistance gaulliste ne se soit, à un moment ou à un autre, fixé pour objectif d'empêcher les départs et la circulation des convois de déportés raciaux ? » De mars 1942 à août 1944, 85 convois transportant près de 75 000 êtres humains sont partis vers les camps d'extermination. Sans incident de parcours[47].

Elle gêne l'analyse politique. Même terrifiante, la « solution finale », pour peu que l'esprit accepte l'énormité de la chose, n'est qu'un des aspects du nazisme. La Résistance, comme les Alliés, se refuse à combattre la partie pour terrasser plus rapidement le tout : « La Résistance voulait avant tout supprimer le nazisme », écrit le R.P. Riquet, exprimant le sentiment de la majorité des résistants[48].

Si la Résistance a fait beaucoup pour dénoncer l'antisémitisme, ses moyens sont restés limités tant sur un plan matériel que sun un plan idéologique. Avant-garde incontestable dans une société menacée, la Résistance n'a pas été une avant-garde infaillible. Il n'empêche que, sur l'ensemble de l'Occupation, l'action de résistants, et parmi eux nombre de juifs français ou étrangers, a permis une véritable prise de conscience du caractère meurtrier de l'antisémitisme. Elle a permis aussi de sauver l'honneur d'un pays sali par l'attitude criminelle de ses dirigeants du moment.

A l'heure où le grand public se passionne pour la démographie des campagnes françaises au XVIIe siècle, l'univers mental du paysan médiéval ou des ouvrières du XIXe, à l'heure où la « nouvelle histoire » a pris l'habitude de s'asseoir confortablement dans les fauteuils de B. Pivot, il est anormal que l'histoire de la guerre ou de la Résistance soit monopolisée par quelques hagiographes démodés et témoins mille fois entendus. Nous avons tenté de montrer ici que cette histoire se construit avec difficulté mais sur des bases scientifiques réelles[49]. Nombreux sont les historiens — que nous n'avons pu tous citer — qui tentent de redonner une dimension crédible à la Résistance. Quand les dernières polémiques d'anciens combattants se seront tues, c'est vers eux que l'on se tournera. Loin des simplifications abusives et commodes, ces historiens, tout comme naguère les résistants, réintroduisent une «complexité» qu'un discours politique ou médiatique essaie souvent d'effacer.

Notes

1. C. Lévy, *Perspective historique de la Deuxième Guerre mondiale à la lumière des études françaises*, Colloque de Côme, septembre 1975.

2. *Ibid.*

3. L'IHTP, laboratoire propre du CNRS, a été créé en 1978. Il a intégré en 1980, par décision des autorités de tutelle, le Comité d'histoire de la Seconde Guerre mondiale, dont il a repris les moyens, le réseau des correspondants départementaux ainsi que certaines enquêtes en cours. L'IHTP, dirigé par François Bédarida, s'est consacré depuis sa création à l'étude de la Seconde Guerre mondiale et de la période postérieure à 1945. Il publie un *Bulletin* trimestriel. IHTP, 80 B, rue Lecourbe, 75015 Paris.

4. P. Laborie, *Résistants, vichyssois et autres ; l'évolution de l'opinion et des comportements dans le Lot de 1939 à 1944*, CNRS, 1980, p. 331.

5. Exemples types de l'optique « londonienne » : les Mémoires du colonel Passy, ceux du colonel Rémy et nombre d'ouvrages de l'historien Henri Michel.

6. Germaine Tillion, « Première résistance en zone occupée », *Revue d'histoire de la Deuxième Guerre mondiale*, n° 30, avril 1958.

7. H. Michel, *Bibliographie critique de la Résistance*, IPN, 1964, p. 203.

8. Nous empruntons ces éléments à Robert Frankenstein, *les Français et la Seconde Guerre mondiale depuis 1945 : lectures et interprétations*, dans *Histoire et temps présent*, IHTP-CNRS, 1980.

9. J.-P. Azéma, *De Munich à la Libération, 1938-1944*, Éd. du Seuil, coll. « Points-Histoire, Nouvelle histoire de la France contemporaine, n° 14 », 1979, p. 168.

10. M. R. D. Foot, *Resistance, an Analysis of European Resistance to Nazism, 1940-1945*, Londres, Eyre Methuen, 1976, p. 11-18.

11. J.-P. Azéma, *op. cit.*, p. 169.

12. J. Sainclivier, « Sociologie de la Résistance, quelques aspects méthodologiques et leur application en Ille-et-Vilaine », *Revue d'histoire de la Deuxième Guerre mondiale*, n° 117, janvier 1980 ; Joseph Girard, *La Résistance dans les Alpes-Maritimes*, Nice, 1973 (thèse de 3e cycle) ; D. Veillon, *« Franc-Tireur »*, *un journal*

clandestin, un mouvement de résistance, 1940-1944, Flammarion, 1977.

13. C. Lévy, «Qui étaient les résistants?», *Le Monde Dimanche*, 4 janvier 1981. Cf. aussi *les Femmes dans la Résistance*, Éd. du Rocher, 1977.

14. J. Sainclivier, *op. cit.*

15. D. Veillon, *op. cit.*, p. 249.

16. H. R. Kedward, *Resistance in Vichy France*, Oxford University Press, 1978, p. 21 — un ouvrage peu connu, riche d'idées originalement exposées.

17. J. Cassou, *La Mémoire courte*, Éd. de Minuit, 1953, p. 51.

18. Kedward, *op. cit.*, p. 79.

19. H. Noguères, avec M. Degliame-Fouché et J.-L. Vigier, *Histoire de la Résistance en France*, Laffont, 1967-1976, t. 2, p. 542.

20. *Ibid.*, t. 3, p. 162.

21. *Bulletin du Comité d'histoire de la Seconde Guerre mondiale*, n° 230, mars-avril 1978, n° 231, mai-juillet 1978, n° 234, janv.-février 1979; renseignements fournis par MM. Fabre, Baraud, Silvestre, correspondants départementaux du Comité.

22. P. Laborie, *L'Opinion publique dans le département du Lot pendant la Deuxième Guerre mondiale*, Toulouse, 1978, p. 652 (thèse de 3e cycle).

23. Témoignage de Pascal Copeau dans Noguères, *op. cit.*, t. 2, p. 547-548.

24. M. Degliame-Fouché, *ibid.*, p. 546-547.

25. J.-L. Vigier, *ibid.*, t. 1, p. 449-451.

26. R. Bourderon dans *Cahiers du communisme*, mai 1980.

27. V. Joannès dans *De la guerre à la Libération*, ouvrage collectif, Éditions sociales, 1972, p. 49.

28. J.-P. Scot, *Cahiers du communisme*, mai 1980.

29. S. Courtois, *Le PCF dans la guerre*, Ramsay, 1980, p. 163. Cf. également D. Peschanski, «La demande de parution légale de *l'Humanité* (17 juin 1940-27 août 1940)», *Le Mouvement social*, n° 113, oct.-décembre 1980, ainsi que la bibliographie de son article «L'été 40 du parti communiste français», *L'histoire*, n° 60, octobre 1983, publié dans ce même ouvrage.

30. S. Courtois, *op. cit.*, p. 199.

31. L'IHTP, la Fondation nationale des sciences politiques ainsi que le Centre de recherches d'histoire de mouvements sociaux et du syndicalisme (Paris-I) ont organisé en octobre 1983 un important colloque sur «Le parti communiste français de la fin de 1938 à la fin de 1941», dont les actes doivent paraître prochainement.

32. M. Sadoun, *Le Parti socialiste, des accords de Munich à la Libération*, Paris-I, 1979, p. 542 (thèse de doctorat de sciences politiques). Paru sous le titre *les Socialistes sous l'Occupation*, Presses de la Fondation nationale des sciences politiques, 1982.

33. D. Mayer, intervention au colloque sur *la Libération de la France*, CNRS, 1976, p. 96.

34. *Ibid.*

35. *Ibid.*, p. 98.

36. M. Sadoun, *op. cit.*, p. 661.

37. *Ibid.*, p. 653.

38. *Ibid.*, p. 668.

39. J.-P. Rioux, *La France de la Quatrième République*, t. 1, *l'Ardeur et la Nécessité*, Éd. du Seuil, coll. «Points-Histoire, Nouvelle histoire de la France contemporaine, n° 15», 1980, p. 84. Sur le CNR, cf. C. Andrieu, *Le Programme commun de la Résistance*, Éditions de l'Érudit, 1984.

40. M. Agulhon dans *La Libération de la France*, *op. cit.*, p. 84-85.

41. M. R. Marrus, et R. O. Paxton, *Vichy et les juifs*, Calmann-Lévy, 1981, p. 180 — un très grand livre.

42. C. Lévy, compte rendu du colloque organisé par le Centre de documentation juive contemporaine sur «L'État, les Églises et les mouvements de Résistance devant la persécution des juifs en France pendant la Seconde Guerre mondiale», *Le Monde juif*, n° 94, juin 1979, p. 17. Actes du colloque publiés sous le titre *la France et la Question juive, 1940-1944. La politique de Vichy, l'attitude des Églises et des mouvements de Résistance*, Centre de documentation juive contemporaine et Éd. S. Messinger, 1981.

43. C. Lévy, *La Résistance intérieure non communiste*, communication au colloque du CDJC (inédite).

44. M. Marrus et R. Paxton, *op. cit.*, p. 180.

45. M. Baudot, *Le Monde juif*, *loc. cit.*, p. 16.

46. Sur ce problème, cf. notre article «Holocauste : qui savait ?» (*L'histoire*, n° 31, février 1981, p. 92-95), qui rend compte du livre de Walter Laqueur, *The Terrible Secret*, Londres, Weidenfeld and Nicolson, 1980 (trad. française Gallimard).

47. Sur l'attitude des communistes, nous avons utilisé A. Kriegel, «Résistants communistes et juifs déportés», in *H-Histoire*, n° 3, novembre 1979, qui reprend une communication faite au colloque du CDJC.

48. RP Riquet, *Le Monde juif*, *loc. cit.*, p. 23.

49. Cf. F. Bédarida, «La résistance au fascisme, au nazisme et au militarisme japonais», *XVIe Congrès international des sciences historiques, Rapports (thèmes majeurs)*, Stuttgart, 1985.

Pour en savoir plus

Compte tenu de l'abondance des ouvrages cités en notes, nous n'indiquons ici que les références essentielles ainsi que quelques ouvrages récents.

Ouvrages généraux.

J.-P. Azéma, *De Munich à la Libération, 1938-1944,* Éd. du Seuil, coll. «Points-Histoire, Nouvelle histoire de la France contemporaine, n° 14», 1979.

A. Guérin, *La Résistance, chronique illustrée, 1930-1950,* Livre Club Diderot, 1972-1976.

H. Michel, *Histoire de la Résistance en France,* PUF, coll. «Que sais-je?», 1972, et *la Guerre de l'ombre,* Grasset, 1970.

H. Noguères, *Histoire de la Résistance en France,* Laffont, 1967-1981, 5 vol.

J.-P. Rioux, *La France de la IVᵉ République,* t. 1, *l'Ardeur et la Nécessité, 1944-1952,* Éd. du Seuil, coll. «Points-Histoire, Nouvelle histoire de la France contemporaine, n° 15», 1980.

Témoignages et documents.

L. Aubrac, *Ils partiront dans l'ivresse,* Éd. du Seuil, 1984.

C. Bourdet, *L'Aventure incertaine,* Stock, 1975.

D. Cordier, *Jean Moulin, l'inconnu du Panthéon* (à paraître).

H. Frenay, *La nuit finira,* Laffont, 1973.

R. Hardy, *Derniers mots, Mémoires,* Fayard, 1984.

Institut d'histoire du temps présent, *Jean Moulin et le Conseil national de la Résistance,* CNRS, 1983.

J.-P. Vittori, *Une histoire d'honneur, la Résistance,* Ramsay, 1984.

La mémoire de la Résistance.

Mémoire de la Seconde Guerre mondiale, Actes du colloque de Metz, 6-8 octobre 1983, présentés par A. Wahl, Centre de recherche Histoire et civilisation de l'université de Metz, 1984.

G. Namer, *Batailles pour la mémoire,* Papyrus, 1983.

8

Les socialistes
ont-ils été résistants ?

Marc Sadoun

A lire la littérature consacrée à la lutte contre l'occupant, on comprend mieux les obstacles qui parfois interdisent de s'interroger sur les choses les plus simples. Car, avant de se demander si les socialistes ont été résistants, il faut bien se demander pourquoi la question a été si peu posée, pourquoi l'on parle de gaullistes et de communistes et si peu de socialistes.

Parce que les socialistes n'ont pas été résistants ? Ou parce que l'on ne conçoit pas qu'ils aient pu l'être, qu'ils aient pu survivre à ce qui, apparemment, constitue le cadre indispensable à leur action : la République parlementaire ?

Tout se passe, en effet, comme s'il allait de soi que la SFIO se définissait par son électoralisme, son parlementarisme, ses liens au pouvoir ; comme s'il s'agissait là de qualités intrinsèques, consubstantielles au parti. Un peu comme l'on dit que les jeunes sont délinquants, les femmes politiquement incompétentes ou les classes populaires incultes. Dans cette perspective, la SFIO ne peut être qu'un parti comme les autres, condamné à disparaître, en 1940, avec son support parlementaire pour renaître — par génération spontanée ? — quatre ans plus tard, avec le retour des institutions démocratiques.

Il fallait rompre avec ce statut que l'historien ou le sociologue du socialisme assigne le plus souvent à son objet pour mettre en question une lecture à deux faces — communiste et gaulliste — de la Résistance. Et cette rupture ne pouvait se faire qu'à condition de cesser d'apprécier la SFIO à l'aune du PCF, d'utiliser les jugements que celui-ci applique au socialisme : le réformisme, l'électoralisme ne sont-ils pas des qualificatifs dévalorisants produits et popularisés par le parti communiste ? Si l'on rapporte l'action de la SFIO à celle du PCF, sans doute est-on conduit à souligner tout ce qui la rapproche de celle des autres courants, à noyer sa contribution au rang des apports modéré et chrétien. Mais, si l'on se décide enfin à prendre le socialisme comme un objet original et spécifique, on peut se donner les moyens de vérifier que la SFIO, sans utiliser les modes d'intervention du PCF et sans témoigner la même richesse, se caractérise par une capacité remarquable à surmonter des épreuves auxquelles elle n'était pas préparée : la lutte armée, la clandestinité, la disparition du cadre parlementaire.

Avec d'autant plus de mérite que la montée du fascisme et la guerre n'ont pas épargné l'organisation. Loin de là : en 1940, le parti n'existe apparemment plus.

Pour le comprendre, il faudrait remonter dans le temps, retracer les luttes qui, depuis Munich, ont opposé dans la SFIO les pacifistes et les partisans de la fermeté. D'un côté, la majorité des parlementaires, l'appareil du parti sous la direction de Paul Faure qui voient dans les oppositions entre les démocraties et les régimes autoritaires un conflit de nature impérialiste, en somme une guerre comme les autres, qui n'engage pas le socialisme. De l'autre, Léon Blum et les fidèles, Vincent Auriol, Marx Dormoy, Jules Moch..., attachés à l'alliance franco-soviétique, à la défense de la Tchécoslovaquie. Paix ou démocratie ? Fascisme ou communisme ? Ces deux interrogations sous-tendent le débat, élargissent très vite la fracture entre les deux camps. Dans la « vieille maison » qui cultivait la camaraderie, l'esprit de famille, on ne se tend plus la main, on s'insulte, on se traite de bolchevistes et de représentants de la Guépéou, d'hitlériens et d'agents de la Gestapo. De 1938 à 1940, la SFIO survit de manière artificielle, hypocrite. Les congrès, le culte de l'appareil symbolique, l'appel aux pères du socialisme reconstituent épisodiquement l'identité du parti. Mais, lorsque la défaite intervient, les oppositions ont atteint une telle intensité que personne ne songe plus à en préserver l'unité. Nul besoin de dissoudre la SFIO, la SFIO meurt, achevée par ses parlementaires qui, le 10 juillet 1940, ne trouvent pas les ressources de dire non au maréchal Pétain. 90 votes favorables à la délégation des pleins pouvoirs, c'est-à-dire, chacun le sait, à la suppression de la République, 36 opposants, 6 abstentions : le vote socialiste se distingue à peine de celui des conservateurs ou des radicaux.

Dans sa majorité, l'appareil du parti se rallie au gouver-

nement de Vichy. Quelques cadres posent à Paris les jalons de
ce qui formera le collaborationnisme de gauche. Les autres,
ceux qui depuis Munich ont mené la résistance au fascisme, ne
croient pas en général à l'opportunité d'une action politique :
la lutte contre l'occupant exige d'autres armes, appelle d'autres
solidarités, comme l'écrit le socialiste Weil Curiel : « Nous en
avions assez de la République des camarades, de cette caricature de démocratie, de ce faux-semblant de représentativité
populaire qui s'était effondrée à l'épreuve de l'événement. Les
anciens partis avaient sombré dans la même faillite. Les
idéologies et les terminologies étaient toutes à réviser [1]. »

A la base, dominent la peur, l'indifférence, le scepticisme.
Beaucoup songent à brûler les drapeaux, à enterrer les archives, à donner des gages au nouveau pouvoir : « Pétain, c'est un
grand Français, il joue le double jeu, il est le sauveur de la
France [2]. »

Lorsque, dans l'été 1940, Daniel Mayer et Henri Ribière
entreprennent la reconstitution du parti, les bonnes volontés
sont rares. Personne, à Montpellier et à Toulouse, pour loger
Ribière. Personne, à Marseille, pour aider Cletta et Daniel Mayer
qui veulent protester contre la projection du film *le Juif Süss*.
Pourtant, témoigne Daniel Mayer, « un militant, dont le fils est
étudiant et qui fut le député du quartier de la Belle-de-Mai,
quartier essentiellement ouvrier, ce qui redouble notre confiance, rencontré dans un bar, nous promet pour le soir même
'une dizaine' de colleurs, dont son fils. Le soir, nous étions
seuls. Personne d'autre n'était venu [3] ».

Henri Ribière, c'est un peu le « père tranquille » de la
Résistance : ancien membre du cabinet de Marx Dormoy, il a,
disent Brossolette et Passy, l'apparence d'un « commissaire de
police de Pantin ». Mais son allure discrète, effacée, son
absence d'ambition personnelle recouvrent une ignorance du
danger et du doute qui caractérise toute cette première génération de résistants. Non pas l'ignorance du présent, mais le refus
de le lire comme les autres. Surtout ne pas penser en termes
de possible et d'impossible, de doctrine et de raison.

Sur ce point, pas de différence avec Daniel Mayer. La foi suffit à guider l'engagement, comme en témoigne Emmanuel d'Astier de La Vigerie : « Sylvain [pseudonyme de Daniel Mayer] est
plus sectaire qu'un communiste : c'est-à-dire que le péché
originel de ma formation et de ma classe sociale lui pèse. Il me
traite un peu comme un élève doué mais qui a du retard dans
ses classes. Il est sectaire — et je reprends ce nom à la lettre,

sans aucun sens péjoratif — deux fois. Il appartient à la secte socialiste en même temps qu'à la secte de Léon Blum[4]. » C'est que Daniel Mayer est d'abord, avant tout, socialiste. A trente et un ans, il a, en 1940, déjà douze ans de militantisme derrière lui. Responsable avant guerre de la page sociale du *Populaire*, le quotidien socialiste, il a parlé dans les meetings, affronté, aux moments les plus difficiles, les communistes et l'extrême droite. Mais, statutairement, il n'est rien. Il a sa foi, ses liens affectifs avec Léon Blum, son refus des évidences. C'est tout.

Résistance spirituelle, minoritaire : le socialisme ne se distingue pas, en ces débuts d'Occupation, des autres courants. Chaque action est volonté, dépassement du quotidien. On profite d'anniversaires — celui de Jaurès — ou d'enterrements — ceux des députés Dormoy, Camel ou Maës — pour signifier par sa présence son opposition à l'ordre établi. On écrit : le syndicaliste Christian Pineau diffuse, en décembre 1940, 7 exemplaires modestement tapés à la machine de son « journal » *Libération* ; le socialiste Jean Texcier, dans ses *Conseils à l'occupé* rédigés en juillet 1940, invite son lecteur à la dignité et à la bonne conduite. On proteste : Alexandre Fourny, maire adjoint de Nantes, qui sera fusillé à Châteaubriant, renonce à son mandat ; Édouard Depreux, nommé le 17 décembre 1941 président de la Commission administrative (c'est le nom donné aux nouvelles assemblées départementales) de la Seine, démissionne le jour même : « Je ne puis accepter ce poste. Ma conscience me dit impérieusement : 'Pas cela ou pas toi'[5]. » Témoignages fragiles qui marquent la supériorité de l'individu, la force du vouloir. Quand Jean Texcier s'adresse aux Français, seul, « abandonné par la TSF, abandonné par [son] journal, abandonné par [son] parti, loin de [sa] famille et de ses amis », n'est-ce pas aussi lui qu'il met en scène ? Dans ce dialogue personnel, le militant libère une force que n'inhibe aucun sentiment de culpabilité.

Mais, alors que les socialistes s'expriment ainsi un peu partout à travers la France, dès les premiers mois de l'Occupation, l'ampleur des défections ne leur permet pas encore de reconstituer le parti. A la base commencent à se réunir les sections, mais avec des effectifs le plus souvent très faibles : 40 à 60 militants à Lille, qui en comptait avant guerre plus de 3 000, une quarantaine à Marseille, 200 — mais c'est exceptionnel — à Roubaix où l'impulsion vient du maire, Jean Lebas. Et, au sommet, il faut attendre le 9 mars 1941 pour qu'un petit groupe de 9 militants décide, à Nîmes, la création du Comité d'action socialiste (CAS). Sans mandat, sans responsabilité, ils ne peuvent pas reprendre le sigle du parti. Ils ne le veulent pas encore :

« Le CAS — tel qu'il se présente à vous — n'est pas le parti d'hier. Certains de ses militants l'ont trahi [...] Il a rompu délibérément et définitivement avec ceux de ses membres dont le courage moral ou physique était inférieur à l'instinct de conservation immédiate. Il a rompu délibérément et définitivement avec ceux de ses élus qui n'ont pas su manifester leur attachement à la République en s'élevant contre les tentatives de césarisme et qui ont préféré pactiser avec la force provisoirement triomphante plutôt que poursuivre la lutte. »

Longtemps, le CAS restera un groupuscule sans audience dans la population socialiste, sans appareil ni moyens financiers. Un Club, une société de pensée dont l'intérêt est pour l'instant moral : entre camarades formés à la même école, testés dans l'adversité, on justifie et on cultive l'esprit de résistance. D'où une tendance marquée à l'introversion : « Au début de 1941, il n'y eut guère de travail accompli, la plupart des réunions se passaient en parlotes », reconnaît Gérard Jaquet[6]. Dans le Nord, par exemple, les grandes grèves de mai 1941 sont dues à des mouvements spontanés ou à la seule initiative des militants du PCF. Les socialistes, malgré une implantation ouvrière solide, restent continuellement en retrait de l'action, en partie par suite du discrédit dont souffrent certains des responsables syndicaux confédérés ralliés au gouvernement de Vichy ou au collaborationnisme, en partie aussi du fait de l'incapacité des socialistes à dépasser le cercle de l'organisation.

Le problème mérite d'être souligné car il exprime sans doute l'un des traits de caractère les plus profonds du mouvement socialiste. On le voit bien lorsque celui-ci doit se prononcer sur ses modes d'intervention dans la résistance active. Faut-il développer des groupes armés propres au parti ou, au contraire, s'effacer, se limiter à l'action politique ? Le parti communiste opte pour la première solution en créant en mai 1941 le Front national ; le CAS choisit la seconde. Au combat contre l'occupant, il n'importe, dit Blum, de donner une impulsion et une direction unique. Il y va de l'efficacité, de l'union.

Mais, à constater que cette décision est prise de la même manière dans les deux zones, spontanément, comme une chose qui va de soi, on est conduit à souligner ce qui exprime ici une composante essentielle du système de valeurs socialiste : le refus de dépasser les frontières de l'action politique, la crainte de s'aventurer sur un terrain inexpérimenté. A côté des partis existaient avant la guerre des organisations spécialisées : syndicats, coopératives, mouvements d'anciens combattants... C'est au nom de la même division du travail que le CAS abandonne aux mouvements de résistance la responsabilité de la lutte contre l'occupant. Derrière l'effacement, l'attachement à l'unité nationale qui habillent, légitimement sans doute, le refus socialiste de constituer des groupes d'action, il faut voir les résistances culturelles, la force des représentations.

Je reviendrai sur cette question qui engage en fait tout l'avenir de la SFIO. Pour l'instant, suivons ce petit parti qui se reconstitue dans l'indifférence et l'hostilité, suivons ces militants qui, à l'image de Suzanne Buisson, déjà âgée, ou de Daniel Mayer, encore très jeune, parcourent la France. L'une de leurs destinations : le «château» de Bourassol.

Le procès de Riom.

C'est là que Léon Blum a été transféré peu après son arrestation le 15 septembre 1940. Arrêté pour n'avoir pas su empêcher la guerre ? Pour l'avoir mal préparée ? Vichy, qui est confronté aux exigences de l'occupant, hésite sur les chefs d'inculpation, mais qu'importe en vérité : ce que Blum symbolise vaut davantage que ce qu'il a fait. Blum, c'est le juif, le socialiste, le Front populaire ; c'est aussi celui par qui le malheur est arrivé. D'où cette étonnante conjonction des haines : celle des paul-fauristes, enfin débarrassés de sa tutelle : «Le temps des messies est passé ainsi que celui des maîtres qui laissaient tomber de leurs lèvres des paroles définitives recueillies avec ferveur par les disciples[7]» ; celle des communistes : «Il y a en Blum l'aversion de Millerand pour le socialisme, la cruauté de Pilsudski, la férocité de Mussolini, la lâcheté qui fait les hommes sanguinaires comme Noske et la haine de Trotski envers l'Union soviétique[8]» ; celle, enfin, des nombreux anonymes qui écrivent «au juif Karfunkelstein, dit Léon Blum», à «l'échappé du ghetto» : «Je t'ai déjà écrit, Blum le youpin, saboteur du pays. Je t'annonçais ce qui t'attendait. Je ne me suis pas trompé. Je te souhaite aujourd'hui une crevaison rapide[9].»

Il faut croire pour ne pas désespérer. Blum croit au socialisme, à la démocratie, au progrès. Là où les autres jugent à court terme, il inscrit son raisonnement dans la perspective de l'histoire. L'histoire peut subir des démentis, il ne s'agira jamais que d'accidents incapables de contrarier le cours d'une évolution marquée par les progrès constants de la raison. Le pessimiste se condamne au rôle de spectateur, l'optimiste, c'est-à-dire chez Blum le croyant (dans les destinées de l'homme), prend la mesure du temps et se donne les moyens de l'action.

Lorsque s'ouvre, le 19 février 1942, le procès, c'est un homme serein, convaincu, offensif, qui s'exprime. Plus que les autres accusés, Gamelin, Guy La Chambre ou même Daladier, Blum se sent investi d'une mission collective qui en fait le porte-parole non seulement de la République, mais aussi de son parti et de l'ensemble du mouvement ouvrier ; il est le symbole d'un moment de l'histoire qu'il ressuscite et défend.

A la barre de Riom, Léon Blum retrouve son milieu naturel. Ce n'est pas une plaidoirie ou une défense qu'il prononce, c'est un véritable discours politique. « Le voici, le mouchoir à la main, très maître de lui, voire souriant, comme un jour d'interpellation à la Chambre [10]. » Plus de hiérarchie dans ce microcosme de milieu parlementaire. A la limite, Blum renverse les relations accusateur-accusé, ignore le président du tribunal, ou plutôt le mue en président de Chambre :

« Ma démonstration là-dessus est péremptoire, ce me semble, et je ne crois pas que je ne puisse mettre au défi l'accusation — quelle que soit l'égilité de sa dialectique — de m'apporter là-dessus une contradiction supportable [11]. »

En 1942, au moment où le chômage et les difficultés s'accroissent, alors que la résistance de l'Union soviétique détruit les perspectives d'une « solution rapide » à la fin de la guerre, le procès de Riom produit un effet de catharsis : il transporte toute une catégorie de la population aux heures triomphantes du Front populaire et gomme la longue période de reflux traversée depuis 1938. A la prison, arrivent les lettres d'espoir et de soutien. Roger Martin du Gard : « Si la sympathie de ceux dont la pensée vous accompagne depuis vingt ans peut vous être de quelque adoucissement dans cette étrange épreuve, nous souhaitons, ma femme et moi, que vous nous comptiez parmi ceux-là [12]. » Un républicain : « J'étais un conservateur mais républicain et avant tout Français. Votre procès est le procès de la France et de la République et je vous considère comme le martyr des traîtres [13]. » Des ouvriers : « Les ouvriers victimes du fascisme adressent aux amis du peuple défenseurs des libertés républicaines leur salut prolétarien et leur foi dans les destinées de la liberté [14]. »

Les socialistes reprennent vie. S'efface l'image d'une SFIO impuissante, discréditée, partagée entre une aile attentiste ou consentante au nouveau régime et des militants clairsemés. A ces derniers, le procès donne une légitimité qu'ils n'avaient pu revendiquer que partiellement par la création du CAS ; il les installe en quelque sorte à la direction du parti socialiste.

Au début de l'Occupation, les socialistes résistants étaient condamnés à un travail obscur de recrutement qui ne pouvait offrir de but crédible à des militants désorientés. Les uns, réfugiés dans l'attentisme, vont pouvoir renouer avec une action politique qui leur est familière ; les autres, entrés dès les premiers jours dans la Résistance, sceptiques sur l'utilité même des partis politiques, redécouvrent une organisation blanchie, purifiée, et des valeurs dont la défense dépasse le cadre des seuls mouvements de lutte contre l'occupant.

« Nous qui vous connaissons bien, à la lecture de votre exposé, nous vous avons vu, comme aux heures libres où vous étiez à la tribune de la Chambre, alors que toute notre pensée, tout notre cœur étaient tendus vers vous. Vous venez, après de longs mois de silence imposé, de parler à nouveau à la France républicaine et socialiste », écrit un député socialiste à Léon Blum.

Sans retrouver les effectifs d'avant-guerre de la SFIO, le CAS élargit son recrutement à des militants formés dans la Résistance. Il peut à nouveau revendiquer son sigle, redevenir *le* parti socialiste.

Les chiffres dont on dispose sont contradictoires, trompeurs dans un milieu où n'existe pas de procédure formelle d'adhésion. Les Pyrénées-Orientales comptaient, en 1938, 2 350 adhérents : un rapport de décembre 1942 lui en attribue 2 270, un autre de janvier 1943 lui en concède 3 758, un troisième enfin, rédigé à la Libération, parle de 2 500 militants « n'ayant pas démérité ». Comme si la résistance socialiste s'appréciait à la seule absence de compromission avec le gouvernement de Vichy...

En recoupant les sources, et sous bénéfice d'inventaire, on peut toutefois estimer que le parti socialiste ne comptait pas, en décembre 1942, plus de 10 % de ses effectifs d'avant-guerre, soit 28 000 membres et, en 1944, un maximum de 50 000 adhérents. Déchet considérable ? Oui, sans doute, mais à condition de rappeler, par comparaison, que la Résistance a, dans son ensemble, rassemblé des effectifs proportionnellement beaucoup plus faibles. De noter aussi que, bien souvent, le résistant socialiste ne rejoint pas, sous l'Occupation, son parti sans rompre pour autant ses liens affectifs et idéologiques.

Il faut donc élargir les recherches, repérer les contributions individuelles, isoler au sein de chaque mouvement ce qui relève de l'acte socialiste si l'on veut prendre la mesure de son efficacité.

Dans les mouvements.

Pas de difficulté en zone occupée où se développe dans de bonnes conditions Libération-Nord, mouvement créé, sans mot d'ordre partisan d'ailleurs, par des socialistes (J. Texcier, H. Ribière) et des syndicalistes (C. Pineau, A. Gazier, R. Lacoste, G. Tessier). Les options doctrinales sont, dès l'origine, très nettement marquées à gauche, mais l'emprise socialiste ne s'affirme que progressivement, à la suite des différents départs (Pineau, Cavaillès) et cooptations (Deniau, Van Wolput) qui perturbent le cercle dirigeant. Bientôt responsable du mouvement, Ribière investit dans les départements et les régions des socialistes et plus rarement, afin d'asseoir la légitimité de l'organisation, des militants d'autres tendances.

De ce fait, Libération-Nord épouse le plus souvent les lignes de force et de faiblesse du parti. Faiblesse dans l'Est, particulièrement en Alsace, en Haute-Saône, dans les Vosges, et, à l'Ouest et dans le Sud-Ouest, dans des départements comme l'Orne et la Gironde. Force dans le Nord où Libération s'exprime surtout par la propagande et les renseignements, et dans l'Ouest où il détient deux directions régionales militaires. Dans certains départements, la résistance repose essentiellement sur son apport : ainsi dans le Finistère où il compte 7 000 adhérents sur un total de 12 000 à 13 000 résistants, dans le Morbihan où le socialiste Le Coutaller anime un maquis de 750 hommes, dans les Côtes-du-Nord, l'Eure, l'Ille-et-Vilaine...

Sans jamais atteindre l'efficacité du Front national, Libération diversifie ses activités, élargit son assise militaire, concurrence l'Organisation civile et militaire à la tête de la résistance non communiste de la zone Nord.

Libération-Nord n'est pas une simple courroie de transmission du CAS : d'abord parce que son audience s'étend à d'autres milieux, mais aussi parce que les socialistes qui l'animent ne défendent pas les mêmes priorités que la direction du parti : le politique importe moins que le militaire, le programme que les sabotages. Le socialiste Van Wolput, qui dirige la région Nord, souligne ainsi que Ribière et lui-même sont, au sein du CAS, « traités avec grande suspicion car tous deux sont en faveur d'une résistance active qui dépasse les limites du parti socialiste, tandis que les gens du CAS, étroits et timorés, se bornent à des parlotes, à des discussions d'ordre politique, à des rédactions de tracts et de résolutions [15] ». Mais, ces réserves faites, le mouvement illustre bien la capacité de la population socialiste à s'adapter à la clandestinité et à expérimenter de nouveaux modes d'action. Il témoigne que celle-ci ne constitue pas une force d'appoint mais, au contraire, l'une des composantes majeures de la Résistance.

Le jeu est plus complexe en zone Sud, où l'initiative des trois principaux mouvements — Combat, Franc-Tireur et Libération-Sud — échappe aux socialistes. Dans telle région, essentiellement sur le littoral méditerranéen, ceux-ci militent au sein de Combat dont ils détiennent les principaux postes de responsabilité ; dans telle autre, ainsi dans la région limousine, ils se partagent entre les trois mouvements sans que leur influence paraisse pour autant réduite. On peut pourtant tenter un premier bilan.

Régional : les socialistes détiennent 3 des 6 directions aux Mouvements unis de résistance (Marseille, Limoges, Toulouse [16]) et à Libération-Sud (Montpellier, Limoges, Clermont-Ferrand), 2 à Combat (Marseille, Montpellier) et à Franc-Tireur (Montpellier, Limoges).

Départemental : 11 postes de responsabilité les plus importants leur sont attribués, soit 28,2 % si l'on considère que les MUR sont solidement ancrés dans 39 départements.

Même influence à la base : dans les Alpes-Maritimes, où le pouvoir du socialiste A. Roubert, responsable départemental des MUR, est pourtant contesté, J. Girard retrouve, sur un échantillon de 146 résistants, 43 socialistes, soit 27,5 % des effectifs, contre 31 communistes (19,8 %), 28 radicaux (17,9 %), 11 indépendants de gauche (7 %) et 36 divers droites (23 %) [17] ; dans l'Ariège, R. Fareng dénombre 20 % de socialistes [18] et, en Auvergne, H. Ingrand, responsable (non socialiste) des MUR, reconnaît la contribution déterminante des socialistes : « Il ne s'agit pas toujours, ou pas seulement, d'en appeler à la doctrine du parti SFIO, encore qu'à dénombrer nos effectifs, on trouverait à coup sûr une majorité importante de militants de l'ancien parti socialiste [19]. »

Ceux-ci s'expriment de préférence à Libération-Sud où ils forment, en 1943, 40 à 50 % de la population[20], mais on les trouve aussi actifs à Combat (Gaston Defferre parle, sans doute de manière excessive, de 30 % de socialistes[21]) et à Franc-Tireur (20 à 30 % selon diverses estimations recueillies par D. Veillon). Bref, là où son intervention est la plus éclatée, la population socialiste s'affirme aux niveaux intermédiaires et inférieurs.

Sur le plan national, il faut en revanche parler d'échec. Aux MUR, à Libération, à Combat, on est frappé par la disparité des positions : forte présence des socialistes à la base, dans les départements et les régions, faible représentation à la direction de la zone Sud. Phénomène inverse de celui que j'ai pu vérifier à Libération-Nord : dans un milieu où les procédures démocratiques sont interdites, le pouvoir irradie plus facilement qu'il ne remonte. Détenant la direction centrale à Libération-Nord, le parti peut peupler l'organisation de ses militants ; au contraire, les socialistes se heurtent dans leur ascension de la hiérarchie en zone Sud à un butoir qui tient, d'une part, à un phénomène classique d'oligarchie renforcé ici par l'absence de procédures réglées et, d'autre part, à la difficulté de vaincre les préventions du milieu résistant à l'égard des militants politiques.

Précisons : des militants qui, sous l'Occupation, affirment sans masque leurs attaches politiques. Les communistes, qui n'éprouvent pas ce besoin ou n'ont pas ce scrupule, parviennent, eux, à s'installer aux différents postes de responsabilité nationale : à Libération-Sud, au CNR, aux MUR, au MLN, etc. Investissement progressif qui opère par tache d'huile et prend toutes les marques d'une colonisation, pour reprendre l'expression de Henri Noguères. Lorsque les socialistes Leenhardt et P. Lambert posent leurs candidatures à la tête de la délégation générale de la zone Sud, Pascal Copeau, qui passe pour proche du PCF, les repousse, car « ce serait le PS ‘ au pouvoir ’ sous sa forme la plus étroite, le renforcement des bêtises à la Defferre et, en poussant un peu, la division dans les MUR[22] ». Mais lorsque Gaston Defferre souligne les attaches politiques des communistes, Yvon Morandat, délégué du général de Gaulle, écarte l'objection : « Massereau fait courir le bruit que Sallard, Brinon, Valrimont, Verdier sont membres du PC, alors que chacun sait, et lui le premier, que c'est complètement faux[23]. » La lucidité devient ressentiment.

Coupables de politique ?

C'est pour certains socialistes le signe d'une nécessaire révision de la doctrine originelle du CAS. Il n'est plus possible de demander aux militants de quitter les mouvements : la Résistance a engendré des liens, des micro-solidarités qui rendent difficile tout débauchage. Du moins le parti peut-il tenter de développer des structures propres, de contrôler des mouvements moins importants.

L'opération réussit au sein du groupe Froment-Brutus, petite organisation à l'origine influente dans les milieux d'extrême droite. Sous l'impulsion socialiste, le mouvement étend son recrutement, dépasse les 10 000 adhérents : à Marseille, à Toulouse, dans le Lot surtout, son influence n'est pas négligeable. Mais sa représentation sera toujours contestée. Ici comme ailleurs, joue la « loi du premier occupant ».

Faute de l'avoir compris, les socialistes seront toujours enfermés dans une situation de quête : quête de la reconnaissance, de la légitimation, du pouvoir. Le parti réclame-t-il une participation aux Comités de libération (CDL) de villes où sa présence n'est pourtant pas contestable (Marseille, Toulouse, Clermont-Ferrand...) ? Il doit plaider sa cause et subir, sans appel, la sanction de ses pairs. Veut-il entrer au comité de coordination qui, en pratique, règle les problèmes les plus importants de la zone Sud ? Il en est exclu par les représentants du PCF et du Front national : « Nous ne pouvons pas vous considérer comme un mouvement de résistance », tranche ce dernier[24].

En refusant de former ses propres groupes d'action, le CAS a pris le risque de se couper de sa population et de s'enfermer dans une activité exclusivement politique. Ces militants, qu'il a abandonnés au crédit des mouvements, ne lui appartiennent pas. Ils ne sont plus que des résistants, des gaullistes que, par une comptabilité étroite, il tente de s'annexer. Lui qui affirmait son abnégation, son attachement à l'unité nationale, est bientôt taxé d'intérêt et d'attentisme. Le PS, affirme-t-on dans les milieux de la Résistance, ne songe qu'au lendemain, au pouvoir, à la politique, cette activité méprisable, intéressée, paperassière et sans risque.

L'accusation contient du vrai. Le rôle d'un parti, estime le CAS, consiste à mettre au point un programme, à préparer la Libération, à persuader « en vue de regroupements », non à saboter ou à harceler l'ennemi. Il importe de reconstituer les bases d'une République démocratique — la fondation du CNR répond à ce besoin —, de préparer la future constitution, de former et de purifier le personnel politique : autant de thèmes qui constituent la matière principale des journaux et des tracts auxquels le parti consacre son activité.

Mais cette activité n'est pas sans danger : 2 des 7 membres du premier comité exécutif du CAS de zone Sud sont déportés : E. Thomas et S. Buisson, de même que 3 des 13 responsables du parti de zone Nord : A. Dunois, Biondi et Malroux. Et, bien souvent, c'est au courage de ceux qui se savent condamnés ou de ceux qui n'hésitent pas à signer leur propre condamnation que les autres dirigeants devront leur survie.

Ainsi Jean Biondi, député-maire de Creil qui, le 10 juillet 1940, a refusé les pleins pouvoirs au maréchal Pétain : il est, le 13 janvier 1943, rue de l'Hôpital-Saint-Louis où doit se réunir la direction du parti clandestin. « Mais, témoigne Daniel Mayer, je m'aperçois qu'il baisse obstinément le regard. Il ne veut pas croiser le nôtre. Tout est désormais clair : il est arrêté et sert d'appât. Une voiture marquée POL *(Polizei)* est à quelques mètres. Quinconque ira à Jean Biondi sera pris. Notre camarade, impassible d'apparence, continue à regarder le trottoir [25]. » Son sang-froid sauvera de l'arrestation tout le secrétariat du parti. Ainsi encore, Suzanne Buisson, ancienne responsable des Femmes socialistes qui, le 1er avril 1943, fait les cent pas devant l'immeuble où doivent se retrouver les mêmes dirigeants. Elle sait le local « brûlé », mais elle veut avertir le député Lucien Hussel qui n'a pas pu être prévenu à temps. Suzanne Buisson est grande, massive ; elle ne peut pas échapper à l'attention de la police allemande. Arrêtée, déportée, elle mourra dans les camps, tout comme Malroux et Amédée Dunois.

Alors, pourquoi ce mépris de l'homme politique dont témoigne le dirigeant des mouvements ? Pour protéger la civilisation résistante des impuretés de la politique ? Ou plutôt pour masquer la dimension politique de son propre combat, pour mieux affirmer sa propre pureté ? Face au politicien à l'esprit étroit, calculateur, d'abord soucieux de ses intérêts, le résistant peut se définir, comme en négatif, par son patriotisme, sa valeur morale, le caractère désintéressé de son combat. Traçant un portrait du « comitard » de la IIIe République, *Combat* le voit « barbichu, aigrelet ou redondant, la bouche en cœur et la larme à l'œil [26] », et Claude Bourdet, se souvenant d'une rencontre avec des dirigeants socialistes sous l'Occupation, les décrit ainsi : «Ceux-ci avaient l'air de bons bourgeois du Midi, manteau foncé, chapeau mou de même. Si je ne craignais de faire appel plutôt à l'imagination qu'au souvenir, je dirais qu'ils étaient probablement un peu ventrus[27].»

Le socialiste est moins jugé pour ce qu'il est que pour ce qu'il représente : l'assiette au beurre, la cuisine électorale, l'excès de bien-être. Peu importe que Daniel Mayer soit jeune et mince — tout le contraire, dans son allure, de l'image du parlementaire arrivé —, que Gaston Defferre, tout aussi jeune et mince, à l'occasion organise et dirige avec l'avocat André Boyer, chef de Brutus, l'évasion du militant socialiste Malafosse, emprisonné à Toulouse. Peu importe : le socialiste reste pour les autres le politicien, le bureaucrate, le «planqué».

Image d'Épinal qui, par la dévalorisation de l'autre, sert l'affirmation de soi. Car le résistant n'est pas continuellement occupé au maniement des armes — Bourdet lui-même se définit comme un fonctionnaire, rédigeant des circulaires et participant à des comités —, mais il laisse aisément accréditer l'image romanesque du militant bravant les forces conjuguées de l'occupant et du gouvernement de Vichy pour mieux dégrader le portrait de l'éternel politicien, assis devant «le vin-Pernod des cafés du commerce».

Anti-héros pour les mouvements de Résistance, le CAS l'est aussi pour le parti communiste. Sans revenir sur les longues polémiques qui, depuis la signature du pacte germano-soviétique, ont opposé les deux partis, il faut comprendre la grille de lecture sur laquelle ils inscrivent leurs relations sous l'Occupation. Pour tous les mouvements de Résistance, les communistes constituent un modèle, une référence pour la pensée et l'action. Leur engagement contre l'occupant, la résistance des troupes soviétiques à l'envahisseur allemand leur valent une sorte d'aura, d'admiration qui les protège de tout sentiment de culpabilité. Les socialistes n'ont pas cette prévention et ils sont souvent les premiers à déceler les stratégies d'investissement des communistes à la tête des mouvements de Résistance, les intérêts qui masquent leur action. Mais ils n'échappent pas à cette tendance à se situer par rapport au frère ennemi. Puisqu'on leur refuse le statut d'organisation résistante, ils vont chercher leur légitimité du côté du PCF, tenter, par un accord de Front populaire, d'obtenir une revalorisation de leur image révolutionnaire et le statut de partenaire privilégié.

Quête infructueuse : on se rencontre, on s'écrit, mais

toujours sur un mode difficilement acceptable pour le CAS. L'interlocuteur communiste n'est jamais le même, il n'est pas mandaté, il repousse surtout toute perspective d'accord qui pourrait rompre l'union de la Résistance : « Notre jugement doit avoir une autre base que celle des anciennes étiquettes politiques. Ce qui doit aujourd'hui compter, c'est la volonté de lutte des divers éléments de la Résistance, leur volonté d'union de tous les Français dans le combat pour libérer la France et lui assurer une entière indépendance politique et économique et restaurer sa grandeur[28]. »

Attachement inconditionnel du PCF à l'unité nationale ? Désintérêt pour la chose politique ? Ou plutôt souci de protéger son image de seul parti révolutionnaire, refus de donner une caution résistante au CAS ?

Tout tient en fait dans l'inégalité des positions dont bénéficie chaque parti. Instance révolutionnaire légitime, le PCF peut clamer son apolitisme, prôner l'union la plus large des classes sociales, s'attacher le concours de conservateurs ou de parlementaires qui, le 10 juillet 1940, ne se sont pas opposés au maréchal Pétain sans apparaître pourtant inféodés à sa ligne politique. Au contraire, le parti socialiste doit à tout instant justifier son statut et ses ambitions, quémander une légitimité dont bénéficie sans efforts et quels que soient ses choix le parti communiste. A lui sont interdits tout faux pas, toute position moyenne immédiatement frappée de suspicion et de compromission. Il est condamné à la rigueur : dans le programme, dans l'épuration, dans l'action.

On voit qu'il s'agit moins ici d'incapacité, d'incompétence radicale que d'impossibilité objective d'exploiter toutes ses ressources. Comme tous les acteurs placés en situation de dominé, le parti est exposé aux erreurs d'appréciation ; il est frappé d'inhibition. Il n'a pas cette assurance, cette facilité des groupes dominants — dont le PCF, de tout temps au sein de la gauche et sous l'Occupation dans le champ de la Résistance, est le meilleur exemple — à s'adapter aux situations les plus imprévues. Toute innovation l'interpelle, l'oblige à trouver des guides, des références. Or, justement, le parti communiste, référence habituelle, lui fait défaut au début de l'Occupation. D'où cette recherche de modes d'intervention expérimentés : un Conseil national de la résistance où les rôles sont distribués sans ambiguïté, une participation aux gouvernements de Londres et d'Alger. Dans la Résistance, le parti socialiste reconstruit un univers politique à sa mesure.

Ce n'est pas douteux, les socialistes ont résisté. Hégémoniques à Libération-Nord, majoritaires à Libération-Sud et souvent même aux MUR, influents à CDLR (Ceux de la Résistance) et à l'OCM, ils forment même la composante centrale de la résistance non communiste. Mais le parti a neutralisé cette contribution par impossibilité de saisir toutes les exigences de la clandestinité et de l'Occupation. Formé au combat électoral et parlementaire, il a abordé la période avec des catégories mal adaptées au nouvel environnement. Fallait-il séparer le politique et le résistant alors que la lutte contre l'occupant était la condition d'une victoire des démocraties ? Pouvait-on tout à la fois s'effacer et témoigner, donner ses militants et en réclamer la paternité ? Comme si l'idéal pouvait ignorer le réel ou le plier à son image...

Notes

1. W. Curiel, *Le Voyage en enfer*, Éd. du Myrte, 1947, p. 266.

2. Propos rapportés par Gaston Defferre au Congrès national extraordinaire des cadres des fédérations socialistes de Paris, 9-12 novembre 1944, p. 98 (dact.).

3. D. Mayer, *Les Socialistes dans la Résistance*, PUF, 1968, p. 30.

4. E. d'Astier, *Sept fois sept jours*, Gallimard, 1961, p. 58-59.

5. Lettre au préfet de la Seine du 17 décembre 1941, archives E. Depreux.

6. Témoignage du 7 octobre 1946.

7. *Le Populaire du Centre*, 28 juin 1940.

8. Article de Maurice Thorez publié en 1940 dans *Die Welt*.

9. Lettre anonyme du 1er janvier 1941, Archives nationales, W. II. I., A. VI.

10. Article d'André Guérin dans *l'Œuvre* du 20 février 1942.

11. Déclaration reproduite dans *l'Œuvre de Léon Blum (1940-1945)*, Albin Michel, 1955, p. 234.

12. Lettre du 30 mars 1942, Archives de la Fondation nationale des sciences politiques, papiers Léon Blum.

13. Lettre du 2 mars 1942, Archives nationales, W. II.I., A. VI.

14. Lettre sans date, *ibid.*

15. Témoignage du 21 février 1947.

16. Poste détenu par François Verdier, qui, sans adhérer formellement au CAS, a accompli son évolution politique sous l'Occupation.

17. *La Résistance dans les Alpes-Maritimes*, Nice, 1976, p. 76 (thèse multigraphiée).

18. «La Libération de l'Ariège (1940-1944)», Toulouse, s.d., (diplôme d'études supérieures).

19. *Libération de l'Auvergne*, Hachette, 1974, p. 38-39.

20. Passy, *Missions secrètes en France*, Plon, 1951, p. 4, et Rapport Denvers (G. Defferre) du 5 octobre 1943 dans F. Gouin, *Mémoires*, t. II, p. 275 (manuscrit).

21. *Ibid.*

22. Lettre à Yvon Morandat du 5 juin 1944, citée par Henri Noguères, *Histoire de la Résistance en France*, Laffont, 1976, t. IV, p. 542.

23. Lettre à E. d'Astier de La Vigerie du 30 mai 1944, papiers Morandat, Archives du Comité d'histoire de la Seconde Guerre mondiale (CHG) (Massereau ; Defferre ; Sallard ; Copeau ; Brinon ; Degliame-Fouché ; Valrimont ; Kriegel ; Verdier ; Hervé). On sait que seul, en fait, Copeau n'était pas communiste, même s'il en était très proche.

24. Lettre du 5 avril 1944, archives CHG.

25. D. Mayer, *Les Socialistes dans la Résistance, op. cit.,* p. 133.

26. *Combat,* février 1944.

27. C. Bourdet, *L'Aventure incertaine, de la Résistance à la Restauration,* Stock, p. 178.

28. Lettre du PCF au PS du 20 novembre 1943, Archives CHG.

9

Les chrétiens pendant la Seconde Guerre mondiale

Étienne Fouilloux

Samedi 26 août 1944. Dans l'allégresse de la libération de Paris, deux personnalités symboliques : l'une, Georges Bidault, démocrate-chrétien, président du CNR, descend les Champs-Élysées à côté du général de Gaulle ; l'autre, le cardinal-archevêque de Paris, Mgr Suhard, est consignée à l'archevêché pendant la cérémonie de Notre-Dame, Son Éminence ayant, un mois auparavant, assisté aux funérailles de Philippe Henriot. L'une symbolise la présence active des chrétiens dans la Résistance ; l'autre, les compromissions de l'épiscopat avec Vichy.

Derrière ces symboles connus, qu'en a-t-il été de l'ensemble du clergé, des fidèles et, au-delà du monde catholique, de la minorité protestante ? Il a fallu attendre 1966 pour que paraisse l'essai du journaliste catholique Jacques Duquesne. C'est seulement dix ans après ce livre, en 1976, que s'ébranle la lourde machine historienne. Depuis lors, celle-ci a mis les bouchées doubles : outre le livre de Renée Bédarida sur *Témoignage chrétien* et les Mémoires d'André Latreille sur son passage à la direction des cultes en 1944-1945, une batterie de colloques régionaux (Grenoble, octobre 1976 ; Lille, novembre 1977), national (Lyon, janvier 1978) et international (Varsovie, juin-juillet 1978) a jeté quelque lumière sur la question. Comité d'histoire de la Seconde Guerre mondiale puis Institut d'histoire du temps présent l'ont reprise, et le colloque du Centre de documentation juive contemporaine sur la persécution raciale a dédié une demi-journée à l'attitude des Églises.

Sur un sujet qui suscite encore des passions contradictoires, l'historien tente de garder la tête froide, de rassembler les documents et les témoignages, et de corriger les affirmations à l'emporte-pièce, sans s'abandonner au mol oreiller du relativisme.

Svastika, francisque ou croix de Lorraine ?

Comme l'entomologiste, il classe. Première catégorie : les chrétiens « collaborateurs ». Aux personnalités bien connues (le cardinal Baudrillart, Mgr Mayol de Lupé, Philippe Henriot, le pasteur Noël Vesper), il convient d'ajouter l'hebdomadaire *Voix françaises* et ce cadavre dans le placard régionaliste : les sympathies cléricales pour le Reich en Bretagne, en Flandre et en Alsace. Peu de monde, somme toute. La deuxième catégorie est un peu plus nombreuse : celle des chrétiens « résistants », dont la victoire et ses mythes ont valorisé l'influence. Militants syndicaux, démocrates-chrétiens dûment avertis du danger fasciste par leurs amis italiens et par la guerre d'Espagne, des hommes, à la fois chrétiens et démocrates, continuent après l'armistice leur combat pour la liberté. Une sous-catégorie, assez différente de ces résistants « politiques », rassemble les théologiens et les praticiens de l'apostolat qui opposent avant tout une « résistance spirituelle » au paganisme nazi : certains de ceux-ci outrepassent difficilement les objections classiques sur le devoir d'obéissance ou le refus de la violence.

Arrive le gros de la troupe, troisième catégorie derrière crosses et mitres : jusqu'en 1943 et parfois au-delà, elle accepte Vichy. Bien des éléments y concourent : le mythe Pétain, cher aux anciens combattants, nombreux parmi les dirigeants catholiques ; la politique de présence, à laquelle on s'est récemment rallié après tant d'années de bouderie à l'égard de l'État républicain ; les cadeaux appréciables de Vichy aux congrégations, à l'école privée, à la famille ; le coup de balai donné au personnel de la IIIe République, au bénéfice d'une clientèle catholique qui trouve des débouchés inespérés... Ralliement de l'Église à Vichy ? C'est trop peu dire. Entre les deux, c'est d'une véritable osmose qu'il s'agit : « Ces trois mots sont les nôtres », dit le cardinal Gerlier de la devise pétainiste Travail-Famille-Patrie. Non sans illusion, le catholicisme intransigeant voit en Pétain le Salazar français, le restaurateur d'un chimérique État chrétien.

Un schéma trop rigide.

Voltigeur du christianisme avant 1939, le courant personna-
liste, marqué notamment par Emmanuel Mounier, ne se reconnaît pas dans cette formule. Mais son hostilité initiale à la
république parlementaire, individualiste et bourgeoise l'amène
à une attitude ambiguë lors de la naissance de Vichy. Cherchant
à jouer au plus fin avec le nouveau régime et à tirer de lui ce
qui peut servir leur projet, différents groupes catholiques font
ou feignent de faire un bout de chemin avec Vichy. Ainsi
s'explique la reprise d'*Esprit* en zone non occupée, l'intérêt
pour l'école d'Uriage (Segonzac, Beuve-Méry, Domenach...),
la communauté de travail Boimondau... Bientôt la coexistence
se révèle impossible : *Esprit* est interdit en mai 1941 ; Mounier
est emprisonné ; Uriage passe à la clandestinité ; Boimondau
prend le maquis... Nouvelles troupes pour la Résistance d'origine chrétienne.

Cette partition des catholiques français en trois principales
catégories est classique ; elle mérite néanmoins quelques nuances. Vichy n'a pas été une simple production du conservatisme
catholique. La menace d'un néo-cléricalisme n'a pas manqué
de susciter, non seulement les sarcasmes des « collabos »
parisiens qui ne prisaient guère l'eau bénite, mais une réaction
laïque à Vichy même, dont fit notamment les frais le ministre
de l'Instruction publique Jacques Chevalier, remplacé par
Jérôme Carcopino en février 1941. Le mirage de l'État chrétien
s'évanouit au fur et à mesure du déclin de Pétain et de la
surenchère totalitaire.

La minorité protestante réformée n'ignore rien du nazisme
grâce à ses liens étroits tant avec l'Église confessante allemande qu'avec Genève où se construit le Conseil œcuménique.
Elle conjugue la « résistance spirituelle » des disciples de
Karl Barth et celle, plus politique, de chrétiens sociaux comme
André Philip. Tout un passé douloureux resurgit à point pour
lui faciliter la transition du camisard au maquisard : les
autorités d'occupation n'ont pas tort de suspecter sa soumission.

Le cloisonnement du pays que les Allemands imposent
justifie l'éclatement régional de l'enquête. L'anglophilie du
Nord paraît ne souffrir ni de Mers el-Kébir ni des bombardements de la Royal Air Force. La région Rhône-Alpes, où se
concentre le noyau de la Résistance chrétienne, abrite aussi des
prélats au pétainisme sans faille... Mais que dire de Rennes, de

Toulouse, de Nice, de Strasbourg où le luthéranisme ne se montre pas insensible aux sirènes allemandes ?

Des années 30 à la Libération.

L'ajustage de la chronologie permet d'éclaircir les aléas de l'adhésion catholique à Vichy. Depuis deux décennies, l' « esprit des années 30», ce bouillonnement intellectuel né de la guerre et de la crise économique, a beaucoup occupé les chercheurs. L'épluchage des publications confessionnelles a autorisé l'idée d'une ouverture qui s'accommode mal du conformisme généralisé de l'été 40. Mais le bouleversement a-t-il été si profond ? Il affecte des élites, de grand avenir certes, mais encore assez isolées : pour un Maritain ou un Bonsirven hostiles à l'antisémitisme, combien de xénophobes, jusque dans les églises ? La condamnation du communisme par Pie XI a retenti plus fort que celle du nazisme, avec laquelle s'introduit trop souvent une fausse symétrie. Dès 1936, la hiérarchie, inquiète des troubles sociaux, se prononce pour un ordre qu'elle croira trouver chez Daladier, avant d'en créditer Pétain. Entre la disponibilité des années 30 et la réaction des années 40, on postulait naguère la rupture. N'est-ce pas plutôt de continuité qu'il faut parler ?

D'emblée les catholiques acceptent l'armistice et le nouveau pouvoir établi. Peu après suivent, avec le culte du maréchal, la reconnaissance de sa légitimité et l'enthousiasme pour la Révolution nationale qu'il prône. Incertitude prolongée quant à l'issue des combats de Russie et d'Afrique du Nord, incertitude quant à l'évolution du régime brouillent les étapes du détachement : le limogeage de Laval n'annule-t-il pas pour partie les effets nocifs de l'entrevue de Montoire, fin 1940 ? Du printemps à l'automne 1942, le retour de Laval, les grandes rafles dans les quartiers juifs, l'invasion de la zone Sud dessinent un indéniable tournant. Bien des fidèles, et certains de leurs pasteurs, n'en resteront pas moins maréchalistes jusqu'au bout.

Et pourtant la Libération ne connaît pas de flambée anticléricale. Les résistants chrétiens prônent la sévérité envers leurs coreligionnaires défaillants ; mais ils doivent se contenter d'une épuration minimale, négociée avec le nonce Roncalli, futur Jean XXIII. En revanche, le projet d'apurement du contentieux entre l'Église et l'État achoppe sur la question scolaire. L'autorité de la hiérarchie sort affaiblie de l'épreuve : avec une

ardeur de néophytes, nombreux sont alors les catholiques qui
entrent en politique sans lui demander son avis, même lorsqu'il
s'agit d'emboîter le pas aux communistes.

Et la foi ?

Deux clichés manquent encore à cette radiographie : la place
précise des comportements chrétiens dans le kaléidoscope
national et l'introduction de la dimension proprement religieuse.
Le temps de guerre voit fleurir simultanément une piété
traditionnelle et la gerbe d'expériences pastorales qui vont faire
du christianisme français l'enfant terrible de la chrétienté.
Obnubilée par la politique, la recherche les a trop souvent
ignorées. Ses curiosités immédiates assouvies, elle devra désormais réparer cet oubli.

Pour en savoir plus

R. Bédarida, *Les Armes de l'Esprit. «Témoignage chrétien» (1941-1944)*, Éditions ouvrières, 1977.

J. Duquesne, *Les Catholiques français sous l'Occupation*, Grasset, 1966.

Églises et chrétiens dans la Deuxième Guerre mondiale. La région Rhône-Alpes, Actes du colloque de Grenoble, Presses universitaires de Lyon, 1978.

«Églises et chrétiens pendant la Seconde Guerre mondiale dans le Nord-Pas-de-Calais», Actes du colloque de Lille, *Revue du Nord*, Lille, avr.-juin et juill.-septembre 1978.

Églises et chrétiens dans la Deuxième Guerre mondiale. La France, Actes du colloque de Lyon, Presses universitaires de Lyon, 1982.

La France et la Question juive 1940-1944, Actes du colloque du CDJC, Sylvie Messinger, 1981.

Mgr E. Guerry, *L'Église catholique en France sous l'Occupation*, Flammarion, 1947 (livre apologétique).

A. Latreille, *De Gaulle, la Libération et l'Église catholique*, Éd. du Cerf, 1978.

É. Poulat, *Naissance des prêtres ouvriers*, Casterman, 1965 (première étude sur un problème religieux).

L'épuration en France

Jean-Pierre Rioux

«Ce terrible enfantement est celui d'une révolution», note Camus le 24 août 1944 dans un des premiers numéros de *Combat* vendu dans Paris insurgé, et toute la Résistance partage sa certitude : au prix du sang versé, la justice est pour demain. Un an plus tard et dans les mêmes colonnes, le 30 août 1945, l'auteur des *Justes* s'interroge amèrement sur l'échec de l'espoir : l'épuration a révélé que «le chemin de la simple justice n'est pas facile à trouver». Ce drame hante désormais la conscience du pays, contribuant à pervertir sa vie politique.

La guerre civile en France.

C'est que la France a connu de 1940 à 1945 une véritable guerre civile. Depuis l'hiver 1940-1941, les forces répressives du IIIe Reich et de l'État français ont conjugué leurs efforts pour détruire la Résistance. En retour, dès septembre 1941, des collaborateurs reçoivent à domicile les premiers cercueils en miniature ; dès mars 1942, la presse résistante publie des listes noires, réseaux et mouvements traquent bourreaux et traîtres. Quand la bataille s'organise, que le refus du STO alimente les maquis, que l'unité des résistants est en marche, que la Milice reçoit pour mission première l'anéantissement du «terrorisme» en collaboration avec les nazis, les exécutions se généralisent sur tout le territoire : à l'automne 1943, la protection des maquis et des réseaux exige l'élimination de miliciens, de fonctionnaires trop zélés et de collaborateurs affichés. Au retour des accrochages, avec ou sans passage devant une cour martiale du maquis, miliciens capturés, responsables de la Légion, militants du PPF, trafiquants du marché noir, indicateurs ou traîtres peuvent être exécutés, en réponse aux massacres perpétrés par les forces de la répression. Au passage, des règlements de comptes privés, des actes de banditisme et, surtout, des rivalités internes locales entre les forces résistantes peuvent alourdir le solde. Les états-majors redoutent ces excès : dès 1943, le CNR (Conseil national de la Résistance) a condamné les publications de listes noires et en février 1944 la radio de Londres et celle d'Alger ordonnent de limiter la répression aux miliciens, aux doriotistes et aux dénonciateurs.

C'est cette attitude qu'il fallut maintenir de juin à septembre 1944. Certes, l'impératif du combat prime, les FFI considèrent que toute aide, même indirecte, aux troupes allemandes équivaut à une trahison par temps de guerre et entraîne la mort : dénonciateurs, miliciens, agents doubles en font les frais. Ainsi s'explique le nombre élevé des exécutions sommaires dans les départements où la lutte armée fait rage (cf. carte 1), Nord, Ouest, Massif central, Aquitaine, région toulousaine, vallée du Rhône, Alpes, Jura, Côte-d'Or et Yonne.

Dans le même temps, les incidents se multiplient. Huées publiques, croix gammées sur les maisons des traîtres, tontes vengeresses de femmes compromises, enlèvements, séquestrations peuvent préluder à des exécutions publiques ou privées. Parfois même, des unités de FFI ou des embryons de pouvoirs locaux mobilisent la protestation et couvrent délibérément la vengeance sommaire. Il importe donc de mettre en sûreté les suspects avant de les déférer devant les tribunaux d'exception prévus par le gouvernement provisoire, de mettre un terme au fonctionnement des cours martiales, des tribunaux militaires des FFI ou des « tribunaux populaires » : dès le début de septembre, commissaires de la République, préfets et CDL (comités départementaux de libération) réorganisent la Sûreté qui procède aux arrestations et installent les commissions chargées de recueillir les éléments du dossier des suspects. L'épuration « sauvage » directement liée aux combats fut donc assez rapidement maîtrisée. Ses résurgences tiennent au hasard des ultimes combats (pendant l'hiver 1944-1945, par exemple, lors de la contre-offensive allemande dans les Ardennes) ou à de purs actes de banditisme, comme ceux du « maquis » de Le Coz, terrorisant la région de Loches, auxquels les forces de l'ordre ne mirent fin que le 21 octobre[1]. Néanmoins la tension est telle qu'une psychose à la répression et des commentaires sur les « charniers » apparaissent çà et là dès la fin du mois d'août.

Quarante mille = dix mille.

Les résistants, auxquels peuvent s'adjoindre des indignés de
la dernière heure, souhaitent une prompte justice, préalable à
toute reconstruction d'une France nouvelle. Les premiers, ils
s'inquiètent des lenteurs avec lesquelles sont installées cours
de justice, chambres civiques puis la Haute Cour de justice. De
fait, elles ne fonctionneront qu'à partir de l'automne et, dans
l'entre-temps, des tribunaux militaires eurent à connaître de cas
graves dont l'opinion locale exigeait l'examen sans délai. Mais
le majestueux déploiement d'une justice statuant en vertu des
articles 75 et 83 du Code pénal, qui condamnent l'intelligence
avec l'ennemi et les actes nuisibles à la Défense nationale, ou
prononçant la nouvelle peine de l'indignité nationale, répond
aux vœux unanimes du gouvernement. Communistes compris,
comme le prouve l'attitude modératrice de Marcel Willard,
premier secrétaire général à la Justice. Dans son discours
d'Évreux du 8 octobre, de Gaulle l'expose sans ambages :
l'indulgence s'impose, pour rassurer les Alliés, gagner la guerre
et lancer la reconstruction sans délai. On ne s'étonnera donc
pas qu'il ait systématiquement gracié les femmes, les mineurs
et les comparses condamnés à mort. Quelle est cette justice,
disent certains résistants, dont 73 % des peines capitales sont
commuées ? L'épuration cristallise déjà un profond malaise
national.

D'autant que le 11 septembre 1944, le journal allemand *Tages
Post* « révèle » que 9 000 exécutions auraient déjà eu lieu à Paris.
Que penser des informations alliées, quand en avril 1946 *The
American Mercury* annoncera que 50 000 personnes auraient été
abattues par les communistes dans le seul Sud-Est ? Mais des
responsables français ajoutent eux aussi à la confusion, dont
les adversaires de la Résistance profiteront. N'est-il pas indispensable de dramatiser parfois une situation encore trouble
pour mieux convaincre les Français qu'il faut s'en remettre aux
forces d'ordre ? C'est précisément le socialiste A. Tixier,
ministre de l'Intérieur, qui fait (imprudemment ?) état devant le
colonel Passy en février 1945 de 105 000 victimes, omettant de
faire le décompte des victimes des Allemands et de la Milice.

Seul le retour au calme permit un dénombrement sérieux.
Deux enquêtes officielles ordonnées en mars 1946 et
novembre 1948, menées par les Renseignements généraux et la
gendarmerie — et dont l'historien américain P. Novick a minu-
tieusement vérifié depuis la validité —, concluent à 9 673 exécu-

tions, dont 5 234 antérieures au débarquement et 4 439 posté-
rieures (pour ces dernières, 3 114 sans jugement et 1 325 après
jugement). Plus fine encore, une enquête de gendarmerie en
1952 aboutit au chiffre de 10 882 exécutions, dont 8 867 directement imputables à la Résistance (5 143 avant le 6 juin et 3 724
après). C'est un chiffre très voisin, 10 842, que reprend et
cautionne de son autorité le général de Gaulle en 1959 dans ses
Mémoires de guerre (t. 3, *le Salut*, p. 38). La même année
pourtant, Robert Aron dans son *Histoire de la libération de la
France* conteste les chiffres officiels et, s'appuyant sur une
dernière enquête lancée en décembre 1958 et sur des témoignages spectaculaires, avance un chiffre oscillant entre 30 000
et 40 000 exécutions sommaires, qu'il maintiendra dans son
Histoire de l'épuration sans s'interroger assez à fond sur la
validité d'une recherche tardive qui ignore de très grandes villes
et mêle les victimes des deux camps.

Aujourd'hui, une vaste enquête menée par les correspondants départementaux du Comité d'histoire de la Seconde
Guerre mondiale, pratiquement achevée à ce jour, scrupuleu-
sement dépouillée par M. Baudot, permet de poser un chiffre
total sans graves risques d'erreur : à quelques unités près,
9 000 exécutions sommaires, auxquelles il conviendra d'ajouter
les 767 exécutions après verdict des cours de justice. Il est donc
acquis que 10 000 Français environ furent victimes du châtiment
suprême. Le chiffre est douloureux, mais il est sans rapport
avec ceux de Robert Aron ou les exagérations largement
diffusées à l'époque. Pour 75 %, ces exécutions interviennent
avant le 6 juin ou pendant la période des combats et 25 % en
protestation contre les lenteurs de la justice légale. Elles
frappent plus durement les ouvriers agricoles, les petits cultivateurs, les artisans que les ouvriers d'industrie et les cadres ;
elles sont plus fréquentes en milieu rural, l'anonymat des
grandes villes rendant la poursuite et la dénonciation plus
difficiles.

La Justice s'en mêle.

Nul doute que leur nombre n'eût été beaucoup plus élevé si
les pouvoirs publics n'étaient intervenus rapidement. Les commissaires de la République, disposant par l'ordonnance du
29 février 1944 des pouvoirs de police, ont fait procéder dès le
début de septembre, dans les départements, et parfois contre
l'avis des CDL, à l'arrestation préventive et à l'internement

Géographie de l'épuration
Exécutions

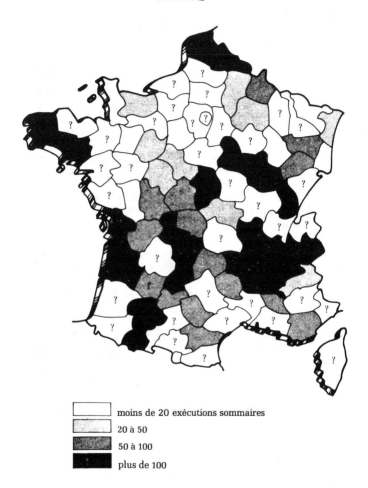

- moins de 20 exécutions sommaires
- 20 à 50
- 50 à 100
- plus de 100

Source : J.-P. Rioux, *La France de la Quatrième République*,
t. 1, *l'Ardeur et la Nécessité, 1944-1952*, Éd. du Seuil, 1980, p. 50.

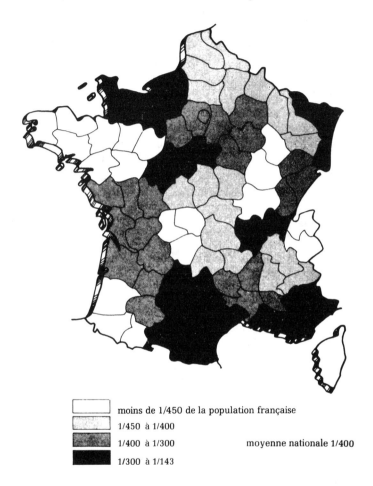

Géographie de l'épuration
Poursuites devant les tribunaux réguliers

moins de 1/450 de la population française

1/450 à 1/400

1/400 à 1/300   moyenne nationale 1/400

1/300 à 1/143

Source : J.-P. Rioux, *La France de la Quatrième République*,
t. 1, *l'Ardeur et la Nécessité, 1944-1952,* Éd. du Seuil, 1980, p. 51.

administratif des personnes suspectées ; ils mettent en place des commissions de vérification qui examinent le dossier des internés et proposent la libération ou le transfert devant la justice. Nombre de vies furent ainsi sauvées. Les conditions d'internement ne sont certes pas toujours satisfaisantes, surtout dans les grands camps surpeuplés de Shirmeck (Bas-Rhin) ou de La Noé (Haute-Garonne), mais rien n'autorise à parler de régime concentrationnaire systématisé comme l'ont fait des adversaires de l'épuration. Au total 126 020 personnes ont été internées de septembre 1944 à avril 1945. 36 377 sont libérées dans les premières semaines et, à la fin d'avril 1945, 24 383 dossiers restent encore à examiner. 86 589 dossiers ont été transmis à la justice qui, à son tour, a pu remettre en liberté ou condamner. L'efficacité de l'internement paraît donc indiscutable, puisque, au bilan final, plus de 50 % des internés sont libérés et 45 % condamnés par la justice.

Les tribunaux réguliers purent donc fonctionner sans subir trop massivement la pression des impatiences. Il fallut bien prendre le temps de révoquer quelques magistrats, mais plus des trois quarts restèrent en fonction. Parallèlement, la composition des jurys, soumise à des commissions départementales au sein desquelles les groupes de résistants pouvaient parler haut, n'évita pas toujours les manipulations politiques et les attitudes revanchardes, même si dans leur immense majorité les jurés accomplirent leur tâche en conscience et avec discernement. Le bilan, connu dès 1949, dont la fiabilité a été éprouvée par P. Novick, porte sur les 163 077 dossiers instruits : 73 501 non-lieux ou acquittements, soit 45 % ; les peines s'étagent entre la dégradation nationale (40 249), la prison ou la réclusion (26 289), les travaux forcés temporaires ou à perpétuité (10 434 et 2 777) et la mort (7 037, dont 4 397 par contumace et 767 exécutions).

Cette propension à la modération s'explique par l'abondance des plaintes dépourvues de toute preuve, du caractère vague de nombreux témoignages à charge. Très logiquement, la géographie de l'activité judiciaire (cf. carte 2) est l'envers de celle des exécutions : faible dans toutes les zones où les exécutions sommaires avaient assuré une épuration maximale, supérieure en revanche à la moyenne (1/400e de la population) dans toutes les grandes zones urbaines où l'anonymat avait protégé pour un temps les suspects. L'Alsace fait figure d'exception, pour la masse des poursuivis comme pour la sévérité, car la cour de Colmar dut attendre pour s'installer que les Alliés l'emportent, et reçut le flot des derniers prévenus des régions voisines[2]. Paris, haut lieu de la collaboration affichée, ne tranche pas sur l'impression d'ensemble : un pourcentage d'affaires un peu supérieur à la moyenne, moins de condamnations à mort et davantage d'acquittements.

Les « lampistes » à la lanterne.

Mais cette statistique comparée ne doit pas dissimuler que l'opinion ne s'interrogea que sur les lenteurs et ne se passionna massivement que pour les procès spectaculaires des grands rôles devant la Haute Cour ou les cours de province : Pétain, Laval, Suarez, Henri Béraud, Brasillach, J. Hérold-Paquis, Bony et Lafont, « couverts » avec fièvre par la presse et la radio, comme s'il s'agissait de fixer l'attention sur eux seuls. Pour la masse des inculpés, il semble bien — une étude poussée s'imposerait sur ce point — que les organisations de la Résistance et les familles des victimes de leurs méfaits ne mobilisent l'opinion que d'octobre à décembre 1944. Au long de l'année 1945, s'installe partout une attitude qui combine l'impatience et la lassitude. La recrudescence des manifestations suivies de violences à l'été 1945 s'inscrit dans cette ligne : une minorité activiste ne désarme pas, des prisonniers et des déportés débarquant des camps exigent des explications et réactivent la campagne menée par le Front national, mais il s'agit d'une protestation sans détermination, d'une explosion de colère sans stratégie devant une justice qui frappe durement les comparses, exhibe les grands noms mais laisse courir des profiteurs connus. On s'interroge alors parfois sur la nature de l'épuration, au moment précis où la victoire tant attendue, la lassitude et les difficultés de la vie quotidienne, au sortir d'un dur hiver de restrictions, imposent l'oubli.

En décembre 1948, 68 % des condamnés ont été libérés, les cours de justice disparaissent dans l'indifférence générale en janvier 1951. Lors du vote de la loi d'amnistie du 6 août 1953, moins de 1 % des condamnés sont encore détenus.

L'analyse de l'épuration des personnes fournit de précieuses indications. Les humbles sont en effet plus durement frappés, tandis que les nantis peuvent mobiliser de bons avocats, faire traîner la procédure, susciter des témoignages complaisants, transférer leur dossier en dehors du département d'origine, arguer de services rendus secrètement à la Résistance. Ainsi, à Valenciennes[3], la Cour a acquitté le tiers des patrons, le quart des artisans, commerçants, professions libérales, militaires ou policiers, mais seulement le dixième des paysans, ouvriers ou employés. Les formes de collaboration y ont été très diversement punies : militaire, elle fait condamner 90 % des accusés ; politique 50 % et économique 33 %. Or c'est dans la première que l'on retrouve en si grand nombre des jeunes issus des milieux populaires, chômeurs ou démunis, qui succombent aux tentations de la Milice ou du doriotisme. Toutes les enquêtes confirment aujourd'hui ce constat : l'épuration, loin d'être l'application brutale d'une « justice populaire » de classe, fut plus clémente pour les cadres de la société que pour les « lampistes », pour les personnes installées que pour les jeunes.

L'argent n'a pas d'odeur.

Mais seul l'échec des épurations collectives, dans les administrations, les professions et les entreprises en convainquit alors les Français. Sur la fonction publique et les personnels administratifs, nous sommes mal renseignés : aucune enquête générale n'a été publiée, la défense globale des sanctionnés a été très efficacement organisée et impose une grande discrétion dans la presse, les tribunaux administratifs donnent dans l'indulgence feutrée, nombre de fonctionnaires alors inquiétés occupent aujourd'hui encore de hautes responsabilités. Avant la Libération, des listes avaient été dressées et l'ordonnance du 27 juin 1944 prévoyait les seuls cas de sanction : avoir favorisé l'ennemi, contrarié l'effort de guerre, attenté aux libertés publiques et tiré bénéfice personnel de l'application des règlements de Vichy. Tous les efforts du gouvernement tendent à imposer une application minimale de ces règles : il ne s'agit pas, déclare de Gaulle en juillet, de « faire table rase de la grande majorité des serviteurs de l'État ». En application d'une nouvelle ordonnance du 10 octobre, les CDL pouvaient instituer des commissions d'enquête et des jurys d'honneur : 50 000 dossiers environ ont été ainsi rassemblés, mais les commissaires de la République n'en transmirent que 11 343 aux commissions nationales siégeant dans chaque ministère, et les ministres tranchèrent en dernier ressort « dans l'intérêt du service ».

Sérieuse dans la police (pour la seule région de Rennes, par exemple, sur 1 548 cas examinés, il y eut 95 sanctions), attentive dans l'armée, l'Intérieur, les Affaires étrangères et les Colonies, l'épuration fut très faible partout ailleurs. Dès 1950, la réintégration des sanctionnés ou des fonctionnaires mis en retraite d'office est pratiquement achevée. Les Français restent donc en contact direct avec des administrateurs locaux dont ils avaient parfois soupçonné l'action. Ils s'en inquiètent : en décembre 1944, 65% des personnes interrogées par l'IFOP jugent insuffisante l'épuration administrative [4]. Mais comment ne pas se résigner à admettre l'argument officiel : le retour à l'ordre et l'urgence des problèmes matériels dans un pays disloqué imposent de freiner l'épuration ? La restauration de l'État fait prime, pour survivre et s'imposer face aux Alliés.

Le même raisonnement fut appliqué à l'épuration des entreprises et des professions. Des comités interprofessionnels locaux enquêtent sur l'industrie et le commerce, proposent des sanctions aux commissaires de la République, mais une Commission nationale juge en dernier ressort. De nombreux conflits entre les CDL et les contrôleurs économiques ou les fonctionnaires des Finances qui épluchent à loisir les comptabilités retardent les premières sanctions et hâtent les décisions parisiennes : dès le 16 mars 1945 il est interdit à toute organisation issue de la Résistance de s'immiscer dans l'épuration économique. Dès lors, elle fut très faible : l'Administration entend protéger le potentiel de production et refuse toute désorganisation des entreprises. Ainsi, dans le bâtiment et les travaux publics, les mêmes firmes qui avaient prospéré avec la construction du mur de l'Atlantique sont lancées sans transition dans la remise en état des communications.

Seule la presse, symbole de la Collaboration et arme décisive de la Résistance, fut très strictement contrôlée : procès spectaculaires de propriétaires et d'éditorialistes, confiscation de biens. Sur elle s'abattent toutes les formes d'épuration, politique, professionnelle et économique. Pour les autres professions, y compris celles qui avaient été les plus touchées par les réorganisations corporatives de Vichy, les poursuites sont peu nombreuses, réduites à quelques dizaines d'individus chez les médecins, les ingénieurs ou les experts. Au reste, comment les victimes peuvent-elles prouver que ces cadres de la nation avaient profité de la puissance allemande pour exercer leur autorité sociale naturelle ? Seuls les artistes sont spectaculairement offerts à la vindicte publique, dans le désordre et sans grande volonté d'aboutir : comment résister à la pression de l'opinion, quand par exemple 56% des Parisiens applaudissent en septembre 1944 à l'arrestation de Sacha Guitry ?

Vichy pas mort.

Cette mollesse suscite des réactions. A la suite de trop discrètes interventions du Trésor pour récupérer des profits illicites, des trafiquants connus sont victimes d'attentats au cours de l'hiver 1944-1945. A Lyon, dans le Midi méditerranéen, d'aucuns rêvent de passer sans retard de la justice patriotique à la justice sociale. Des sociétés y sont mises sous séquestre, avec souvent l'accord des commissaires de la République, ou transférées à des administrateurs provisoires qui ont l'aval des CDL et des syndicats : Neptune à Sète, Fouga à Béziers, les mines d'Alès, Berliet à Lyon et 22 entreprises à Marseille. Cette menace de « soviétisation » à chaud entraîne de promptes interventions du pouvoir central, mais la remise en ordre, difficile, n'aboutira qu'en 1947 pour des entreprises comme Berliet. Cette impatience désavouée donne aux nationalisations de 1945 un contenu affectif de punition populaire soigneusement souligné par les pouvoirs publics, chez Renault ou les mines du Nord-Pas-de-Calais, par exemple. Mais il s'agit d'une décision nationale, coordonnée et réfléchie : l'appropriation collective immédiate n'est pas tolérable. « Je n'ai pas le droit, s'écrie P.-H. Teitgen devant l'Assemblée, de me servir de l'épuration pour faire des réformes de structure. »

Peu à peu, on le voit, le faisceau de vérités se resserre. Les humbles et les comparses ont davantage souffert de l'épuration que les « gros ». Toutefois, les abus, les lenteurs, les incohérences, souvent réels, ne peuvent plus dissimuler la modération effective de cet épilogue douloureux d'une guerre civile inaugurée en 1940. La France fut beaucoup plus clémente pour ses enfants égarés que la Belgique, les Pays-Bas, la Norvège ou le Danemark.

Pour l'heure, cependant, une droite de demi-soldes s'est rapidement donné une morale de rechange et un thème de combat en dénonçant les excès. Dès le dimanche des Rameaux 1945, le R.P. Panici dénonce du haut de la chaire de Notre-Dame de Paris les épurateurs trop zélés comme « les disciples des Allemands ». Menacés dans leur liberté et leurs biens, d'anciens chantres de l'Ordre Nouveau ou de la Révolution nationale et leurs familles se regroupent, autorisent leurs avocats à beaucoup parler en dehors des prétoires, une presse se constitue pour les défendre et laver leur honneur : « nouveaux saigneurs » et autres « massacreurs de septembre » sont voués à l'infamie pour avoir sabré les classes moyennes et décapité l'élite naturelle du pays. Des accusés, au fil des mois, non seulement contestent leurs juges mais proclament hautement qu'ils ont eu raison naguère.

Le grand pardon.

Cette offensive eût été sans avenir si certaines de ces critiques n'avaient été douloureusement validées par des résistants. Le colonel Rémy, Jean-Louis Vigier ou Hubert Beuve-Méry apportent des témoignages ou font publiquement part de leurs inquiétudes. Dans *le Figaro* et *Combat*, Mauriac et Camus s'affrontent sur «justice ou charité» et ce dernier doit reconnaître qu'il a plaidé le plus mauvais dossier[5]. L'état du pays, les exigences des Alliés, les lenteurs de la victoire, la stratégie des forces politiques, tout contribue à décevoir les espérances révolutionnaires que d'aucuns avaient cru lire dans le programme du CNR. Les difficultés et les injustices de l'épuration cristallisent alors chez eux la fin de l'espoir. Un vaste débat sans issue s'engage, qui jettera ses derniers feux en 1951 avec la *Lettre aux directeurs de la Résistance* de Jean Paulhan[6]. Comment ne pas voir que partout où la Résistance sut animer une levée en masse à l'été 1944, en Bretagne ou en Limousin par exemple, l'épuration, brutale et définitive, fut majoritairement acceptée ? Qu'ailleurs ses hésitations, ses lenteurs et ses injustices signifient l'échec d'une résistance populaire ?

D'autres — ou les mêmes, par temps de guerre froide — rejettent les responsabilités sur les FTPF, animateurs d'une justice trop populaire qui aurait pu déboucher sur l'expropriation généralisée et le communisme. Le parti communiste, on le sait bien aujourd'hui, souhaite sans détour «une victoire française où ne subsistera aucun vestige de la trahison», une épuration massive, brève et juste. Mais il n'envisage pas d'issue révolutionnaire et sait trop bien qu'une terreur généralisée lui serait aussitôt imputée et ressouderait un front anticommuniste qui l'isolerait et briserait son image nationale : l'épuration est nécessaire mais sa modération devient indispensable à la restauration d'une démocratie dans laquelle il veut transfuser un sang neuf. Ressoudant une partie de la droite, l'épuration a pu tout autant isoler les résistants dans la nation, sanctionner leur échec, enfermer les communistes dans un ghetto que la Résistance tout entière avait voulu abattre et que la guerre froide verrouillera de nouveau. Dès 1945, cette contradiction explique les équivoques futures du tripartisme (PC, SFIO, MRP), et les insultes après 1947, lorsque « justice populaire » deviendra synonyme pour certains de « justice communiste ».

On comprend dès lors que la solution de gouvernement l'ait emporté sans grande difficulté. Pour avoir lu Péguy, le général de Gaulle sait que « rien n'est meurtrier comme la faiblesse ». Assuré de l'appui des forces responsables de la Résistance, communistes compris, son gouvernement entend restaurer l'État par l'unité nationale, imposer la France au monde par la dignité, reconstruire avec tous les concours un pays titubant. La grandeur veut que « les prébendiers du désastre » soient châtiés sans faiblesse et au plus haut niveau, mais il faut faire admettre aux Français que « la nécessité est la suprême loi[7] ». Désormais le recours aux tribunaux réguliers s'impose, la grâce devient un instrument politique. Un règlement de comptes généralisé dissoudrait l'unité fragile forgée depuis le 18 juin 1940, réveillerait les démons partisans, romprait l'union du combat et de son chef, donnerait prétexte aux ingérences des Alliés. Laver l'honneur certes, mais sans disloquer les corps constitués, une fonction publique et des institutions dont on souhaite dans le même temps restaurer la vertu républicaine en effaçant la parenthèse de Vichy. L'indulgence peut donc affermir la grandeur, l'apaisement, forger la volonté collective : l'État renaissant répudie le désordre, et sa morale seule doit affermir les pouvoirs. Ainsi fut paré des plus hautes nécessités le point final à l'épuration de masse. Pour survivre et bâtir, la mobilisation du travail et l'affirmation de l'État délivrent une absoute généralisée des fautes passées.

Collaboration, connais pas.

Cette politique s'appuie sur un constat réaliste. En juin 1944 un sondage avait révélé que si 20% des Français militaient de près ou de loin pour la Résistance et 28% souhaitaient une répression populaire, 44% attendaient que les pouvoirs publics interdisent toute initiative des masses et 60% mettaient un possible déchaînement de passions au premier rang de leurs préoccupations. Une très nette majorité est donc prête à accepter les propositions officielles pour le retour à la normale : châtiment des collaborateurs les plus connus, refus de tout amalgame entre les chantres de la France allemande et les exécutants de la Révolution nationale (58% refusent même en septembre d'envisager que Pétain puisse être poursuivi et

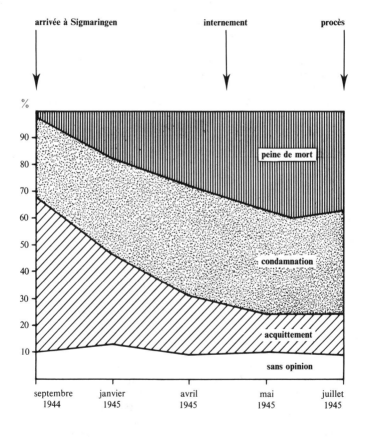

arrivée à Sigmaringen   internement   procès

%

90

80

70

60

50

40

30

20

10

peine de mort

condamnation

acquittement

sans opinion

septembre 1944   janvier 1945   avril 1945   mai 1945   juillet 1945

Source : J.-P. Rioux, *La France de la Quatrième République*,
t. 1, *l'Ardeur et la Nécessité, 1944-1952*, Éd. du Seuil, 1980, p. 65.

condamné). Une punition par le haut, sans examen des ramifications sociales profondes, doit clôturer le chapitre de la vengeance. Dès l'automne, en revanche, la lassitude gagne, les refus de répondre augmentent, tandis que les réactions se font plus dures dans le cas limité des victimes expiatoires. Le cas du maréchal Pétain en est la meilleure illustration (cf. graphique) : ni le séjour à Sigmaringen, ni la rentrée en France ne modifient l'allure de la courbe, de plus en plus sévère, comme si, devant les difficultés persistantes et une guerre qui n'en finit pas, il fallait se convaincre que Vichy fut plus qu'un épisode, que 1940 a durablement affaibli le pays et que le premier responsable d'une politique fondée sur ces acceptations doit en porter, mais seul, la responsabilité.

Tout se passe donc comme si l'épuration fixait le mécontentement. Qu'on l'approuve ou qu'on la condamne, elle sert d'exutoire devant la pénurie, le marché noir, l'humiliation quotidienne d'une vie toujours aussi dure, où les lendemains pourraient ne plus chanter. Lorsque le retour des prisonniers et des déportés en 1945 mobilise un temps tous les activismes, autant que les mollesses de l'épuration, c'est la permanence d'un passé qu'on veut fuir et les difficultés de la démocratie nouvelle qui débouchent sur cette brève explosion de colère expiatoire.

Entre la sanction brutale et l'indulgence coupable, aucune justice n'était peut-être possible tant que les Français ne consentaient pas à s'examiner eux-mêmes et à se mettre en cause. Une justice pénale a fonctionné pour châtier des dignitaires et des épaves happés par le désarroi de la peur. Mais seule une justice politique raisonnée pouvait peut-être appréhender ces institutions, ces groupes et ces idéologies hors desquels les victimes de la débandade avaient perdu toute consistance.

L'épuration en France n'a pas suivi la voie qu'allaient tracer les juges de Nuremberg : définir d'abord le crime avant de châtier les coupables. Qu'est-ce qu'un collaborateur ? Quels liens unissent collaboration et Révolution nationale ? La question ne sera pas posée. A faire croire, et trop vite, aux Français que toute légitimité ne pouvait s'incarner que dans la Résistance, que son combat légitimait le nouveau régime sans avoir à examiner la réalité sociale de la parenthèse des années noires, à réduire le crime au délit et la faute politique à la seule trahison, les dirigeants ont préféré l'efficacité de l'ordre à la tâche de réflexion civique. Comment juger le milicien isolé sans juger Vichy ? Le speaker de Radio-Paris sans remettre en cause la nature de l'information ? Comment épurer sans amorcer l'examen critique des fondements économiques, sociaux et politiques du système qui avait fait proliférer la trahison ? L'illusion ne fut pas alors d'avoir espéré dans la justice, mais d'avoir laissé croire qu'elle pouvait frapper sans avoir à défendre de nouveaux intérêts : l'épuration n'avait de sens que dans une perspective de transformations profondes d'une société, de volonté révolutionnaire.

Il eût fallu imposer une justice qui considérât Vichy et la collaboration comme des faits sociaux, qui admît que la Résistance était minoritaire et s'interrogeât sur les causes de cette situation. Où fallait-il rompre la chaîne des responsabilités hiérarchisant les coupables dès lors qu'on se refusait à donner toute consistance collective à la trahison ? «Ces quatre ans furent un long rêve impuissant d'unité», notait Sartre dans *Situations III* (1949) : la Résistance, fille de 1789, rêvait d'achever l'unification de la nation. Les réalités lui rappelèrent que ce volontarisme révolutionnaire n'aurait pas cours. Car la parole et l'action collaboratrices, l'acceptation massive de Vichy s'étaient fondées sur un lit de silence [8]. Et si la «France profonde» n'était pas en 1944-1945 aussi innocente qu'elle voulait le croire en se débarrassant de sa propre image que lui renvoyaient les victimes de l'épuration ? «Le pays, un jour, devra connaître qu'il est vengé», promettait le général de Gaulle dès 1943. Les Français, eux, préférèrent se reconnaître avec lassitude dans une République qui ne sera ni une ni indivisible, comme eux-mêmes. Parce que, notait alors J.-M. Domenach, «c'était comme si on avait peur de l'ampleur même du crime [9]».

Notes

1. Cf. Y. Durand et R. Vivier, *la Libération des pays de la Loire*, Hachette, 1974, p. 226-229.

2. Cf. F. L'Huillier, *la Libération de l'Alsace*, Hachette, 1975, p. 176-181.

3. Cf. E. Dejonghe et D. Laurent, *la Libération du Nord et du Pas-de-Calais*, Hachette, 1974, p. 182-185.

4. *Bulletin de l'IFOP*, n° 8, 16 février 1945. Tous les chiffres de sondages proviennent de ce *Bulletin* (sept. 1944-décembre 1945).

5. A. Camus, *Actuelles*, Gallimard, 1950, p. 212-213.

6. Publiée aux Éditions de Minuit. Réédition en 1968, coll. « Libertés nouvelles », J.-J. Pauvert, avec un dossier de la controverse.

7. Discours du général de Gaulle du 12 octobre 1945.

8. P. Ory, *Les Collaborateurs (1940-1945)*, Éd. du Seuil, 1977, p. 273.

9. « Y a-t-il une justice en France ? », n° spécial d'*Esprit*, août 1947, p. 191.

Pour en savoir plus

Sur le contexte.

Cl. Lévy, *La Libération, remise en ordre ou révolution?*, PUF, coll. «Documents histoire», 1974.

J.-P. Rioux, *La France de la Quatrième République*, t. 1, *l'Ardeur et la Nécessité, 1944-1952*, Éd. du Seuil, coll. «Points-Histoire, Nouvelle histoire de la France contemporaine, t. 15», 1980.

Sur l'épuration en général.

R. Aron, *Histoire de l'épuration*, Fayard, 1967, 1969, 1974 et 1975.

M. Baudot, «La Résistance française face aux problèmes de répression et d'épuration», *Revue d'histoire de la Deuxième Guerre mondiale*, n° 81, janvier 1971, p. 23-47, et «La répression de la collaboration et l'épuration politique, administrative et économique», dans *La Libération de la France*, Actes du colloque de 1974, CNRS, 1976, p. 759-813.

P. Guiral, «L'épuration administrative dans le Sud-Est en 1945», *Les Épurations administratives aux XIXe et XXe siècles*, Genève, Droz, 1977.

P. Novick, *The Resistance versus Vichy. The Purge of Collaborators in Liberated France*, New York, Columbia University Press, 1968 ; trad. fr., Balland, 1985 (préface de J.-P. Rioux).

Aspects particuliers.

C.-L. Foulon, *Le Pouvoir en province à la Libération*, Presses de la Fondation nationale des sciences politiques, 1975 (l'action des commissaires de la République).

Histoire générale de la presse française, t. IV, *1940-1958*, PUF, 1975 (bilan de l'épuration par Claude Bellanger).

A. Latreille, *De Gaulle, la Libération et l'Église catholique*, Éd. du Cerf, 1978 (l'épuration du personnel ecclésiastique).

La Libération de la France, collection dirigée par Henri Michel, Hachette, 1973-1975, 17 vol. (les variantes régionales).

L. Noguères, *La Haute Cour de la Libération (1944-1949)*, Éd. de Minuit, 1965.

11

Les nationalisations

1944-1945

Jean-Charles Asselain

«*Tout bien, toute entreprise dont l'exploitation a ou acquiert les caractères d'un service public national ou d'un monopole de fait doit devenir la propriété de la collectivité.*» Le préambule de la Constitution d'octobre 1946, en énonçant ce principe général, semble fixer au législateur le programme — et les limites — des nationalisations futures. En fait, il marque plutôt un point final : la grande vague des nationalisations qui a déferlé à partir de l'automne 1944 est désormais presque étale, et l'unanimité apparente de la Libération contre les «grandes féodalités financières» — dont on trouve ici comme un dernier écho — n'est déjà plus alors qu'un souvenir.

L'avance réalisée en moins de deux ans par le secteur public est cependant impressionnante. Les Charbonnages, l'électricité, le gaz sont passés en totalité sous le contrôle d'entreprises nationales. Dans le domaine des transports, outre la SNCF dont la nationalisation remonte à 1937, la sphère de l'économie publique va des compagnies aériennes (Air France) ou maritimes (la «Transat») jusqu'à la RATP. La Banque de France (simple «réorganisée» en 1936), les 4 principales banques de dépôts, 34 compagnies d'assurances ont été nationalisées en quelques mois. Dans le domaine proprement industriel, l'État fabrique des automobiles et construit des avions. L'emploi public au sens large représente, vers 1948, 3 millions de personnes — un quart des salariés hors agriculture — et les entreprises d'État fournissent 14% de la production industrielle. Seule en Europe occidentale, la Grande-Bretagne, au terme des nationalisations travaillistes, aura vers le début des années 50 un secteur public plus étendu que la France. Mais la dénationalisation ultérieure de la sidérurgie anglaise n'a pas eu d'équivalent en France : les contours du secteur public français ne vont pratiquement plus varier dans leurs grandes lignes jusqu'au seuil des années 80.

L'édifice a donc «tenu», et trois décennies écoulées devraient suffire pour permettre un jugement objectif. Pourtant, la signification historique des nationalisations d'après-guerre demeure aujourd'hui matière à controverse.

Prémices...

Mutation imprévisible, rupture soudaine avec les tendances antérieures du développement capitaliste ? Certes non. L'intervention économique de l'État, son implication directe dans tout effort d'équipement d'envergure nationale sont des faits aussi anciens en France que la construction des chemins de fer. Chacune des épreuves que traverse le pays — guerre de 1914-1918, dépression des années 30, mobilisation de 1938, prélude à une véritable économie de guerre — marque un nouveau jalon dans le développement d'un dirigisme qui culminera sous l'Occupation avec les comités d'organisation de Vichy. Même le retour à des circonstances «normales», au lendemain de la victoire de 1918, ne s'était nullement accompagné d'un désengagement économique de l'État : la naissance et les progrès continus de l'«économie mixte» sont déjà une caractéristique majeure de l'entre-deux-guerres. L'État subventionne largement les compagnies aériennes, avant de devenir en 1933 actionnaire minoritaire d'Air France. La même année, il renfloue la Compagnie générale transatlantique. Il contribue directement — à travers, par exemple, la Compagnie du Rhône — aux investissements hydroélectriques les moins rentables. Il prend à sa charge les risques de la prospection pétrolière. Les institutions bancaires sous contrôle public regroupent déjà en 1936 — en y incluant la Banque de France, le Crédit agricole, la Caisse des dépôts et consignations — les deux tiers du montant total des dépôts. Ainsi, l'État entre les deux guerres fait-il peu à peu, selon l'expression de B. Chenot, «son apprentissage d'actionnaire [1]». L'interpénétration entre la haute administration et le monde des affaires prend alors des formes de plus en plus variées. Tandis que les conseils d'administration des sociétés privées se peuplent d'anciens fonctionnaires, les grands intérêts économiques exercent sur le pouvoir politique une influence assez forte pour orienter à leur profit l'«interventionnisme» étatique. Et, du même coup, se renforce dans un large secteur de l'opinion le refus d'un type de coexistence qui aboutit systématiquement à la «socialisation des pertes», tout en préservant les profits privés : le problème chronique des déficits ferroviaires constitue à cet égard la meilleure illustration.

« *Exproprier les expropriateurs* » ?

C'est donc par une sorte de réaction défensive — plutôt que comme prélude à l'«expropriation des expropriateurs» — que s'est introduit le thème des nationalisations. Il revient à plusieurs reprises dans les congrès radicaux depuis 1901. Jules Guesde, au contraire, s'y oppose résolument au congrès de la SFIO en 1910 — et les communistes ne se feront pas faute de rappeler, au lendemain de la Libération, que les nationalisations sont «des revendications non pas de caractère socialiste, mais de caractère démocratique, souvent réclamées depuis un demi-siècle par des hommes totalement étrangers au socialisme[2] ». Ce raccourci n'a qu'un tort : il passe sous silence le tournant historique intervenu à la suite de la Première Guerre mondiale. La CGT (depuis son congrès de 1919) et la SFIO défendent désormais de concert un vaste programme de nationalisations. Sous le nom de «nationalisation industrialisée» (néologisme forgé pour exprimer le refus de tout étatisme), la CGT s'est ralliée en 1920 à une formule de gestion tripartite associant les représentants du personnel et des usagers à ceux de la puissance publique. L'ensemble préfigure de loin le programme qui sera finalement appliqué à la Libération.

Longtemps combattue comme réformiste par la CGTU et le parti communiste, jugée le plus souvent inopportune par les radicaux, acceptée avec plus de réticences encore par les catholiques (la position de principe énoncée en 1931 dans *Quadragesimo Anno* sera bientôt assortie de tant de restrictions qu'on peut s'interroger sur sa portée réelle), la revendication des nationalisations mettra un quart de siècle à frayer son chemin. La naissance des premières entreprises nationales avait été presque accidentelle : de même que l'État, dès avant la guerre de 1914, avait hérité de l'exploitation d'un réseau de chemins de fer particulièrement déficitaire, de même le retour de l'Alsace à la France lui donne l'occasion de reprendre à son compte l'exploitation des potasses. L'heure des nationalisations délibérées aurait pu sonner une première fois avec la victoire du Front populaire. « Nous incarnons par excellence les idées de nationalisation et d'organisation collective — rappelleront en 1945 les socialistes[3] [...]. A la veille des élections de 1936, c'est notre insistance qui fit inscrire les nationalisations dans le programme commun du Rassemblement populaire. » Qu'elles y figurent, oui sans doute, mais avec quelle discrétion ! Vincent Auriol, par exemple, s'en est expliqué en 1938 devant ses camarades socialistes de Haute-Garonne[4] : si la SFIO a renoncé à faire prévaloir son propre programme de nationalisations, incluant les chemins de fer, les assurances, les mines et les sociétés de distribution électrique, c'est devant le double refus de ses partenaires radicaux et communistes, qui se rejoignent paradoxalement sur ce point à partir de positions opposées. Même la réforme de la Banque de France, destinée à faire échec au pouvoir des « 200 familles », ne prend pas la forme d'une nationalisation. L'échange des actions contre des titres de rente, initialement prévu, a été écarté. La seule nationalisation sous le ministère Blum sera celle des industries de guerre : la loi du 11 août 1936 donne au gouvernement la faculté de procéder par décret à des expropriations, qui concerneront notamment — au début de 1937 — une grande partie des industries aéronautiques. Nationalisations particulièrement respectueuses, au reste, des règles traditionnelles relatives à l'exportation et à l'indemnisation (la procédure s'ouvre par un inventaire et une estimation rigoureuse des biens expropriés), mais qui suffit à susciter de violentes protestations.

Le projet de création de la SNCF, non prévu au programme et qui pourrait constituer le premier symptôme d'une « dynamique de nationalisations », rencontre bien davantage encore de résistances, à un moment où la droite a eu le temps de se ressaisir. Le décret-loi préparé en juin 1937 par le gouvernement Blum est l'un des éléments qui ont directement contribué à sa chute. Mais comment différer davantage l'opération, compte tenu du déficit croissant, dont la charge retombe en tout état de cause sur l'État[5] ? C'est finalement sous le ministère Chautemps que la SNCF est constituée, en 1937, par une convention qui accorde aux compagnies 49 % du capital, une représentation au conseil d'administration et la préservation de leur « domaine privé », seul rentable. La naissance de cette doyenne des grandes sociétés nationales d'aujourd'hui, exemple type de nationalisation sans dimension idéologique ou militante, résume les ambiguïtés de cette période : le statut de société d'économie mixte n'est qu'une façade assurant à l'État la réalité du contrôle. Mais les détenteurs du capital ont réalisé une bonne affaire, et beaucoup l'admettent tacitement. Quant à la société nationale, elle hérite d'un matériel vieilli et d'un personnel pléthorique, dont les droits sociaux acquis dès avant 1937 (notamment en matière de retraite) alimenteront fort injustement les critiques de ses adversaires.

Après la Libération.

L'élan irrésistible des nationalisations au lendemain de la Libération marque une discontinuité manifeste par rapport au processus hésitant d'avant-guerre. Les premières expériences, trop limitées ou trop brèves, ne joueront presque aucun rôle dans le débat. Un rapport de forces entièrement nouveau s'est instauré ; il reflète le bouleversement des conceptions politiques et sociales dominantes qui s'est opéré depuis le choc de 1940.

Pour l'ensemble des courants qui forment la Résistance, la défaite et les compromissions de Vichy ont été une sorte de « révélateur » de la « faillite des classes dirigeantes ». Le ressentiment contre les collaborateurs et les traîtres rejaillit sur l'ensemble des milieux d'affaires, profiteurs de la catastrophe après en avoir été, pour une large part, responsables. « Le désastre et la trahison, déclare en 1942 le général de Gaulle dans un discours largement diffusé, ont disqualifié la plupart des dirigeants et des privilégiés. » Les opinions « anticapitalistes », limitées avant-guerre à la gauche communiste et socialiste, se sont largement diffusées dans tous les milieux de la Résistance, avec bien sûr toutes sortes de nuances et à des degrés très divers. Certains résistants vont jusqu'à une véritable conversion aux idées socialistes — tel Pierre Lefaucheux, ancien ingénieur aux Chemins de fer du Nord, puis directeur dans l'industrie privée, qui écrit en février 1944 : « La faillite du capitalisme n'avait pas été clairement établie par les difficultés économiques de la période 1919-1935. Elle est apparue d'une manière éclatante lorsque toute une partie du patronat de 1940 s'est ruée vers la collaboration[6]. »

C'est du reste bien moins la propriété capitaliste en elle-même qui est mise en cause par la Résistance, que la « dictature » des « féodalités » économiques, le pouvoir des « trusts ». Les nationalisations à entreprendre sont tout naturellement désignées, dans le programme du Conseil national de la Résistance (15 mars 1944), comme « le retour à la nation de tous les grands moyens de production monopolisés, fruits du travail commun ». Ainsi, la gauche n'est plus seule à dénoncer la menace permanente que font peser les « puissances d'argent » sur la souveraineté nationale. « La France nouvelle [...] ne tiendra plus pour licite aucune concentration d'entreprises susceptible de dévoyer la politique économique et sociale de l'État et de régenter la condition des hommes » : c'est le général de Gaulle qui s'exprime en ces termes à Alger le 17 mars 1944, après avoir préconisé quelques mois plus tôt un « système économique et social tel qu'aucun monopole, aucune coalition ne soit en mesure de faire pression sur l'État » (discours prononcé à Londres en avril 1943). L'accusation politique portée contre les monopoles s'accompagne d'une condamnation plus générale encore du « malthusianisme économique » de l'entre-deux-guerres, auquel on les identifie.

Le programme du CNR.

La France de 1944 a devant elle un immense effort de reconstruction : il va de soi que seul l'État est en mesure de conduire cette tâche. Son rôle avait déjà été essentiel après 1918, mais il lui incombera cette fois — c'est l'attente de presque tous les Français — de diriger la reconstruction selon l'intérêt général, au milieu de pénuries sans précédent. Les nationalisations, par-delà leur signification défensive ou punitive, doivent précisément assurer au gouvernement les « leviers de commande », lui permettant de concentrer les efforts et de coordonner les investissements. Les nationalisations de 1944-1946 sont inséparables de l'idée de Plan. De façon à première vue paradoxale, on compte sur les nationalisations pour remédier à la fois aux méfaits de la concentration (les abus de monopole) et aux gaspillages résultant d'une excessive dispersion (les doubles emplois). Ce dernier argument est invoqué notamment à propos de la nationalisation de l'électricité, dont la production était partagée avant-guerre entre 154 sociétés et la distribution entre 1 150 sociétés. La prolifération des succursales bancaires dans les chefs-lieux de canton tient aussi une place assez inattendue dans le débat sur la nationalisation du crédit, et l'on reprochera plus tard à ses auteurs d'avoir exagéré les économies que l'on pouvait attendre de quelques rares suppressions... Cette insistance sur les investissements et sur la rationalisation des structures n'en est pas moins révélatrice d'une nouvelle mentalité, résolument tournée vers le redressement et la croissance économiques.

Quant aux syndicats et à l'opinion ouvrière, ils voient avant tout dans les nationalisations la promesse d'une transformation dans le statut des travailleurs et dans la répartition des pouvoirs au sein de l'entreprise. Le souvenir de la grève de novembre 1938 et des licenciements qui ont suivi son échec demeure très présent. Malgré la méfiance contre toute forme d'étatisme, il paraît exclu que l'État-patron puisse adopter un pareil comportement. Au-delà d'une protection sociale renforcée, il s'agit de promouvoir une « participation » des travailleurs à la gestion (c'est le terme qu'emploie de Gaulle en 1943), ou, mieux, des formes nouvelles de contrôle ouvrier, voire la « remise des grandes entreprises aux communautés de travailleurs », comme le préconisent certains mouvements de Résistance. L'unanimité réalisée sur la formule de gestion tripartite permet assez bien, dans un premier temps, de masquer les divergences sur l'intensité et la nature même de ce contrôle ouvrier.

Le programme du CNR de mars 1944 associe étroitement l'ensemble de ces thèmes. « L'instauration d'une véritable démocratie économique et sociale » (placée en tête du programme économique), « l'intensification de la production nationale selon les lignes d'un plan arrêté par l'État », la nationalisation des sources d'énergie, des mines, des compagnies d'assurances et des grandes banques, « le droit d'accès, dans le cadre de l'entreprise, aux fonctions de direction et d'administration pour les ouvriers possédant les qualités nécessaires », sont présentés selon un enchaînement logique, la rédaction assez floue du dernier point étant seule à dénoter quelque embarras. De l'éventuel conflit entre la prééminence de la direction économique nationale et l'aspiration à des formes nouvelles de gestion ouvrière — point focal du long débat sur les nationalisations au sein du mouvement travailliste britannique —, apparemment peu d'échos. Le problème connexe de l'articulation entre le plan et l'autonomie des entreprises nationales ne semble pas davantage perçu. Là encore, on semble s'en remettre à la formule de gestion tripartite pour tout concilier.

Le programme du CNR est avant tout un témoignage capital sur les aspirations communes de la Résistance, assez fortes pour réunir l'adhésion à un même texte d'un ensemble de courants allant des communistes à Joseph Laniel — mais au prix de multiples ambiguïtés. Certaines se révéleront à partir de novembre 1945, lorsque le programme du CNR devient effectivement le programme commun des forces politiques représentées au gouvernement provisoire ; d'autres, plus tard encore. Mais les antagonismes fondamentaux ont pesé de tout leur poids dès la période cruciale des premiers mois de la Libération, où s'est joué pour l'essentiel le sort des nationalisations.

Nationaliser ou confisquer ?

Qu'il existe alors tout un dégradé des positions les plus révolutionnaires (passage immédiat au socialisme !) aux plus attentistes (faire la part du feu jusqu'au rétablissement d'un nouveau rapport de forces) se comprend facilement. En revanche, la stratégie du parti communiste échappe à tout repérage simple. Elle se traduit par des positions étonnamment flexibles en fonction des événements, donnant à plusieurs reprises l'illusion d'un simple malentendu avec les socialistes, ou parfois d'une sorte de chassé-croisé, mais qui s'inscrivent en réalité dans une logique entièrement différente. Face aux résistants de la SFIO qui revendiquent la paternité des nationalisations (« c'est notre initiative qui les fit insérer dans le programme commun du CNR »), les communistes refusent — selon l'expression qu'emploiera plus tard François Billoux — de les considérer comme des « morceaux de socialisme[7] ». En août 1943, à la réunion du Bureau confédéral de la CGT, les discussions sur le programme d'action pour l'après-guerre achoppent sur la question des nationalisations : faute d'accord sur un texte commun, les délégués de la « tendance Jouhaux » adoptent un programme comportant une longue liste d'entreprises nationalisables (« les industries électriques, pétrolières, sidérurgiques, métallurgiques [...] les entreprises d'édition, de publicité, etc. »), tandis que le texte des délégués communistes observe un silence total sur les nationalisations. L'adoption du programme du CNR, en mars 1944, n'a certainement pas mis fin au désaccord.

Les « observations du parti communiste sur le projet de programme commun présenté par le parti socialiste » (avril 1944) accumulent sur un ton acerbe des griefs de toute nature : les socialistes se voient reprocher aussi bien leur négligence des mesures immédiates (depuis le relèvement des traitements des fonctionnaires jusqu'à « l'aide non moins urgente aux petits rentiers », sans oublier les « mesures réparatrices en faveur du petit et moyen patronat écrasé depuis 1940 »), que les insuffisances de leur programme de nationalisations (« un silence d'or sur la question des banques»... l'omission des trusts de la laiterie... l'absence de position explicite sur l'indemnisation). L'objet du conflit est d'autant plus difficile à cerner que, pour les socialistes, il n'existe de divergence insurmontable sur aucun des points précis évoqués : les communistes se livrent à un mauvais procès d'intentions.

En fait, la clef du comportement du PC réside — paradoxalement — dans sa volonté de tout subordonner à l'«union morale et politique» des Français telle qu'il la conçoit : en abordant les nationalisations exclusivement sous l'angle de la «confiscation des biens des traîtres», il s'agit de développer une dynamique que l'on se garde bien de qualifier de révolutionnaire, mais qui doit permettre d'en finir avec «les saboteurs de 1936-1939», avec «les hommes du Comité des Forges fauteurs de guerre civile», de «liquider les trusts» et d'assurer du même coup «des bases pour l'instauration d'un véritable régime démocratique».

Or précisément, au lendemain de la Libération, les vieux désaccords de principe semblent tout d'un coup dépassés par les événements : les ouvriers, les syndicalistes de toute obédience ne veulent plus des directions capitalistes compromises dans la Collaboration. A la fin de l'été 1944 et au début de l'automne, plusieurs usines d'aviation sont occupées par leur personnel. Des comités d'épuration se forment chez Berliet et chez Simca, et les anciennes directions sont éliminées. Chez Renault, les ouvriers s'agitent et demandent le licenciement des cadres et contremaîtres «collabos». Un comité d'épuration, réunissant des réprésentants des mouvements de Résistance, des syndicats, des partis communiste et socialiste, est créé fin septembre ; tel chef de département particulièrement compromis est destitué à l'issue d'un procès sommaire[8]. Dans le Nord, où les journaux clandestins de la Résistance viennent d'hériter quelques jours plus tôt des locaux et du matériel des organes de la Collaboration, le journal communiste *Liberté* écrit le 21 septembre : «On ne traite pas avec les trusts sans patrie, on les supprime !» Les mineurs réclament l'élimination des compagnies, et procèdent eux-mêmes à des arrestations. Au-delà de la trahison individuelle d'un dirigeant comme Louis Renault, il s'agit alors pour les porte-parole de la CGT de sanctionner la responsabilité collective de tous «ceux qui, travaillant pour l'ennemi, ont poussé à la production, ceux qui ont appelé la police ou la Gestapo contre les ouvriers en grève[9]».

« *La puissance de la France* ».

Confrontés à une intense pression de la base, les pouvoirs locaux ont réagi diversement. Un ministre du MRP — P.-H. Teitgen, en 1946 — se fera plus tard le porte-parole de ceux qui n'ont pas voulu « se servir de l'épuration pour faire des réformes de structures ». Mais, pour l'heure, les socialistes approuvent hautement [10] les « méthodes révolutionnaires » de leur camarade Badiou, maire de Toulouse, qui a pris en régie dès octobre 1944 les services publics jusqu'alors concédés à des sociétés capitalistes. Dans le Midi, les commissaires de la République réquisitionnent les Houillères. Aubrac, à Marseille, bloque les comptes en banque des sociétés et soutient la formation de comités ouvriers de gestion. Dans le Nord, une délégation de métallurgistes des Bouches-du-Rhône venue promouvoir les comités de gestion sera neutralisée par le commissaire de la République Francis Closon. Dès le 16 septembre, cependant, une délégation de mineurs du Nord s'est rendue à Paris pour revendiquer la nationalisation immédiate des Houillères. Il incombe alors au gouvernement provisoire de prendre « à chaud » des décisions lourdes de conséquences.

La position du général de Gaulle à l'égard des nationalisations s'est précisée au fil des événements. Lui-même la présente comme dénuée de tout à priori idéologique. Son seul mobile, c'est « la puissance de la France. Car, aujourd'hui comme il en fut toujours, c'est à l'État qu'il incombe de bâtir la puissance nationale, laquelle, désormais, dépend de l'économie [...]. Tel est à mes yeux le principal motif des mesures de nationalisation, de contrôle, de modernisation [...]. C'est la même intention qui me conduit à promouvoir les travailleurs au rang d'associés responsables [11] ». On ne saurait distinguer plus clairement la fin et les moyens. Il s'y ajoute d'impérieuses raisons d'opportunité. Les circonstances de la Libération sont telles que le parti communiste « a toutes les chances de prendre la tête du pays grâce à la surenchère sociale [...] A moins toutefois que de Gaulle, saisissant l'initiative, ne réalise des réformes telles qu'il puisse regrouper les esprits, obtenir le concours des travailleurs et assurer, sur de nouvelles bases, le démarrage économique [12] ». Il faut donc trancher d'urgence et sans ambiguïté, quitte à laisser à la future Assemblée le soin de régler ultérieurement les modalités. Au terme d'un voyage dans les provinces libérées, fin septembre 1944, le contact des foules du Nord achève de persuader de Gaulle. Son discours de Lille, le 1ᵉʳ octobre, annonce la «prise en main par l'État de la direction des grandes richesses communes».

Et, de fait, les décisions se succèdent à une cadence rapide : dès le 10 septembre, un premier arrêté réglant la procédure d'épuration dans les Charbonnages du Nord ; le 27 septembre, la création par le Conseil des ministres d'un groupement des «exploitations minières du Nord et du Pas-de-Calais» ; le 11 octobre, la suspension des directeurs des anciennes compagnies ; le 13 décembre, l'ordonnance instituant les Houillères nationales du Nord et du Pas-de-Calais. Si au même moment, dans l'ensemble du pays, la réaffirmation de l'autorité gouvernementale fait échec aux «nationalisations sauvages», la confiscation de Gnome et Rhône et des usines Renault — donnant naissance respectivement à la SNECMA et à la Régie Renault — reste acquise. Cette première vague de nationalisations, conduite dans l'improvisation et hors de toutes préoccupations juridiques, préfigure à bien des égards le développement ultérieur du secteur nationalisé.

Le «cas» Renault.

Le cas de Renault est exemplaire. Robert Lacoste, ministre de la Production industrielle, a dans un premier temps hésité, envisageant d'abord de placer à la tête de l'entreprise nationale André Costes, député communiste de Boulogne-Billancourt, puis E. Perrin, responsable de la section CGT des cadres de l'usine. Son choix se porte finalement sur Pierre Lefaucheux, résistant de l'OCM, dont les thèses développées quelques mois plus tôt dans *Passage au socialisme* annoncent avec une précision stupéfiante l'esprit dans lequel il remplira sa mission aux usines Renault. Adversaire déterminé de l'appropriation privée des moyens de production, base de l'exploitation capitaliste, il approuve sans réserve la perspective de voir le patron propriétaire de son affaire céder la place à un capitaine d'industrie désigné pour sa compétence, tandis que disparaîtront «une poussière d'affaires techniquement mal outillées». L'entreprise nationale de l'avenir devra se conformer *«aux directives du plan de production»* et coopérer étroitement avec l'instance nationale «chargée de gérer financièrement l'entreprise France». Encore faut-il se garder du péril majeur que constitue l'«étatisation» et son corollaire, le lamentable «esprit fonctionnaire».

Pierre Lefaucheux croit non seulement nécessaire, mais

bénéfique « une longue période de transition pendant laquelle le capitalisme et le socialisme fonctionneront en parallèle dans des secteurs d'ailleurs très imbriqués ». Il se prononce catégoriquement contre la nationalisation de secteurs entiers, qui tuerait la concurrence, particulièrement indispensable dans les industries jeunes en pleine évolution. « Socialiste » par nature, l'entreprise nationale adoptera néanmoins une organisation « très voisine de nos sociétés anonymes ». Le recrutement des nouveaux personnels s'efforcera d'opérer une symbiose entre les éléments issus des grands corps, de l'industrie privée, du commerce et de la banque. Ce texte est écrit en février 1944. Le problème le plus brûlant que Pierre Lefaucheux doit résoudre dès sa nomination, le 4 octobre 1944, est celui de l'épuration : il la conduit avec mesure, soucieux avant tout de rassurer la masse des cadres. L'expérience des années suivantes devait montrer tout l'écart avec les idéaux de 1944 : « Ce n'est pas cela qu'ils rêvaient, ce n'est pas cela que j'avais rêvé moi-même », reconnaît en 1952 Pierre Lefaucheux. Mais elle a montré aussi ce dont est capable l'entreprise publique lorsque, pour une fois, en vertu d'un accident historique, la nationalisation intervient dans une industrie en pleine vitalité et fortement concurrencielle : la plus « aberrante » des nationalisations s'est révélée viable.

Dans l'immédiat, cependant, le sort des nationalisations se joue bien davantage dans les Houillères, point chaud de l'actualité sociale et clef du redressement économique. L'élimination des anciennes directions n'a pas mis fin aussitôt aux grèves spontanées. L'agitation persiste contre les ingénieurs et les porions accusés de collaboration, menaçant dangereusement les rendements. Mais désormais la CGT est aux côtés du gouvernement. Son influence, avant même d'être consacrée institutionnellement [13], devient déterminante, en progrès notable même parmi les cadres. Les communistes, malgré les déceptions (insuffisances de l'épuration, principe de l'indemnisation des compagnies), s'engagent de plus en plus à fond dans la « bataille de la production », affrontant tous les risques d'impopularité. Au printemps 1945, la situation demeure critique : les débrayages se multiplient et la Chambre syndicale des Houillères de France, relevant la tête, se prépare à diffuser une plaquette sur la situation dans les Charbonnages du Nord, dans l'espoir de couper court à l'extension des nationalisations.

Divergences socialistes-communistes.

Tandis que le directeur des Houillères et Robert Lacoste hésitent à accorder le renvoi des agitateurs, exigé par François Closon, les dirigeants du parti communiste multiplient voyages et interventions dans la région. Le point culminant de leur engagement sera le discours « historique » de Maurice Thorez devant les mineurs de Waziers, le 21 juillet 1945 : « Produire, produire et encore produire, faire du charbon, c'est aujourd'hui la forme la plus élevée de votre devoir de classe, de votre devoir de Français. » Le général de Gaulle, qui avait déclaré sans ambages « prendre à l'essai » hauts fonctionnaires et ministres communistes, peut alors s'estimer satisfait. Une telle attitude implique naturellement une « pause » générale sur le front des nationalisations. Ainsi, dès janvier 1945, Jacques Duclos fustige devant le Comité central « certains plans de nationalisation des usines de plus de 50 ouvriers, qui ne sont pas faits pour créer la confiance indispensable ».

De nouveau, un fossé profond s'est creusé entre les communistes et les socialistes, qui voient avec amertume « échapper cette occasion unique dans [notre] histoire de faire aujourd'hui la révolution par en haut et dans l'ordre [14] ». Leurs critiques visent en premier lieu les modalités des nationalisations qui viennent d'être réalisées par ordonnance — l'absence de conseil de gestion tripartite chez Renault, la décision de laisser aux anciennes compagnies houillères leurs activités annexes rentables.

Mais surtout les socialistes s'inquiètent de cette « socialisation au compte-gouttes », de ces retards qui brisent l'élan des nationalisations et donnent au patronat le temps de se ressaisir : « Confier, même temporairement, la reconstruction de l'économie à ses dirigeants d'hier, c'est leur restituer, en fait sinon en droit, leur puissance d'antan, donc leur permettre de s'opposer aux socialisations différées », écrit Jules Moch dans *le Populaire* du 5 janvier 1945. « Une révolution qui attend est une révolution qui avorte. » Poser le problème en ces termes, c'est bien sûr ouvrir la voie à un débat public, où les propositions socialistes ne sauraient rallier l'unanimité. Mais, comme le dira à l'été 1945 Léon Blum dans un contexte un peu différent, « il vaut mieux effrayer les électeurs que les duper, écarter des milliers de voix que les grouper dans l'équivoque ».

Les socialistes, cependant, ne sont pas isolés. Un futur dirigeant du MRP comme Maurice Schumann n'est pas loin alors de partager leurs appréhensions. Le souvenir des grandes déceptions du Front populaire pèse de tout son poids, et c'est presque du désarroi qu'exprime Paul Rivet au lendemain de son retour à Paris : « Je sentais que cette période de plasticité serait courte, exactement comme en 1936, et que l'argile se durcirait vite [15]. »

Or, pour une fois, entre le printemps et l'automne 1945, le cours des événements paraît démentir ces craintes. Le général de Gaulle, ayant réussi à conserver la maîtrise des opérations, n'entend nullement se soustraire à ses engagements : « Oui, désormais, c'est le rôle de l'État d'assurer lui-même la mise en valeur des grandes sources d'énergie : charbon, électricité, pétrole, ainsi que les principaux moyens de transport, ferrés, maritimes, aériens [...] C'est son rôle d'amener lui-même la principale production métallurgique au niveau indispensable. C'est son rôle de disposer du crédit, afin de diriger l'épargne nationale vers les vastes investissements » (discours du 2 mars 1945 à l'Assemblée consultative).

Six semaines plus tard, nouveaux engagements, plus restreints, mais plus précis et datés, qui ont valeur de programme : « Avant la fin de l'année, l'État [prendra] sous sa coupe la production du charbon et de l'électricité et la distribution du crédit, leviers de commande qui lui [permettront] d'orienter l'ensemble de l'activité nationale [16]. » Le MRP, réuni en Conseil national, vient de confirmer son adhésion au programme de nationalisations du CNR, en précisant qu'elle est dictée uniquement par des considérations d'efficacité. Dans les difficiles tractations entre SFIO et PC, les nationalisations tiennent apparemment peu de place, tant l'élaboration d'un texte commun pose peu de problèmes au milieu de multiples sujets de discorde. L'Assemblée consultative émet à plusieurs reprises des votes de principe, et se sépare sur l'adoption d'un projet de nationalisation du gaz et de l'électricité.

Dans le public, les premiers sondages de l'IFOP révèlent une majorité indiscutable d'opinions favorables, y compris parmi les cadres supérieurs et les professions libérales. A quelques dizaines d'exceptions près, tous les députés à l'Assemblée constituante seront élus sur un programme mettant les nationalisations en bonne place. Les radicaux et la plupart des « modérés » s'en tiennent à des réserves discrètes, et le patronat — comme en 1936 — a les meilleures raisons, dans l'immédiat, de ne pas lancer une contre-offensive vouée à l'échec.

Rebondissements.

Et pourtant, la voie des « nationalisations par la loi » ne sera dégagée pour de bon, en novembre 1945, qu'après une dernière série de rebondissements dramatiques. L'accord sur les nationalisations, point d'ancrage du programme commun aux trois grands partis — PC, SFIO, MRP —, risque une fois de plus d'être submergé par les affrontements politiques globaux, au centre desquels se trouve le parti communiste. Conflit d'abord avec le général de Gaulle, sur l'organisation provisoire des pouvoirs publics : débordant le thème précis du référendum, les communistes accusent de Gaulle de ne pas vouloir appliquer le programme du CNR (Roger Garaudy, membre du Comité central, lui reproche à La Rochelle d'avoir « préféré la confiance des banques et des trusts à celle du peuple »).

Conflit déconcertant, ensuite, entre les trois grands partis. Déconcertant, puisque tous les points essentiels semblent réglés. Le « programme des gauches » fixe une longue liste de nationalisations (y compris les mines de fer et la sidérurgie, la marine marchande, l'industrie des métaux légers, de l'air liquide, du ciment, des explosifs, etc.), pose le principe de l'indemnisation par de simples titres viagers et de la gestion par des représentants des travailleurs et de l'intérêt général. Le MRP, invité à souscrire après coup à ce programme, y adhère presque aussitôt, le 10 novembre, confirmant son « accord au fond dans l'esprit de la Charte du CNR ». Il accepte telle quelle la liste des nationalisations [17].

C'est alors que Maurice Thorez, excipant des revendications immédiates non satisfaites (« les 1 000 francs par mois » pour tous les travailleurs des services publics) et, en fait, mettant en doute la loyauté de ses partenaires, déclare refuser un accord qui n'aurait pas la clarté nécessaire. La réaction des socialistes ressemble fort à une mise en demeure : « Les délégués communistes nient l'évidence, à savoir que les ' trois grands ' sont d'accord pour réaliser d'amples réformes, telles que les nationalisations [...]. Que nos camarades communistes y réfléchissent : si les promesses faites aux travailleurs n'étaient pas promptement réalisées, ils en porteraient la responsabilité. »

Le 12 novembre, la situation se dénoue brusquement... pour rebondir presque aussitôt sur un nouveau conflit, opposant le général de Gaulle aux communistes sur l'attribution d'au moins un des trois « grands » ministères (Affaires étrangères, Intérieur, Défense nationale). L'épisode est trop connu pour qu'il soit nécessaire d'y revenir ici, mais l'issue nous intéresse directement. Décidé à «offrir seulement des ministères économiques» à ses ministres communistes, mais prêt à les leur offrir tous (Économie nationale, Travail, Production, Armement), de Gaulle confie à l'un d'entre eux — Marcel Paul, ministre de la Production industrielle — la responsabilité de conduire les nationalisations au nom du gouvernement. Cette nouvelle phase du processus démarre aussitôt, dès la fin novembre 1945.

En quatrième vitesse.

Les grandes nationalisations de 1945-1946 — crédit et assurances, gaz et électricité, ensemble des Houillères — ont été l'œuvre de la première Assemblée constituante, avant et après le départ du général de Gaulle. En marge de sa mission principale — élaborer une Constitution —, l'Assemblée a adopté une série de textes essentiels resserrés sur une période très brève, entre décembre 1945 et mai 1946, et à des majorités écrasantes, puisque l'opposition modérée ne réunit qu'une soixantaine de voix. Le rythme est donné dès la discussion du premier projet concernant les nationalisations bancaires : le vendredi 30 novembre 1945, le projet est admis au bénéfice de la procédure exceptionnelle d'urgence, il est discuté en commission jusqu'à l'aube du dimanche 2 décembre, voté le jour même et publié au *Journal officiel* le 3.

Une pareille cadence, sans exclure un débat sérieux au fond, n'a pas été sans inconvénient : les juristes relèveront l'ambiguïté de certaines formules improvisées, témoignage de l'incompétence juridique du législateur. Le retard dans la sortie des décrets d'application (certaines dispositions demeureront lettre morte des années durant) constitue un facteur aggravant, lié sans aucun doute à la précipitation et aux équivoques initiales. Le contraste est frappant, en tout cas, avec le rythme bien plus posé des nationalisations britanniques, échelonnées entre mars 1946 et février 1951. Les nationalisations françaises présentent un caractère indiscutablement plus «politique» que celles du gouvernement travailliste. Leurs auteurs communistes et socialistes ont voulu opérer dans les plus brefs délais une transformation irréversible, sans laisser à leurs adversaires le temps de se ressaisir. L'ampleur de la majorité parlementaire ne doit pas faire illusion. L'unanimité sur le programme, chargée d'arrière-pensées et de suspicions mutuelles, fera place, après le départ du général de Gaulle, à des oppositions ouvertes [18] : devant les objections des socialistes et du MRP au projet de nationalisation du gaz et de l'électricité élaboré par Marcel Paul, le Bureau politique du parti communiste menace, en mars 1946, de retirer les ministres communistes, et le différend se clôt par un compromis qui ne résout pas l'essentiel.

La fixation des «frontières» du secteur public constituait, bien entendu, le premier enjeu. Mais les options essentielles, à cet égard, n'ont guère été explicitées. Le programme du CNR et la plupart des programmes élaborés à la Libération comportaient un «noyau» central de nationalisations prioritaires — concernant l'énergie, les transports, le crédit — et diverses extensions, revendiquées avec une conviction inégale et dont la liste est d'ailleurs fluctuante. Seul le «noyau», repris à son compte par le général de Gaulle, aura été finalement réalisé — au moins dans ses grandes lignes.

Les banques d'affaires, notamment Paribas et l'Union parisienne, échappent à la nationalisation d'extrême justesse, de même que les banques de dépôts autres que les quatre plus importantes et une partie des compagnies d'assurances. Ainsi se cristallisent pour longtemps, par un «miracle» qui doit beaucoup à de Gaulle et contre toute logique apparente, les contours du secteur public financier. En revanche, l'ensemble EDG-GDF, les Charbonnages de France, comme la SNCF ou la RATP, forment des «blocs» clairement délimités. Les transports maritimes et aériens, pour leur part, seront dotés d'une organisation souple, selon des formules d' «économie mixte» héritées d'avant-guerre. Leur sort a été fixé pour l'essentiel en 1948, dans un climat politique qui n'a déjà plus rien à voir avec celui de la Libération. La sidérurgie est la grande absente des nationalisations françaises d'après guerre (alors que toutes les conditions semblaient réunies : haut degré de concentration, vieillissement technique, gros effort d'investissements lourds à entreprendre) : l'élan des nationalisations était déjà bien trop affaibli au terme de la première étape pour permettre d'envisager pareille extension.

Il faut souligner enfin la volonté politique très ferme de Marcel Paul de ne pas laisser s'instaurer un climat d'incertitude [19] qui aurait mis en danger les nationalisations en cours. Le 19 février 1946, le ministre de la Production industrielle déclare au *Figaro* : «Toute liberté va être laissée à l'initiative privée [...]. Le patronat doit penser à produire, et à ne pas se laisser prendre aux campagnes qui essaient de l'affoler en le prétendant menacé. Aucune industrie de transformation ne se trouve en péril de perdre sa liberté. » La délimitation fort claire que propose Marcel Paul (« secteur nationalisé : les industries à monopole ; secteur libre : les industries de transformation ») constitue alors un argument particulièrement efficace à l'appui de ses propos rassurants.

Indemnisation et spoliation.

Le problème de l'indemnisation est aussi l'enjeu de débats passionnés. L'heure n'est certes plus aux confiscations (du type Renault), encore que la loi du 16 mai 1946 confirme celles qui sont intervenues à l'égard des entreprises de presse. Une fois l'indemnisation admise pour la nouvelle série de nationalisations — et les communistes ne s'y opposent plus —, reste à en fixer les principes et les modalités. Une indemnisation totale, selon le principe retenu en Grande-Bretagne, signifierait par définition même que l'on renonce à toute implication « redistributrice » des nationalisations. Communistes et socialistes au contraire préconisent une indemnisation partielle en titres viagers. MRP et modérés s'en tiennent aux règles traditionnelles de l'expropriation, qui avaient d'ailleurs été respectées par le Front populaire. L'accord se fait sur un compromis [20], prévoyant en général l'indemnisation sur la base de la valeur moyenne des cours de la bourse en 1944-1945, sous forme d'obligations amortissables en cinquante ans à intérêt de 3 %.

Ces modalités devaient soulever des récriminations prolongées. D'abord, en raison de la base de référence choisie : les cours de 1944-1945 étaient profondément déprimés, ne serait-ce qu'en raison des perspectives de nationalisation. L'inflation n'a pas tardé, d'autre part, à réduire au-delà de toutes les prévisions la valeur réelle de l'indemnisation accordée, aussi bien en termes de capital qu'en termes de revenu. La « spoliation » imposée de ce fait aux anciens actionnaires ne différait pas fondamentalement, il est vrai, de celle qu'ont subie l'ensemble des titulaires de valeurs à revenu fixe. Toutefois, les retards apportés à l'indemnisation (le versement des intérêts ne commence qu'à l'été 1947, et la remise des obligations elles-mêmes en 1949 ou 1950) ont constitué un facteur supplémentaire d'exaspération.

Enfin, la diversité des modalités aboutit, dans le détail, à des inégalités de traitement choquantes. L'importance de la clause particulièrement généreuse attribuant aux anciens actionnaires 1 % du chiffre d'affaires de l'EDF, assortie d'un versement

équivalent au profit du Conseil central des Œuvres sociales
— double « manne » destinée à croître régulièrement avec
l'expansion de la production —, semble être passée largement
inaperçue à l'époque.

De même, les problèmes cruciaux de l'organisation des
entreprises nationalisées, de leur situation à l'égard du pouvoir
politique et de leur place dans l'économie nationale n'ont pas
été posés plus clairement en 1946 qu'en 1944, lors de l'élaboration du programme du CNR. Le refus de l'étatisme et de la
fonctionnarisation revient dans tous les discours comme une
incantation. La formule de composition tripartite des conseils
d'administration (un tiers de représentants de l'État, un tiers de
représentants du personnel, un tiers de représentants des
usagers) se présente comme une solution toute faite où chacun
trouve son compte. Elle s'accommode d'ailleurs d'étranges
glissements : ainsi, dans le cas des banques nationalisées, le
conseil sera formé de 4 membres désignés par le ministère des
Finances, de 4 membres désignés par les organisations syndicales (dont 2 représentants du personnel) et 4 membres censés
représenter les usagers, désignés par le ministère de l'Économie
nationale parmi les organisations de producteurs, en laissant
entièrement de côté les déposants. Mais surtout on évite de
s'interroger sur l'influence du conseil face à la direction —
autrement dit, sur la réalité du pouvoir au sein de l'entreprise
nationalisée.

Même ambiguïté persistante au sujet du contrôle de l'État et
du degré d'autonomie du directeur à son égard. En fait le débat
s'est essentiellement polarisé, lors de la nationalisation de
l'électricité et du gaz[21], sur les problèmes d'organisation
interne. Le projet de Marcel Paul, accepté par le général de
Gaulle, constamment défendu par la CGT, est d'inspiration
ouvertement centralisatrice : « L'électricité, c'est l'armée de la
reprise économique française [...]. L'armée a un commandement unique [...]. Il faut considérer le problème de l'électricité sous l'aspect d'une mobilisation [...]. On doit mobiliser
avec férocité tous les moyens énergétiques[22]. »

Les contre-propositions des socialistes et du MRP vont au
contraire dans le sens de la décentralisation, en séparant le Gaz
de France de l'Électricité de France, en prévoyant la création
de 6 sociétés régionales autonomes et en préservant le droit de
regard des collectivités locales. Le thème de la décentralisation
avait certes de quoi rassurer ceux qui s'inquiétaient des
perspectives de « communisation[23] » de l'EDF. Mais, par leur

acharnement, les adversaires de Marcel Paul s'exposaient à une triple critique : ils faisaient le jeu de la droite [24], qui avait alors tout à espérer d'un enlisement du débat ; ils avaient mal choisi leur terrain d'attaque, les arguments techniques en faveur de la centralisation étant particulièrement forts dans le cas de l'électricité ; et ils avaient frôlé la rupture pour n'obtenir en fin de compte que de simples concessions de principe [25], sans garanties réelles.

Désillusion.

Car ce sont les mesures d'application, bien plus que les textes législatifs, qui ont donné leur véritable physionomie aux nationalisations. Ainsi, l'Électricité et le Gaz de France sont demeurés de longues années sous une même direction, avec une gestion très centralisée. Les décrets qui devaient instituer des établissements publics régionaux ne sont pas sortis. Obstruction de la part de Marcel Paul ? Mais la situation reste la même lorsque Robert Lacoste lui succède en novembre 1946. Et l'on pourrait citer d'autres exemples de blocages : le Statut des mineurs (décret de juin 1946) reste sans équivalent sauf pour les électriciens et gaziers.

D'où une situation extrêmement variable d'un secteur à l'autre, tant du point de vue de la relève des hommes que des méthodes de gestion. Ce sont les banques nationalisées qui offrent à tous égards l'image la plus saisissante de la continuité, au point que la raison d'être des nationalisations semble complètement perdue de vue [26]. Au contraire, dans les secteurs les plus concernés par les purges de la Libération — constructions aéronautiques, Charbonnages —, le fonctionnement des entreprises nationales apparaît, vers 1946, fortement politisé. L'influence de la CGT est alors à son zénith : ses responsables, proches du parti communiste, siègent dans les conseils d'administration des Houillères comme représentants non seulement des travailleurs, mais aussi des consommateurs et parfois de l'État. Le Statut des mineurs comporte l'institution de « comités paritaires », auxquels toute sanction individuelle est soumise, et qui interviennent dans les promotions de l'ensemble du personnel. Ils ne tarderont pas à être dénoncés comme une menace pour la discipline et le respect des hiérarchies. Entre le cas des banques et celui des Houillères, chacune des grandes entreprises nationales — presque toutes marquées par la forte personnalité de leur premier directeur — constitue un cas d'espèce.

Toutes subiront pourtant le contrecoup des événements politiques de 1946-1948. Les laborieux débats du printemps 1946 annoncent déjà la fin du processus. La seconde Constituante ne procédera qu'à une seule nouvelle nationalisation, celle de la RATP. Les sondages reflètent clairement la désillusion de l'opinion à l'égard des nationalisations. Désillusion durable, à en juger par la campagne des élections de 1951, où ni les communistes ni les socialistes ne proposent plus de nouvelles nationalisations (contrairement aux Trade Unions britanniques à leur congrès de 1952).

Si le « reflux » ne prend pas la forme de dénationalisations, il affecte profondément la vie de certaines entreprises nationales, à partir de l'exclusion des ministres communistes au printemps 1947. Les syndicats à direction communiste, qui pendant plus de deux ans avaient « pris des risques » pour limiter les revendications salariales, sont dès lors à la pointe des grèves. Les grandes grèves de novembre-décembre 1947 et d'octobre 1948 ont précisément comme principal foyer les entreprises nationalisées, où la CGT est le mieux implantée. Les positions se durcissent selon un engrenage irréversible. Les décrets pris par Robert Lacoste en septembre 1948 pour réduire les pouvoirs des commissions paritaires contribuent à déclencher les grèves d'octobre. Des cadres de la CGT, placés à des postes de responsabilité dans la direction des entreprises nationales, font figure de meneurs de grèves. Après l'échec de ces grèves, la « dépolitisation » des conseils d'administration est à l'ordre du jour : elle signifiera souvent l'élimination de la CGT, indépendamment de la compétence dont ses représentants avaient pu faire preuve, dans des entreprises où elle est majoritaire au sein du personnel. La composition des conseils est aussi plusieurs fois modifiée à partir de 1948, notamment par l'introduction en 1953 d'une nouvelle catégorie de « personnalités désignées en raison de leur compétence industrielle et financière ». Ainsi s'annonce une nouvelle phase dans l'histoire des entreprises nationalisées, caractérisée par une « osmose » progressive entre leur direction « technocratique » et les milieux d'affaires.

Le pouvoir dans l'entreprise.

Le jugement le plus favorable porté sur les nationalisations françaises de la Libération est sans doute celui du général de

Gaulle : « En l'espace d'une année, les ordonnances et les lois promulguées sous ma responsabilité [auront apporté] à la structure de l'économie française et à la condition des travailleurs des changements d'une portée immense, dont le régime d'avant-guerre avait délibéré en vain pendant plus d'un demi-siècle. La construction est, semble-t-il, solide puisque ensuite rien n'y sera ajouté, ni retranché[27]. » Pourtant les appréciations sévères dominent. Souvent inspirées par des positions idéologiques opposées, elles se rejoignent néanmoins pour dénoncer, dans l'ambiguïté originelle de ces nationalisations, le germe de l'échec : « Présentées comme des lois de circonstances, votées dans le silence des principes et soutenues par quelques déclarations contradictoires, les nationalisations consacrent une révolution qui n'a pas voulu dire son nom [...]. Le sens économique de la nationalisation s'est dilué dans [un] dirigisme vague [...]. La nationalisation n'a donc gardé ni la portée politique, ni la portée économique qui lui était assignée à la Libération[28]. »

Que le destin des nationalisations de 1944-1946 ait largement échappé au contrôle de leurs auteurs n'interdit pas d'en tirer quelques enseignements clairs.

Les implications sociales des nationalisations ont provoqué presque aussitôt une déception à la mesure des espoirs de la Libération. L'illusion d'une amélioration matérielle immédiate du simple fait de la nationalisation, loin de constituer une circonstance favorable, faisait peser dès le départ une menace virtuelle. Mais, en outre, l'objectif de démocratie dans l'entreprise, déjà relégué au second plan dans les textes, a été de plus en plus abandonné ; et, pour les ouvriers, le directeur est resté le patron (et il n'a pas tardé à le redevenir pour les responsables de la CGT).

Prétendre que les nationalisations n'ont eu *aucun* effet social serait une exagération manifeste. A court terme, les nationalisations ont contribué à préserver la « paix sociale » — au sens où l'entendait le général de Gaulle — dans une période critique : entre août 1945 et février 1949, malgré le retournement politique de 1947, on compte 8 millions de jours de grève seulement dans l'industrie contre 265 millions durant la période correspondante du premier après-guerre. A long terme, il est à peine nécessaire de rappeler la différence de climat social entre la Régie Renault et les autres constructeurs automobiles (et son rôle par exemple dans l'allongement des congés payés).

Mais la formule des conseils d'administration tripartites appliquée à la plupart des nationalisations de 1944-1946 doit être

202 La France de 1939 à nos jours

considérée, dans son principe même, comme une solution illusoire. Ou bien, en effet, on vise un simple objectif de « participation » : c'est alors non par le sommet, mais par la base — dans le cadre de l'atelier ou de l'établissement — qu'il serait raisonnable de commencer, à l'instar des entreprises nationalisées britanniques. Ou il s'agit bien d'un objectif de démocratie économique au sens fort : dans ce cas, la simple adjonction d'un conseil ne saurait suffire à la transformation des rapports de pouvoir, qui doit constituer le cœur de la réforme. Ou enfin, on admet qu'il incombe à l'entreprise nationalisée de contribuer au « progrès social » essentiellement à travers les gains d'efficacité qu'elle réalise : il est alors illogique de diluer les responsabilités.

« Nationalisation des pertes, privatisation des profits. »

Le bilan économique des entreprises nationalisées est positif, malgré quelques cas de mauvaise gestion durant la phase initiale (la SNECMA, en 1948, doit être confiée pour réorganisation à un administrateur provisoire). Le dynamisme des entreprises nationalisées se lit d'abord sur les courbes de production. La « bataille du charbon » est gagnée dès 1946, au prix de recrutements exceptionnels et d'une baisse temporaire des rendements. Mais ces derniers vont à leur tour se redresser. Les gains de productivité dans les autres secteurs, pour n'être pas directement mesurables, sont néanmoins spectaculaires. De 1947 à 1957, le nombre d'emplois diminue de 125 000 à la SNCF, de 24 000 à l'EDF-GDF, de 113 000 aux Charbonnages de France.

Cette évolution — bénéfique dans une économie où le plein emploi est assuré — reflète un effort de modernisation et d'équipement sans précédent. Les entreprises nationales prennent une part déterminante à la relance des investissements qui, par-delà la reconstruction, devait placer l'économie française sur un nouveau « sentier de croissance ». La mise en chantier des grands barrages hydroélectriques, dès le lendemain de la Libération, est le symbole même de la priorité attribuée au long terme. Le reproche, souvent adressé à l'époque aux entreprises nationales, d'avoir cédé à l'attrait de réalisations techniques prestigieuses, sans égard pour les coûts financiers, n'emporte pas la conviction.

Car l'entreprise nationale placée dans des conditions concurrentielles — Renault en est le prototype — n'a pas mis à son actif une simple réussite «technique» : elle fait la preuve que le dynamisme concurrentiel (inséparable de la contrainte de profit) peut parfaitement être dissocié de l'appropriation privée de ce profit. Quant à minimiser la portée d'un tel succès, en l'expliquant uniquement par l'«environnement capitaliste» dans lequel fonctionne l'entreprise nationale, c'est oublier que Renault a été elle-même l'agent concurrentiel le plus actif de la branche.

Tout autre est la situation des entreprises nationales placées en situation de monopole, soumises à des obligations de service public et dont l'État fixe les tarifs avec comme souci majeur de freiner les hausses. Il est pour le moins paradoxal que l'argument des déficits financiers ait été longtemps utilisé contre les entreprises nationales par le patronat, alors que la prise en charge par l'État des investissements non rentables équivaut à un gigantesque transfert au profit du secteur privé : «Nationalisation des pertes, privatisation des profits.»

Autre chose, en effet, est de renforcer l'efficacité du capitalisme, autre chose d'en changer la nature. Les nationalisations d'après-guerre ont avant tout donné au capitalisme français revigoré l'occasion de faire la preuve de sa capacité d'assimilation. Dès les années 50, le développement des participations financières, la présence de dirigeants du secteur privé dans les conseils d'administration les entreprises nationales, le déroulement des carrières entraînent une interpénétration croissante des deux secteurs. Le patronat cesse peu à peu de considérer comme une menace les entreprises nationales existantes. Ces dernières, sorte de pont entre le secteur privé et la fonction publique, ne jouent pas pour autant le rôle de relais d'une politique économique nationale, comme le déplorait Pierre Mendès France dans son discours d'investiture de 1953.

Parler de «secteur public» est presque un abus de langage, lorsque chacune de ses unités constituantes est à la fois exposée à des interférences ponctuelles du gouvernement et plus ou moins livrée à elle-même pour l'élaboration de sa propre stratégie. L'interdépendance entre le Plan et les nationalisations est pour ainsi dire mise entre parenthèses : l'exemple le plus flagrant en est l'«autonomisation» complète des banques nationalisées, déchargées du paiement de dividendes à des actionnaires privés, travaillant de plus en plus avec des capitaux propres et échappant largement à tout contrôle.

Deux problèmes cruciaux du passage au socialisme — l'articulation entre le Plan et l'autonomie des entreprises, l'articulation entre la responsabilité de la direction et la démocratie dans l'entreprise — ont été les grands absents des débats de la Libération. Les éluder une nouvelle fois serait aller au-devant d'une nouvelle « occasion perdue ».

Notes

1. Cf. « Pour en savoir plus ».
2. *L'Humanité*, 24 janvier 1945 (compte rendu de l'intervention de Jacques Duclos, le 23 janvier 1945).
3. Cf. Alfred Sauvy, *Histoire économique de la France entre les deux guerres*, Fayard, 1967, t. II, p. 285.
4. *Le Populaire*, 3-4 septembre 1945.
5. Le poids relatif (en pourcentage du produit national) des déficits couverts par l'État a plus que septuplé en une dizaine d'années depuis 1925-1929 (cf. F. Caron et J. Bouvier, *Histoire économique et sociale de la France*, dirigée par Fernand Braudel et Ernest Labrousse, PUF, 1980, t. IV, p. 812 (2 vol.).
6. Publié sous le titre « Passage au socialisme » dans les *Cahiers politiques*, mars et avril 1945. Le passage cité figure dans la première partie (n° de mars 1945), p. 47.
7. *Quand nous étions ministres*, Éditions sociales, 1972, p. 115.
8. D'après Patrick Fridenson, dans *la Libération de la France*, Éditions du CNRS, 1976, p. 867-872.
9. Conférence de Benoît Frachon aux cadres syndicaux à Paris, le 10 septembre 1944 (cité par É. Dejonghe et D. Laurent, *la Libération du Nord et du Pas-de-Calais*, Hachette, 1974).
10. *Le Populaire* du 30 janvier 1945 : « Toulouse mène contre les trusts une guerre qu'elle doit gagner. »
11. *Mémoires de guerre*, t. III, *le Salut*, Plon, 1959, p. 98-99.
12. *Ibid.*, p. 95.
13. Instauration par l'ordonnance de décembre 1944 d'un Comité consultatif comprenant 8 représentants des travailleurs sur 24 membres ; nomination ultérieure de Léon Delfosse comme directeur adjoint représentant les syndicats.
14. *Le Populaire*, 1er février 1945.
15. *Le Populaire*, 3 février 1945.
16. Discours radiodiffusé du 24 mai 1945. Peu après, de Gaulle signe l'ordonnance du 26 juin 1945 « portant nationalisation des transports aériens », qui transfère à l'État les actions d'Air France.
17. Le MRP obtient toutefois l'adjonction de deux précisions : « *Le secteur à nationaliser se limite essentiellement aux industries clefs effectivement trustées* » ; la nationalisation portera sur les « *grandes banques de dépôts et d'affaires dont la nationalisation est indispensable au contrôle effectif de la nation sur le crédit* ».

18. Cf. J. Bouvier, « Sur la politique économique en 1944-1946 », dans *La Libération de la France, op. cit.*

19. Bien des socialistes, en 1945-1946, espèrent encore une socialisation progressive « par contagion » — perspective peu réjouissante pour le patronat.

20. Cf. F. Caron et J. Bouvier, *op. cit.*

21. La loi du 17 mai 1946, généralisant la nationalisation des Houillères, a été votée bien plus vite, à l'approche du référendum constitutionnel, et dans une certaine lassitude. Mais les rapports entre les Charbonnages de France et les Houillères de bassin poseront des problèmes analogues.

22. Déclarations devant l'Assemblée constituante, citées par G. Bouthillier, *la Nationalisation du gaz et de l'électricité en France*, Fondation nationale des sciences politiques, 1968, p. 329 et 346 (thèse).

23. *Le Monde*, 26 mars 1946.

24. P. Ramadier, rapporteur socialiste, est alors l'objet de vives attaques de la part de la CGT et des communistes.

25. Sur ce point du moins. Le compromis apporte au MRP des satisfactions tangibles sur l'indemnisation et sur les « frontières » de la nationalisation (exclusion des « usines intégrées »).

26. Cf. H. Laufenburger et B. Ducros, « La nationalisation des banques. Illusions et réalités », *Revue de science et de législation financières*, juillet 1955.

27. *Mémoires de guerre*, t. III, p. 95.

28. B. Chenot, *Les Entreprises nationalisées*, PUF, 3ᵉ éd. 1963, p. 20, 120, 121.

Pour en savoir plus

En français.

G. Bouthillier, *La Nationalisation du gaz et de l'électricité en France*, Fondation nationale des sciences politiques, 1968 (thèse).

J. Bouvier, « Sur la politique économique en 1944-1946 », dans *la Libération de la France*, Actes du colloque de 1974, CNRS, 1976.

B. Chenot, *Les Entreprises nationalisées*, PUF, coll. « Que sais-je ? », 3ᵉ éd. 1963.

P. Dreyfus, *Une nationalisation réussie : Renault*, Fayard, 1981.

Le Fonctionnement des entreprises nationalisées en France, 3ᵉ colloque des facultés de droit, Colin, 1956.

La France en voie de modernisation, colloque de la Fondation nationale des sciences politiques, 4-5 décembre 1981 (contributions de P. Fridenson, C. Andrieu, J.-P. Thuillier).

R. Gaudy, *Et la lumière fut nationalisée*, Éditions sociales, 1978.

A. Lacroix, « La nationalisation de l'électricité et du gaz », *Cahiers d'histoire de l'Institut Maurice-Thorez*, nᵒ 6, 1974.

H. Michel et B. Mirkine-Guetzévitch, *Les Idées politiques et sociales de la Résistance*, PUF, 1954.

Les Nationalisations françaises de la Libération, colloque du Centre de recherches d'histoire des mouvements sociaux et du syndicalisme, 23-25 mai 1984.

C. Stoffaës et J. Victori, *Nationalisations*, Flammarion, 1977.

En anglais.

W. J. Baumol ed., *Public and Private Entreprise in a Mixed Economy*, Londres, Macmillan, 1980.

M. Einaudi, M. Byé, E. Rossi, *Nationalization in France and Italy*, Ithaca (NY), Cornell University Press, 1955.

D. H. Pinkney, « The French Experience in Nationalization », in *Modern France*, E. M. Earle ed., Princeton University Press, 1951.

A. Sturmthal, « Nationalization and Workers Control in Britain and France », *Journal of Political Economy*, vol. LXI, nᵒ 1, février 1953.

12

La bataille de la 4 CV

Patrick Fridenson

Jusqu'en 1944, les modèles que les usines Renault de Billancourt produisent depuis leur fondation, en septembre 1898, par les frères Renault ne dépendent que de décisions économiques et techniques prises avant tout par Louis Renault. Alors que tout dans ses origines le voue à être un patron de type traditionnel — une famille de marchands-fabricants du textile, des études qui ne dépassent pas le baccalauréat —, Louis Renault incarne dans la France du premier tiers du XXe siècle un type nouveau d'entrepreneur, à mi-chemin de l'Amérique. Il répète souvent : « Vivre c'est consommer. » Partisan passionné de la croissance économique, adepte enthousiaste de l'impératif industriel, il a su créer la plus importante entreprise française. Pourtant cet admirateur de Ford ne va pas jusqu'au bout. Sa voiture demeure encore un produit de semi-luxe. En 1935, il se refuse à adopter un modèle franchement populaire, et s'il est impressionné en 1938 par sa découverte de la Volkswagen, au Salon de Berlin, il n'en modifie pas pour autant la gamme de ses productions.

La guerre mondiale et l'occupation allemande vont pousser Renault hors des sentiers battus. Elles font germer l'idée, formulée dès avril 1940, d'un modèle adapté à la pauvreté et à la pénurie d'une « économie d'après-guerre [1] ». D'où résulte le projet d'une petite 4 CV. Mais, précisément, la mise à l'étude de la 4 CV a d'emblée une dimension politique. Ceux qui l'entreprennent en octobre 1940 sont deux résistants, le directeur des études et des recherches des usines Renault, Charles-Edmond Serre, et son principal adjoint, Fernand Picard. Or les autorités allemandes ont précisé aux constructeurs d'automobiles français qu'en vertu du traité d'armistice de juin 1940 toute étude de véhicules nouveaux est formellement interdite.

Par conséquent, préparer la naissance d'un nouveau modèle, c'est, pour Serre et Picard, un moyen parmi d'autres de refuser d'obtempérer à l'occupant. Le bureau d'études de Renault se trouve donc contraint de travailler à la réalisation de la 4 CV dans les conditions de secret les plus totales. La clandestinité reste la règle absolue, aussi bien pour les études préliminaires et les avant-projets que pour la fabrication des maquettes puis du moteur et des deux premiers prototypes. Apparemment en pure perte : lorsque Serre lui présente le prototype 4 CV, au printemps 1943, Louis Renault le condamne sans appel. En effet, son état d'esprit a changé depuis avril 1940 : il ne croit plus à l'avenir de la petite voiture.

Ne pas désespérer Billancourt.

La poursuite du projet n'aurait donc pas été possible sans les circonstances politiques de la Libération. Les partis de gauche et les gaullistes entendent que l'État prenne en main les secteurs clefs de l'économie pour en conduire la rénovation. Ils tiennent aussi à sanctionner les personnes physiques et morales dont l'activité sous l'Occupation a, selon eux, « procuré un avantage à l'ennemi ». Le 27 septembre 1944, le gouvernement de Gaulle décide la réquisition en usage des usines Renault ; le 4 octobre, il leur désigne un administrateur provisoire, Pierre Lefaucheux, et le 16 janvier 1945 paraît l'ordonnance de nationalisation qui crée la Régie nationale des usines Renault. Les héritiers de Louis Renault, qui détenait 96 % du capital de sa société, sont expropriés sans indemnité. L'ordonnance précise : « Les méthodes de production et de vente, n'ayant plus pour fin dernière la prépondérance d'un individu, seront désormais empreintes du souci d'améliorer la fabrication dans l'intérêt du pays et pourront inspirer les autres firmes demeurées propriété privée. » Il s'agit donc de faire de Renault une entreprise témoin. A la prudence de Louis Renault est substitué l'esprit offensif de Lefaucheux, le dynamisme fait homme.

Comme Louis Renault, Lefaucheux, né en 1898 — année où a été fondée l'usine Renault —, est un bourgeois et un grand industriel. Mais sa carrière est différente. Ingénieur sorti de l'École centrale, docteur en droit, il a exercé son activité loin de l'automobile, dans la construction des fours pour usines à gaz. Déployant toute sa hardiesse dans la résistance armée, Lefaucheux a aussi participé à l'élaboration des projets économiques de la Résistance pour l'après-guerre. Critique impitoyable de l'égoïsme et de la sclérose de la bourgeoisie traditionnelle, il aime déclarer : « C'est d'un cœur léger que nous verrons disparaître le patron propriétaire de son affaire et se réaliser son remplacement par un chef d'industrie. » Dès le 9 octobre 1944, il se rend au bureau d'études et, le 10, il décide de faire reprendre les essais et les études arrêtés de la 4 CV, réservant sa décision finale entre la 4 CV et un autre proto-type, beaucoup plus traditionnel, une 11 CV, qu'avait préféré Louis Renault.

Pourtant, là encore, des décisions d'ordre politique supérieur vont intervenir et menacer l'avènement de la 4 CV. Dès la Libération, le directeur adjoint des industries mécaniques et électriques au ministère de la Production industrielle, Paul-Marie Pons, met au point un plan de cinq ans de la construction automobile (1946-1950). C'est le premier plan économique d'après-guerre, même s'il se limite à la reconstitution du parc automobile français. Mais ce n'est pas le seul plan alors consacré à un secteur de l'industrie : l'Administration élabore cette même année 7 autres plans pluriannuels (houillères, barrages hydroélectriques, génie rural, SNCF, marine mar-chande, machine-outil, reconstruction). Lorsque Jean Monnet lance, en 1946, son plan global de modernisation, le Plan Pons lui est intégré, mais doit être révisé peu après. Dans sa version initiale, ce plan prévoit une répartition autoritaire des fabrica-tions entre les différents constructeurs : les modèles, dont le nombre sera réduit, seront produits en plus grandes quantités et coûteront ainsi moins cher. Dans sa première mouture, il élimine totalement Renault du marché des voitures particu-lières, cantonnant la Régie dans les véhicules industriels lourds aux côtés de Berliet, firme alors également placée sous le contrôle de l'État. Une bataille à fronts renversés s'engage de janvier à avril 1945. Lefaucheux, pourtant tout aussi ardent planiste que Pons, lutte contre son ministère de tutelle, avec le soutien unanime des cadres de la Régie Renault, pour faire ins-crire Renault — avec soit la 4 CV, soit la 11 CV — dans la sec-tion voitures particulières du programme Pons. En revanche, tous les constructeurs privés, malgré leur hostilité de principe à la planification, soutiennent le projet Pons car ils espèrent qu'il portera un coup à l'entreprise nationalisée qu'est devenu Renault.

La torpille Porsche.

A la mi-avril Lefaucheux a gagné. Il a obtenu de Pons et du gouvernement le maintien de Renault dans la production des voitures particulières. La Régie est même autorisée à faire simultanément les outillages de la 4 et de la 11 CV. Reste à choisir entre celles-ci, c'est-à-dire entre deux politiques différentes. Sans oublier la possibilité de reprendre à titre transitoire la 6 CV Juvaquatre d'avant-guerre. Pons a seulement fait savoir qu'«il désire tout de même qu'une priorité soit donnée à la 4 CV», mais Renault pourrait, s'il le désire, «obtenir de commencer par la 11 CV».

Le 9 novembre 1945, Pierre Lefaucheux réunit dans son bureau les 18 membres de l'état-major de la Régie pour une conférence destinée à fixer le programme quinquennal des fabrications Renault dans le cadre du plan Pons. Sur ces 18 personnes, toutes — sauf une — étaient déjà en fonction sous Louis Renault. Il en a consulté individuellement 12 dans les deux semaines qui ont précédé la réunion. Les deux tiers de ceux-ci se sont tout naturellement prononcés pour la 11 CV, comme l'avait fait Louis Renault en 1943. Au cours de la conférence, après avoir écouté divers avis, techniques, commerciaux et financiers, Lefaucheux tranche et déclare : «La solution à prendre n'est peut-être pas celle qui est la plus évidente. Il est certain que la fabrication la moins coûteuse eût été celle qui aurait été adoptée avant la guerre. En ce moment, le marché n'est et ne sera plus le même [...]. La 4 CV est bien dans la ligne générale d'évolution du pays et [...] il faut la faire le plus vite possible. Enfin il faut faire la 4 CV en grande série [...]. La seule raison qui nous amène à faire la 4 CV est la question de prix : entretien et première mise. Nous ne pouvons obtenir un prix de vente bas qu'en fabriquant en grande série. Donc il faut éliminer la solution de faire simultanément, au début, la 4 CV et la 11 CV. Il faut porter résolument tous nos efforts sur la 4 CV.» La décision du chef de l'entreprise nationalisée va ainsi à l'encontre des vœux de la majeure partie des cadres hérités de Louis Renault. Mais elle diffère aussi des souhaits de son propre supérieur hiérarchique du ministère de la Production industrielle, Paul-Marie Pons. Dans le cas où Renault opterait pour la 4 CV, Pons lui fixait comme objectif d'en produire 170 000 en cinq ans. Lefaucheux, lui, retient le chiffre de 200 000, soit 18 % de plus que le plan.

La 4 CV conçue par Charles-Edmond Serre et Fernand Picard n'était cependant pas encore au bout de ses difficultés. Le 21 novembre 1945, le socialiste Robert Lacoste, qui avait été un des responsables de la désignation de Lefaucheux à la tête des usines Renault, est remplacé au ministère de la Production industrielle par un communiste, Marcel Paul. Au début de mai, Marcel Paul, sans consulter Lefaucheux (qui, lui, est proche des socialistes), fait venir à Meudon deux prisonniers de guerre allemands, Ferdinand Porsche, le père de la Volkswagen, et son gendre Pieech. Il s'agit d' « essayer d'utiliser au maximum l'expérience acquise par cet ingénieur en matière de construction automobile et de construction d'usines ». Il devait notamment émettre des remarques et des suggestions sur la 4 CV.

En elle-même cette initiative n'a rien d'original. Aussi bien les Anglo-Saxons que les Soviétiques ont utilisé après la guerre les capacités et les talents de savants et d'ingénieurs allemands qu'ils avaient faits prisonniers. Mais, à sa manière, ce geste est significatif de la conception que les communistes se font alors des rapports entre l'État et l'entreprise nationalisée. Le ministre décide, le responsable de la firme nationale exécute. Lefaucheux, fidèle en cela aux positions du reste de la gauche, revendique son libre arbitre de chef d'entreprise. Il dénie donc aussitôt à Porsche le droit de « porter un jugement sur la 4 CV ». Limitation à laquelle ne consentit Marcel Paul qu'en juillet 1946. De même Lefaucheux réussit à empêcher des réunions de travail sérieuses jusqu'à l'automne, moment où Porsche doit constater : « L'état d'avancement de l'outillage de série rend maintenant impossibles d'éventuelles modifications de quelque importance. » Dès lors, il se borne à indiquer des « remarques de détail sur la 4 CV ». Il est vrai qu'on est alors à cinq jours de la présentation de la nouvelle voiture à la presse. Le même ministre Marcel Paul, qui a essayé la 4 CV en septembre, accorde à Lefaucheux un soutien somme toute restreint : « Je vous fais confiance, mais sachez bien que si cette affaire était un fiasco je vous en tiendrais responsable [...]. Il y a aussi une bataille de la petite voiture. Je souhaite que Renault la gagne, car c'est une régie nationale. » On comprend que l'état-major de Renault ait accueilli sans tristesse le départ de Marcel Paul du ministère de la Production industrielle le 28 novembre 1946. A la fin de janvier 1947, Renault obtient du socialiste Robert Lacoste, qui, succédant à Marcel Paul, est redevenu ministre de la Production industrielle depuis le 17 décembre 1946, l'éloignement de Porsche et de Pieech aussitôt réincarcérés à Dijon.

Les otites de « la puce ».

Le 12 août 1947, la première 4 CV de série quittait les chaînes de montage de l'île Seguin à Billancourt. 1 105 499 autres exemplaires allaient suivre, jusqu'en juillet 1961. Renault, devenu dès 1945 le premier constructeur français, reste grâce à la 4 CV largement en tête, place que la Régie devait conserver durant de longues années. En 1950, la production de Renault dépassait celle de Citroën de 63 %, celle de Peugeot de 114 %, celle de Simca de 325 %.

Cette reprise foudroyante de la production automobile française avait deux raisons principales. L'état du parc automobile d'abord : la guerre avait provoqué la destruction de 30 % des voitures. Celles qui subsistaient avaient un âge moyen supérieur à douze ans, et une proportion importante des véhicules était en mauvais ou très mauvais état. Bien entendu, le prix des voitures d'occasion — les seules disponibles — était devenu prohibitif. Les motivations de beaucoup de Français ensuite : ils avaient le désir de rouler à bon compte malgré les restrictions d'essence. Un ingénieur de Renault, Paul Pommier, le souligne : « Il faut bien se rappeler que, dès après la défaite de juin 1940, il ne fut plus question de circuler en voiture, sauf autorisation tout à fait extraordinaire : six ans, sept ans, huit ans de privation, soit par réquisition légale, soit par réquisition arbitraire, soit par manque de carburant, soit par interdiction ministérielle pure et simple de rouler avaient fait naître des désirs exacerbés de redécouvrir les joies de la voiture, mais surtout de la petite voiture, car six ans de guerre, plus une sévère défaite [...] avaient notablement amputé les pouvoirs d'achat. »

D'où l'intérêt très vif qu'ont suscité les premières 4 CV dans le public, provoquant des attroupements dès qu'elles s'arrêtaient dans une rue. Ainsi Paul Pommier, étant allé en 4 CV faire des achats aux Galeries Lafayette en août 1946, trouva « plusieurs centaines de curieux, d'envieux, agglutinés autour de la voiture » et dut faire appel à la police afin de pouvoir accéder au véhicule au milieu des questions qui fusaient de la foule. Cependant ces réactions favorables de l'opinion se teintaient d'un léger scepticisme envers deux des caractéristiques les plus nouvelles des 4 CV : ces voitures « semblaient

minuscules », elles « intriguaient avec leur moteur à l'arrière »,
comme l'a bien noté l'ingénieur Marcel Tauveron. La taille de
la 4 CV, la place de son moteur ont été les thèmes d'une
multitude d'histoires, qui ont circulé de bouche à oreille. Elles
ont fait de la 4 CV une des cibles favorites des caricaturistes
et des chansonniers. Dans une caricature, par exemple, un
client demandait au vendeur qui, le capot avant levé, lui vantait
le volume de l'emplacement réservé aux bagages : « Mais il n'y
a pas de moteur ? » et se voyait répondre : « Mais pourquoi
voulez-vous un moteur ? Il n'y a pas d'essence ! » Dans son
monologue le chansonnier Jean Rigaux racontait : « L'autre jour
ma femme rencontre une amie en panne, contemplant son
moteur d'un air navré. ʿT'en fais pas, ma chérie, lui dit ma
femme qui a une 4 CV, j'ai un moteur de rechange dans la
malle arrière.ʾ » La 4 CV recevait des surnoms sans complaisance : « le hanneton », « la puce », « la petite motte de beurre ».
Mais peu à peu la voiture conquit la sympathie de l'opinion,
comme en témoigne la chanson du chansonnier Edmond Meu-
nier.

Cependant, certains des brocards lancés contre la 4 CV
n'étaient pas innocents. Ils s'inscrivaient dans une campagne
de dénigrement contre la nationalisation. Dans une caricature,
devant le capot arrière levé pour montrer le moteur, un bon
bourgeois disait à sa compagne : « Regarde, on voit bien que
Renault est nationalisé. Quel gaspillage ! Il donne maintenant
en plus un moteur de rechange. » Couramment, il était affirmé
que la Régie Renault ne payait pas d'impôts, et pas davantage
ses cotisations à la Sécurité sociale, qu'elle ne subsistait que
par les subventions gouvernementales. Bref, elle coûtait fort
cher aux contribuables. On racontait encore, tout aussi faussement, que si le prix de la 2 CV Citroën, lancée en 1948, avait
été fixé aussi haut par le gouvernement, c'était à la demande
de la Régie qui sans cela n'aurait pu écouler sa production. Ou
bien il se disait qu'il fallait claquer tellement fort les portes de
la 4 CV, pour parvenir à les fermer, que cela provoquait à
l'intérieur du véhicule une surpression génératrice d'otites. En
mal comme en bien, l'opinion établissait donc nettement le lien
entre le statut d'entreprise nationalisée et cette 4 CV dont la
production allait sans cesse croissant.

A l'assaut des Américains et des Russes.

C'est bien son statut d'entreprise nationalisée qui permit à

Renault de s'adapter facilement à ces niveaux de production sans précédent en France.

D'une part, jouant un rôle de pointe dans l'industrie française, la Régie nationale avait les coudées plus franches pour innover dans le domaine technique et commercial. Le lancement de la 4 CV donna lieu à un véritable bond en avant de la mécanisation et de l'outillage avec l'apparition de machines automatiques : les machines-transferts. Les progrès ainsi réalisés furent l'œuvre de grands ingénieurs comme Pierre Debos, Pierre Bézier, Paul Pommier. De même, la diffusion de la 4 CV fut préparée par la création — pour la première fois chez un constructeur d'automobiles français — d'un service d'études de marché, confié à Georges Toublan.

D'autre part, la Régie disposait d'un atout majeur : l'enthousiasme de son personnel. Ce que Lefaucheux appelait «une mystique de la nationalisation chez les ouvriers, qui ont fondé sur elle des espoirs vagues et précis tout à la fois, qui y ont vu l'amélioration prochaine de leur sort matériel, et l'élévation de leur personnalité». A quoi s'ajoutait l'idéal productiviste de la CGT : «Nous pensons qu'il est nécessaire que les usines Renault deviennent une entreprise moderne, bien équipée, avec une production d'un haut rendement, susceptible d'égaler les meilleures entreprises américaines et soviétiques.» Il y a bien un lien indissoluble entre la 4 CV, telle qu'elle a vu le jour, et la nationalisation de Renault. Mais la volonté qu'avait Lefaucheux d'étendre le marché ne lui était pas propre.

Entendons-nous bien : les grands constructeurs français seraient de toute façon venus, un jour ou l'autre, à la petite voiture. Les véhicules de petites cylindrées s'étaient développés au cours des années 30 dans les gammes de constructeurs anglais, italiens et allemands. En France, le plan Pons, dès octobre 1944, prévoyait la fabrication en série d'une voiture 4 CV par les sociétés Panhard et Simca. Il s'agissait alors du prototype conçu par l'ingénieur Grégoire, à partir duquel a été réalisée la Dyna Panhard[2]. C'est du reste un argument que Lefaucheux n'a pas manqué d'utiliser durant la réunion du 9 novembre 1945 : «Nous ne serons pas seuls à faire des 4 CV. Panhard et Simca vont en faire aussi et il y a des positions à prendre par la première qui sortira.» De même il serait absurde d'attribuer surtout à des considérations politiques le choix fait par Lefaucheux en faveur de la 4 CV. Lui-même, nous l'avons cité, raisonne d'abord en termes de prix de vente du produit fabriqué. Les conditions de l'économie française et l'appauvrissement de la clientèle ne permettraient pas à un modèle cher de se vendre en grandes quantités. Or Lefaucheux entendait convertir son entreprise (et l'industrie française) à la production de masse, aux méthodes « américaines » de construction. Il adoptait donc la 4 CV car elle se vendrait facilement, ce qui rendrait possible l'amortissement rapide du nouveau matériel, indispensable pour passer à la grande série[3].

« La liberté de réussir. »

Il n'en paraît pas moins établi que, sans la nationalisation, Renault n'aurait pas pris si vite le tournant de la petite voiture et que la 4 CV figurerait peut-être dans la centaine de prototypes qui n'ont jamais vu le jour. Or sa fabrication par une entreprise nationale a donné en fait à la 4 CV une double valeur symbolique. Sur le plan technique, Lefaucheux disait, en 1947, sa fierté de présenter « une fabrication en grande série, utilisant des procédés entièrement conçus par ses ingénieurs et ses techniciens, d'une voiture également sortie tout entière de nos bureaux d'études et de nos services d'essais ». Sur le plan économique, c'était l'entreprise nationalisée qui allait permettre aux Français d'accéder à la consommation de masse. Lefaucheux l'annonçait dans sa conférence de presse du 26 septembre 1946, juste avant le premier Salon de l'auto d'après-guerre : « Il faut que disparaisse cette notion vraiment périmée de l'automobile objet de luxe restant l'apanage des privilégiés de la fortune [...]. La totalité de notre effort se portera [...] sur une voiture agréable, certes, mais susceptible, par son bas prix d'achat, son coût réduit d'entretien et sa faible consommation en essence, d'être accessible à des couches d'acheteurs qui doivent s'étendre au fur et à mesure que se reconstituera le pouvoir d'achat des Français. » Dès 1946, « augmenter le bien-être général en mettant l'automobile à la portée du plus grand nombre » figurait au troisième rang des « buts principaux » que Lefaucheux assignait à la Régie nationale. Il faut dire que les ouvriers ne formaient, en 1929, que 2 % des acheteurs de voitures neuves en France, alors qu'ils représentaient 45 % du marché théorique. Cependant l'évolution défavorable du pouvoir d'achat de 1946 à 1948 ne leur permit pas d'accéder immédiatement à la voiture. Ce n'est qu'à partir de 1949 qu'ils devinrent un élément de plus en plus essentiel de la clientèle. En 1955, ils constituaient 16 % des acheteurs de voitures neuves en France, et 38 % des acheteurs de 4 CV.

Encore a-t-il fallu, pour que la 4 CV puisse voir le jour, qu'il ne s'agisse pas d'une nationalisation de type étatiste, jacobin et centralisateur. Il y avait, en effet, désaccord à la Libération entre les organisations issues de la Résistance sur les rapports qui devaient exister entre l'État et les nouvelles entreprises nationales. Pour les communistes, la majorité des cégétistes et les gaullistes, les entreprises publiques devaient être étroitement subordonnées à l'État. En revanche, la gauche non communiste et les centristes du MRP voulaient leur accorder une grande latitude d'action face à l'État. Si le PDG de la Régie Renault, Lefaucheux, a pu tenir tête à des interlocuteurs aussi différents que Paul-Marie Pons et Marcel Paul, c'est parce que l'ordonnance de nationalisation avait reconnu à la Régie Renault une très large autonomie de gestion. Cette situation favorable n'était pas due à la seule action de Pierre Lefaucheux durant la préparation de l'ordonnance. Elle portait aussi la marque de Pierre Mendès France, ministre de l'Économie nationale, qui avait fait prévaloir le 16 novembre 1944 le point de vue suivant lequel « il appartient au directeur général d'organiser lui-même sa gestion comme il l'entend[4] ». Ce que le successeur de Lefaucheux, Pierre Dreyfus, devait appeler en 1977 « la liberté de réussir ».

La 4 CV Renault a donc été rendue possible par la rencontre de techniciens inspirés et d'une nationalisation douée d'une large autonomie. Elle ouvrait la voie à la consommation de masse, car l'augmentation du pouvoir d'achat des Français intervenue à partir de 1949 a été en priorité consacrée à l'achat de voitures. Première des petites voitures qui ont permis à notre pays de se doter d'équipements de fabrication en grande série, la 4 CV a aidé la France à quitter une société de pénurie où les élites de tous les bords ne voyaient de salut que dans l'accroissement de la production. Elle est une des clefs de la modernisation de la société française.

Notes

1. Archives nationales, 91 AQ 4, note interne de la direction de Renault, 11 avril 1940.

2. J. Grégoire, *50 ans d'automobile*, Flammarion, 1974, p. 401-421.

3. J.-M. Six, *Nationalisation : restructuration capitaliste et gestion ouvrière*, Université Paris-X Nanterre, 1975, p. 52-53 (mémoire de DES de sciences économiques).

4. Archives nationales, F[60] 897, compte rendu de la séance du Comité économique du gouvernement du 16 novembre 1944.

Pour en savoir plus

J.-P. Bardou, J.-J. Chanaron, P. Fridenson, J.-M. Laux, *La Révolution automobile*, Albin Michel, 1977 (livre général, fondamental).

J. Borgé et N. Viasnoff, *La 4 CV*, Balland, 1976 (la 4 CV en photos et en anecdotes).

P. Dreyfus, *Une nationalisation réussie : Renault*, Fayard, 1981 (autobiographie de l'ancien patron de Renault).

P. Fridenson, *Histoire des usines Renault*, Éd. du Seuil, 1972, t. 1 (la seule histoire de Renault fondée sur les archives de la firme).

G. Hatry, *Louis Renault patron absolu*, Lafourcade, 1982 (la seule biographie complète de l'industriel).

R. F. Kuisel, *Le Capitalisme et l'État en France. Modernisation et dirigisme au XXe siècle*, Gallimard, 1984 (l'histoire de relations décisives).

P. Müller, *Ferdinand Porsche, un génie du XXe siècle*, Éd. Christian, 1980 (biographie du constructeur Porsche).

F. Picard, *L'Épopée de Renault*, Albin Michel, 1976 (Mémoires d'un dirigeant de l'entreprise).

P.-M. Pons, *Programme quinquennal de l'industrie automobile française*, La Documentation française, 1945.

É. Seidler, *Le Défi Renault*, Denoël, et Lausanne, Edita, 1981 (Renault depuis 1944, beaucoup d'illustrations).

Et surtout la revue semestrielle *De Renault Frères, constructeurs d'automobiles, à Renault Régie nationale*, publiée par la Section d'histoire des usines Renault depuis 1970 (27, rue des Abondances, 92100 Boulogne-Billancourt).

13

Quand la CED divisait les Français

René Rémond

C'est une idée reçue et qui paraît vérifiée par une longue expérience : la politique étrangère n'intéresse pas l'opinion française, l'électeur ne se mobilise que pour les débats de politique proprement interne. Toute règle a ses exceptions. Entre 1935 et 1939, les problèmes extérieurs — de la guerre d'Éthiopie à la guerre d'Espagne, des Sudètes à Dantzig — avaient suscité d'ardentes controverses et divisé les partis. Mais rien n'a égalé l'âpreté de la querelle qui s'est élevée sous la IVe République à propos du projet de Communauté européenne de défense (CED). Raymond Aron a dit alors qu'elle avait été la plus grave querelle idéologique de la France depuis l'affaire Dreyfus. Elle culmina dans le débat parlementaire d'août 1954, mais elle dominait la vie politique depuis plusieurs années et elle pesa lourdement sur le destin de la IVe République, peut-être autant, à tout prendre, que les guerres coloniales.

La grande peur en Europe.

Cette querelle surgit sur une toile de fond dont la trame se dessinait depuis 1947. Tout a effectivement débuté avec les prodromes de la guerre froide : la décision de réarmer l'Allemagne est la conséquence, éloignée mais inéluctable, de la rupture de la solidarité qui avait uni les Alliés contre l'ambition hégémonique de Hitler. Le « coup de Prague » — qui, sous la pression des milices ouvrières et avec la bénédiction de l'Union soviétique, fait basculer la Tchécoslovaquie dans le camp des démocraties populaires — jette l'alarme dans toute l'Europe occidentale qui redoute la conjonction de la subversion et de l'invasion par l'Armée rouge. Le général de Gaulle, qui mène alors une vive campagne contre les «séparatistes» — c'est le nom dont il affuble les communistes —, use d'une image saisissante pour rendre perceptible à ses auditeurs l'imminence du péril : la frontière française n'est qu'à deux étapes du Tour de France cycliste de la zone d'occupation soviétique.

Épuisés par la guerre, incapables d'opposer une force quelconque à l'envahisseur éventuel, les pays d'Europe occidentale sollicitent la protection des États-Unis et acceptent leur *leadership*. Le Pacte atlantique, signé le 4 avril 1949 et qui allie les deux rives de l'Océan dans un système commun, procède directement de cet état d'esprit. Le réarmement de l'Allemagne est alors formellement exclu. Le ministre français des Affaires étrangères, Robert Schuman, déclare : «L'Allemagne n'entre pas dans le Pacte, elle n'a pas d'armée et ne peut en avoir.» Seul, le directeur du *Monde*, Hubert Beuve-Méry, montre une prescience étonnante en écrivant que «le réarmement allemand est contenu dans le Pacte atlantique comme le germe dans l'œuf». Sur le moment, la prophétie lui vaut une pluie de démentis. Dix-huit mois plus tard, elle sera devenue réalité.

Dans l'intervalle, un fait nouveau est venu bousculer le *statu quo* et a fait passer sur l'Europe de l'Ouest un vent de panique. Au matin du 25 juin 1950, le monde apprend soudain que les troupes de la République populaire de Corée, dans la mouvance de Moscou, ont franchi le 38e parallèle qui séparait en deux la Corée, et envahi la Corée du Sud, placée dans l'orbite des États-Unis. L'équilibre précaire défini par les accords entre les Grands est remis en question pour la première fois depuis la fin de la guerre. Comme il paraît inconcevable que la Corée du Nord ait pris cette initiative sans l'assentiment de Staline, n'est-ce pas une présomption que l'URSS est résolue à étendre sa domination et ne reculera pas, le cas échéant, devant l'éventualité d'une troisième guerre mondiale ? L'Europe occidentale ne peut opposer la moindre résistance à une irruption des armées soviétiques. Le seul pays qui dispose d'une armée, la France, est empêtré dans une guerre coloniale en Indochine : son fer de lance, immobilisé à 12 000 kilomètres dans les rizières du Tonkin, va subir en octobre 1950 ses premiers revers avec la chute de toutes les positions qui bordent la frontière de Chine. L'assistance militaire américaine devient donc une nécessité plus impérieuse encore [1].

A la session du conseil atlantique de septembre 1950, les États-Unis mettent le marché en main : ils proposent de réarmer l'Allemagne. Il serait absurde de se priver de son concours. Ce serait aussi une erreur économique : pourquoi faire reposer le fardeau des armements exclusivement sur les vainqueurs ? Si l'Europe n'avait pas le bon sens d'associer à l'effort de guerre l'Allemagne de l'Ouest — qui vient de se doter d'un gouvernement —, les États-Unis seraient contraints de réviser leur stratégie et de laisser les pays européens sans protection. La Grande-Bretagne se rallie sur-le-champ à la proposition américaine et les autres gouvernements en font bientôt tous autant. L'Alliance donne ainsi la priorité au danger communiste sur le péril allemand.

Danger soviétique ou péril allemand ?

Seule la France refuse de choisir entre les deux menaces et s'oppose au réarmement allemand. L'obstacle est autant psychologique que politique : impossible, cinq ans à peine après la Libération, de consentir au réarmement de la puissance qui l'a envahie, occupée, pillée à trois reprises en soixante-quinze ans. Les ministres français opposent donc un refus obstiné aux exigences des États-Unis. Mais ils sont totalement isolés : les autres ministres leur reprochent de compromettre la sécurité du continent. Les représentants de la Grande-Bretagne ont des mots sévères, et les dirigeants socialistes des pays scandinaves font chorus. Dans cette position délicate, nos représentants cherchent d'abord à gagner du temps : ils obtiennent que la décision soit renvoyée à une rencontre fixée au 28 octobre 1950. Ce n'est qu'un sursis de courte durée. Il faut à tout prix ne pas revenir les mains vides : c'est une nécessité absolue de reprendre l'initiative en proposant une solution de rechange. Ce sera le projet Pleven de Communauté européenne de défense.

L'idée, comme celle du plan Schuman, énoncée le 9 mai précédent, a été soufflée par Jean Monnet, celui que le général de Gaulle appelle « l'inspirateur ». Elle transpose à la défense le principe qui a inspiré la constitution de la Communauté européenne du charbon et de l'acier. Au lieu de laisser l'Allemagne reconstituer une armée nationale dont elle pourrait user à des fins douteuses, on intégrera les soldats allemands dans des unités multinationales. Ainsi on ne se privera pas d'un appoint précieux et l'Allemagne contribuera à l'effort commun. D'une contrainte imposée par les circonstances et la pression de ses alliés, la France fait l'amorce de la construction d'une Europe unie. Le germe sera définitivement extirpé de l'antagonisme franco-allemand. Après la CECA la CED édifiera l'unité du continent. Mais, dans un cas, on met en commun du charbon et de l'acier, dans l'autre des unités combattantes : la différence est décisive. Elle explique les résistances que va rencontrer le projet de CED.

L'ambiguïté des intentions, qui concourent à la naissance du projet, jouera aussi un rôle déterminant dans la controverse : simple manœuvre de retardement, pis-aller pour contenir les inconvénients du réarmement allemand, ou chance historique de réaliser l'unité de l'Europe ? L'équivoque initiale se dissipera avec le temps et ces interprétations contradictoires se heurteront avec la dernière violence. D'autant qu'en souscrivant au principe du réarmement allemand, le gouvernement français s'est engagé sur un chemin où il devra aller de concession en concession. Par exemple, le projet primitif prévoyait que la constitution d'unités homogènes composées de soldats allemands ne dépasserait pas le niveau du bataillon : au fil des négociations et sous la pression des nécessités tactiques le niveau sera relevé du bataillon au régiment, puis au *combat team*, équivalent approximatif d'une brigade ; puis, en dernier lieu, les négociateurs français devront se résigner à la formation de divisions complètes sous drapeau et commandement allemands. La France, toujours aussi isolée devant la détermination américaine, épaulée par l'unanimité de ses partenaires, et la revendication de l'Allemagne qui entend monnayer l'appui dont on a besoin contre le rétablissement de sa souveraineté et l'égalité de traitement avec ses partenaires, est acculée à livrer un combat en retraite au cours duquel l'idée initiale se dégrade progressivement.

Signer n'est pas ratifier.

La première phase de ce drame à rebondissements se conclut, pour la France, par un débat à l'Assemblée nationale : une courte majorité — 327 voix contre 287 — autorise le gouvernement que préside Edgar Faure à poursuivre les pourparlers et formule un certain nombre d'exigences portant sur des garanties à inscrire dans les textes définitifs (19 février 1952) : entre autres, participation de la Grande-Bretagne pour équilibrer la présence de l'Allemagne et éviter un tête-à-tête franco-allemand ; subordination de l'organisation militaire à une autorité politique qui la coiffe. Le gouvernement d'Antoine Pinay poursuit les pourparlers qui aboutissent le 27 mai 1952 à la signature de deux traités : l'un restitue à l'Allemagne l'égalité des droits, l'autre constitue la CED.

Nos interlocuteurs peuvent, à bon droit semble-t-il, tenir l'affaire pour réglée. Pourtant rien n'est encore définitif : par une subtilité des usages diplomatiques, la signature n'engage pas encore un gouvernement. C'est la ratification qui donne force exécutoire à un traité ; elle seule lie les contractants. Or les gouvernements français se donnent le mot pour différer le débat de ratification. L'attente va durer plus de deux années : René Mayer promet dans sa déclaration d'investiture de ne pas poser la question de confiance sur la CED, pour ménager le groupe gaulliste dont l'appoint lui est indispensable pour former une majorité. Son successeur, Joseph Laniel, ne se presse pas davantage. Ces atermoiements, dont les raisons profondes leur échappent, exaspèrent les partenaires de la France et aggravent leur dissentiment. John Foster Dulles menace les Européens d'une « révision déchirante ». Les alliés occidentaux ne ménagent pas aux représentants français affronts et rebuffades : à la rencontre des Bermudes, on omet de jouer *la Marseillaise* à l'arrivée du président Laniel ; Churchill lui tourne ostensiblement le dos, affectant de témoigner plus d'intérêt à la chèvre mascotte de l'unité qui rend les honneurs. De telles humiliations confirment certains dans leur hostilité à un projet qu'ils considèrent comme une ingérence des États-Unis dans la politique française. Claude Bourdet titre son éditorial de *France-Observateur :* « C'est Cambronne qu'il nous faut ! »

La discorde dans les partis.

Les gouvernements sont condamnés à cette tactique dilatoire par l'incertitude où ils sont de pouvoir réunir une majorité pour la ratification. Le projet d'armée européenne a, en effet, jeté le trouble dans l'opinion et la discorde dans les forces politiques. Les partis associés au pouvoir ne sont pas unanimes, plusieurs sont même divisés. Aucune question n'a autant mis à l'épreuve sous la IVe République la cohésion des blocs et la discipline interne des formations politiques : parce que aucune question ne soulevait autant de passions ni ne présentait autant d'interprétations contradictoires.

Trois partis seulement n'ont pas de troubles de conscience : deux sont hostiles au projet, le parti communiste et le RPF du général de Gaulle ; le troisième lui est acquis sans réserves : le

Mouvement républicain populaire. Opposition communiste et opposition gaulliste n'obéissent pas tout à fait aux mêmes considérations. Le général de Gaulle n'estime pas que le danger de guerre vienne des États-Unis alors que le parti communiste incrimine, lui, l'impérialisme américain : n'a-t-il pas été un des premiers à dénoncer la menace de subversion communiste et à mettre en garde contre les ambitions de l'URSS ? Le parti communiste, inconditionnellement solidaire de l'Union soviétique et de sa politique extérieure, est irréductiblement opposé à toute organisation dirigée contre Moscou. Le RPF est plus hostile à la constitution d'une armée européenne qu'au réarmement allemand, qu'il serait disposé à admettre comme une nécessité inéluctable face au danger soviétique. Ce qu'il ne peut admettre, c'est la dissolution de l'armée française dans un ensemble cosmopolite placé sous commandement américain. Il n'y a pas d'indépendance nationale sans une défense autonome : avec la CED, la France serait dessaisie de la responsabilité de sa sécurité.

Si elle ratifiait le traité, la France souscrirait à sa disparition comme nation souveraine, et mettrait un point final à deux millénaires d'une histoire glorieuse. De surcroît, les forces françaises seraient coupées en deux puisque le Pacte atlantique ne s'applique pas aux territoires d'Outre-mer : les forces qui y sont stationnées échapperaient à l'intégration, alors que les unités métropolitaines seraient intégrées. Le parti communiste rejoint sur ce point les gaullistes : il fait appel au patriotisme, évoque les souvenirs tout proches encore de la Résistance contre le réarmement de l'ennemi d'hier. Quelle insulte aux souffrances des peuples martyrisés par les hitlériens, quelle injure au courage des résistants ! Au surplus, c'est une folie : l'Allemagne est divisée et ses deux morceaux intégrés dans des blocs antagonistes. Restituer à l'Allemagne une armée, c'est lui donner le moyen de recourir à la guerre pour refaire son unité. Comme l'URSS qui a tant souffert de l'agression allemande ne le permettra jamais, le réarmement de l'Allemagne comporte un risque mortel de conflit mondial.

Les partisans de la CED retournent l'argument en faveur de leur projet. Puisque, dans le cadre communautaire, l'Allemagne ne disposera pas d'une défense autonome, elle ne pourra prendre d'initiative. L'armée européenne amarrera définitivement la République fédérale à l'Occident : elle ne pourra plus songer à un renversement des alliances ou manigancer avec l'Union soviétique un retournement diplomatique. La querelle franco-allemande sera définitivement éteinte et rien n'entravera plus désormais la réconciliation des deux peuples, préalable à l'unification du continent. Les avocats du projet ajoutent que, assurant elle-même sa défense, l'Europe cessera de dépendre de la bonne volonté des États-Unis et retrouvera la possibilité d'une diplomatie indépendante. La CED, loin d'être un expédient pour neutraliser les poisons du réarmement allemand, est le fondement d'un avenir libéré des angoisses du passé : un parlementaire MRP s'écrie que la CED sera la plus grande chose accomplie en Europe depuis deux mille ans. Ainsi, de part et d'autre, on ne craint pas les perspectives historiques : fin d'une histoire de deux millénaires ou initiative la plus féconde des vingt derniers siècles ? Le MRP apporte à la défense du projet une ferveur religieuse dont l'intensité est égale à l'hostilité des adversaires : il transfère sur la naissance d'une armée européenne quelques-unes des espérances déçues par l'enlisement dans la guerre d'Indochine ou l'échec des intentions de réformer la société.

Si communistes, gaullistes et républicains populaires trouvent ainsi dans la bataille de la CED l'occasion de raffermir leur cohésion, de préserver leur intégrité ou de sortir de l'isolement, toutes les autres familles se divisent. Chez les radicaux cohabitent, dans un voisinage chaque jour plus chargé de passion, européens et jacobins. Les modérés ne sont pas moins déchirés entre l'adhésion à l'idée européenne et l'attachement à la tradition nationale. De tous les partis, le plus éprouvé par la querelle est le parti socialiste : la ligne de partage entre les deux camps passe en son milieu ; il réunit quelques-uns des partisans les plus passionnés de la CED et quelques-uns de ses adversaires les plus irréductibles, tous au nom de la fidélité à l'idéal du socialisme. Les uns voient dans le dépassement des armées nationales la réalisation du programme de désarmement et une étape dans la constitution des États-Unis socialistes d'Europe : à leur tête le secrétaire général du parti, Guy Mollet, et ses principaux collaborateurs, ainsi qu'André Philip et d'autres encore. Les autres se défient d'une Europe à direction démocrate chrétienne et redoutent l'influence du Vatican ; ils n'entendent pas renier les espérances et les souvenirs de la Résistance ; surtout ils ne conçoivent pas que la défense de la paix puisse passer par le réarmement de l'Allemagne : parmi eux, Daniel Mayer, qui reconstruisit le parti dans la clandestinité ; Jean Bouhey, le seul parlementaire socialiste à avoir voté contre les accords de Munich ; Jules Moch, l'un des 80 qui avaient refusé les pleins pouvoirs au maréchal Pétain le 10 juillet 1940. Le groupe parlementaire se divise : dans le débat de février 1952, 20 députés passent outre à la discipline de vote et prennent le risque d'encourir des sanctions en votant contre le projet. Deux ans et demi plus tard, dans le débat final, les 20 seront devenus 53, soit la moitié du groupe.

Ébranlant la cohésion des partis, disloquant la majorité, la crise de la CED suscite des rapprochements inattendus et favorise des regroupements qui eussent été inconcevables sans elle. La querelle cicatrise de vieilles plaies et réconcilie des adversaires : au parti radical les deux chefs historiques, qui s'étaient tant de fois opposés, Édouard Herriot et Édouard Daladier, enterrent la « guerre des deux Édouard » et se retrouvent côte à côte dans un combat commun contre l'armée européenne. Il y a plus étrange : les communistes, à qui Jules Moch avait mené la vie dure en 1948, ne veulent plus voir en lui que le compagnon de lutte contre le réarmement de l'Allemagne. Gaullistes et communistes se retrouvent sur les mêmes estrades et évoquent les souvenirs de la Résistance à l'occupant.

Deux coalitions insolites.

La querelle mine de l'intérieur la majorité de gouvernement qui ne peut subsister qu'à condition de laisser le projet au placard. Elle reclasse les formations en deux coalitions disparates : gaullistes et communistes unanimes, la moitié des socialistes, les radicaux jacobins, une partie des indépendants, contre l'autre moitié de la SFIO, le MRP dans sa totalité, une fraction du radicalisme, une partie des modérés. Il n'y a donc plus de possibilité de majorité stable. Le parti socialiste est affaibli. MRP et RPF esquissent un chassé-croisé : à mesure que les gaullistes se rapprochent du pouvoir, entrant par étapes dans la majorité, les républicains populaires s'en éloignent et glissent à l'opposition. L'évolution s'achève en juin 1954 avec la formation du gouvernement que préside Pierre Mendès France : les MRP en sont absents, plusieurs gaullistes en font partie.

Le temps modifie la situation au détriment de la CED. D'une part, les passions, loin de s'apaiser, s'enfièvrent. D'autre part, l'évolution des relations internationales, diminuant l'urgence d'un effort militaire, retire à la CED sa principale justification. La guerre de Corée a pris fin en 1953. Staline est mort ; ses

successeurs affichent des intentions pacifiques. On commence
à parler de détente. La peur s'éloigne. Dès lors pourquoi se
hâter ? A quoi bon compromettre les possibilités d'entente avec
l'Est ? Est-il surtout bien nécessaire de dissoudre l'armée
française ? Les adversaires de la CED reçoivent de précieux
renforts : le maréchal Juin, la plus haute autorité de l'armée,
prend position contre la CED dans un retentissant discours à
Auxerre, le 31 mars 1954. Le comte de Paris, le président
Vincent Auriol, dont le septennat vient de s'achever, se
prononcent aussi contre la CED. L'opinion est profondément
troublée.

L'échec final.

A force de tergiverser, il n'est plus possible de différer
davantage. Depuis la signature du traité en mai 1952, trois
crises ministérielles se sont succédé. Pierre Mendès France est
investi le 18 juin 1954. D'entrée de jeu, il annonce son intention
de trancher la question qui paralyse la vie politique, et
hypothèque la politique étrangère. Lui-même ne se range dans
aucun des deux camps : le projet ne lui inspire ni ferveur
religieuse ni aversion passionnelle. Il a pris dans son gouvernement des partisans et des adversaires de la CED. Il tente de
dégager un accord entre eux ; sans résultat. Dès lors, il va
prendre l'initiative. Il vient, en quelques semaines, de mettre
fin à la guerre d'Indochine et de débloquer la situation en
Tunisie. Sur la lancée il s'attaque à la CED. Constatant
l'impossibilité de concilier les points de vue sur le texte signé,
il entreprend de négocier avec les partenaires de la France des
amendements propres à lui donner des garanties suffisantes
pour rallier les éléments les moins irréductibles. Il met au point
cinq projets de protocole à discuter avec les gouvernements
étrangers.

Cette discussion a lieu lors d'une conférence qui se tient à
Bruxelles du 19 au 23 août 1954. C'est un échec. Il trouve des
interlocuteurs pleins de défiance et qui le soupçonnent de
songer à quelque renversement des alliances. Les partisans
français du projet le desservent en laissant croire aux gouvernements étrangers qu'il y a bien, dans l'Assemblée nationale, une
majorité acquise à la CED. Le jour même où s'ouvre la
conférence, Robert Schuman, dont l'autorité morale est grande,
et André Philip publient deux articles qui ruinent à l'avance l'ar-
gumentation de Pierre Mendès France. Car si le projet doit être

ratifié en toute hypothèse, pourquoi les partenaires feraient-ils des concessions ? Les États-Unis exercent une pression indiscrète, font un chantage qui provoque un sursaut de révolte chez les hauts fonctionnaires qui accompagnent le président du Conseil. Alexandre Parodi, secrétaire général du Quai d'Orsay, l'exhorte à tenir tête à l'intimidation. La conférence se sépare sans résultat. Dès lors le sort de la CED est scellé.

Les partisans de la CED, qui en ont soudain le pressentiment et s'en effraient, s'évertuent à retarder encore le débat. En vain. Pierre Mendès France décide de ne pas engager l'existence du gouvernement sur la ratification, puisqu'il n'a pas obtenu des autres puissances les concessions qu'il estimait nécessaires pour rallier une large majorité : les ministres s'abstiendront donc. Ses adversaires le lui reprocheront vivement, convaincus, peut-être à tort, que s'il avait posé la question de confiance, son autorité personnelle aurait fait pencher la balance en faveur du projet. Ses défenseurs feront observer qu'avant lui un président du Conseil, qui n'avait pourtant pas les mêmes raisons, avait déjà choisi de s'abstenir et que c'était trop lui demander que de se battre pour un texte qu'il n'avait pas réussi à faire amender.

Le débat décisif, espéré des uns, redouté des autres, attendu par tous, s'engage enfin dans une atmosphère lourde et tendue, le 29 août 1954. Il va tourner court par le biais d'une astuce de procédure. Le fond ne sera pas abordé. Mais depuis quatre années tout n'avait-il pas été dit et redit jusqu'à la satiété ? Pas un argument qui n'ait été avancé, retourné, réfuté. Depuis des mois, les colonnes des journaux étaient pleines de polémiques et de controverses. Un député modéré, le général Aumeran, oppose la question préalable à l'examen du texte. Le règlement de l'Assemblée dispose que, si une majorité se prononce pour elle, le débat est clos et le projet irrévocablement écarté. Édouard Herriot décide de contresigner la motion Aumeran et il prend la parole pour la dernière fois dans cette enceinte. Pour son chant du cygne, l'ancien président de l'Assemblée, le vieil orateur, trouve des accents pathétiques et fait appel au patriotisme. Le scrutin s'engage dans la fièvre et l'anxiété. *Alea jacta est :* la question préalable est adoptée par 319 voix contre 264. En deux ans et demi, la majorité s'est renversée. Elle était de 40 en faveur de la CED, en février 1952 : la voici de 55 en sens contraire. A ce renversement les rebelles du groupe socialiste ont pris une part déterminante : leur nombre est passé dans le même temps de 20 à 53. Le groupe s'est partagé par moitié. C'en est fait : il n'y aura pas d'armée européenne ni de Communauté de défense. Sur les bancs de l'Assemblée les adversaires du projet entonnent *la Marseillaise.* Dans le camp adverse, c'est la stupeur, l'accablement et le ressentiment contre le président du Conseil qu'on tient pour responsable du « crime du 30 août ». Les trois ministres qui avaient quitté le gouvernement à la veille des pourparlers de Bruxelles y rentrent, cependant que trois autres en sortent. Chassé-croisé qui illustre bien la profondeur des divisions et l'impossibilité de former une majorité stable. Cinq mois plus tard, Pierre Mendès France sera renversé par la coalition de ses adversaires.

Aucune des dramatiques éventualités dont on avait menacé la France, si elle ne ratifiait point le projet de CED, ne s'accomplit. En partie grâce à Pierre Mendès France qui négocia sans délai des accords de remplacement. Les États-Unis ne retirèrent pas leurs troupes. Une armée allemande se reconstitua sans conséquences graves pour la paix. Quant à l'effort de construction européenne, il fut relancé deux ans plus tard sur un autre terrain, celui de la coopération économique, et prit la forme de la Communauté économique européenne.

Vingt-cinq ans plus tard.

La page est tournée et l'épisode apparemment rejeté dans un passé définitivement aboli. Et pourtant ce rappel ne vous a-t-il suggéré aucun rapprochement ? Tout juste un quart de siècle après, la France se retrouve à nouveau divisée à propos des institutions européennes. Certes, l'enjeu a changé ; ce n'est plus la défense, mais l'élection et les pouvoirs de l'Assemblée européenne. Mais les coalitions qui se dessinent pour ou contre reproduisent avec une étrange fidélité la configuration de 1954. Au premier rang des adversaires irréductibles se retrouve le parti communiste : ses objections n'ont pas varié. Aujourd'hui comme alors, il combat une construction européenne où il croit voir un instrument de la domination des États-Unis et de la revanche allemande. Il mobilise le sentiment national contre la dépendance étrangère. Il emprunte à la conjoncture économique une note de démagogie quelque peu poujadiste en imputant au Marché commun et à la concurrence allemande les difficultés de notre sidérurgie. A ses côtés se range le RPR qui revendique l'héritage du gaullisme et dénonce le danger d'une supranationalité qui abolirait notre souveraineté et compromettrait notre indépendance. Ainsi se reforme cette conjonction qui avait ruiné le projet de CED.

Le MRP a disparu, mais sa postérité, le CDS, garde intacte sa foi dans la construction européenne et souhaiterait aller au-delà dans les prérogatives reconnues au Parlement européen. Principale différence : le parti socialiste, métastase de la SFIO, n'étale plus de divisions comparables à celles qui avaient ébranlé si profondément sa cohésion : il est unanime dans son approbation. Et pourtant les divergences internes entre tendances se trouvent correspondre aussi à des différences marquées dans l'intensité de l'adhésion à l'idée européenne : le CERES soupçonne les autres composantes d'un excès de complaisance à l'égard d'une Europe américaine et craint de se couper des communistes.

Mais le présent n'est jamais pure et simple réitération du passé. Outre la différence des objets, la décision n'est pas, cette fois, entre les mains des parlementaires : c'est l'ensemble du corps électoral qui départagera, le 10 juin 1979, les points de vue dans une consultation sans précédent dans notre histoire électorale puisque ce sera la première fois que le pays est appelé à faire un choix entre des listes nationales et que la répartition des élus se fera à la proportionnelle intégrale. N'est-il pas cependant significatif qu'à vingt-cinq ans d'intervalle l'Europe dérange à deux reprises les combinaisons traditionnelles et reclasse les grandes tendances selon des lignes de partage inhabituelles ?

Note

1. Cf. plus bas l'article (14) de Jean Lacouture, « Diên Biên Phu ».

Repères chronologiques

1947	Débuts de la guerre froide.
Février 1948	« Coup de Prague ».
4 avril 1949	Signature du Pacte atlantique.
25 juin 1950	Les forces de la Corée du Nord franchissent le 38e parallèle et envahissent la Corée du Sud.
Septembre 1950	Réunion du Conseil atlantique : les États-Unis exigent le réarmement de l'Allemagne.
Octobre 1950	Élaboration du plan Pleven proposant une Communauté européenne de défense aux partenaires de la France.
19 février 1952	A l'Assemblée nationale une courte majorité émet un vote favorable à la CED.
27 mai 1952	Signature du traité.
12 novembre 1953	Conférence de presse du général de Gaulle.
Décembre 1953	Conférence au sommet des Trois Grands occidentaux aux Bermudes.
31 mars 1954	Discours à Auxerre du maréchal Juin contre la CED.
18 juin 1954	Investiture de Pierre Mendès France.
19-23 août 1954	Conférence à Bruxelles et échec de la tentative de conciliation.
30 août 1954	En adoptant la question préalable une majorité enterre définitivement la CED.
30 décembre 1954	Une nouvelle majorité approuve les accords de Londres et Paris qui prévoient le réarmement de l'Allemagne.

Pour en savoir plus

*Pour l'évolution de la situation internationale
et la dimension diplomatique de l'affaire.*

J.-B. Duroselle, *Histoire diplomatique de 1919 à nos jours*, Dalloz, 7ᵉ éd. 1978.

A. Grosser, *Les Occidentaux. Les pays d'Europe et les États-Unis depuis la guerre*, Fayard, 1978.

A. Fontaine, *Histoire de la guerre froide*, Fayard, 1965, 4 vol.

Pour l'aspect français de la question.

Georgette Elgey, *La République des contradictions, 1951-1954*, Fayard, 1968.

J. Fauvet, *La IVᵉ République*, Fayard, 1959.

A. Grosser, *La IVᵉ République et sa politique extérieure*, Colin, 1961.

A. Grosser, *Affaires extérieures. La politique de la France, 1944-1984*, Flammarion, 1984.

P.-M. de La Gorce, *Apogée et mort de la IVᵉ République*, Grasset, 1979.

Sur les divisions de l'esprit public.

La meilleure étude reste celle de Raymond Aron ;

R. Aron et D. Lerner, *La Querelle de la CED ; essai d'analyse sociologique*, Colin, 1956.

14

Diên Biên Phu

Jean Lacouture

La guerre durait depuis sept ans. Après avoir remporté des succès initiaux contre le *Viêt-minh* (l'organisation menant le combat au nom de la «République démocratique du Viêt-nam» proclamée en 1945 par Hô Chi Minh), les forces dites de l'Union française avaient piétiné et, depuis l'arrivée des armées de la Chine populaire à la frontière nord du Tonkin (1950), apparaissaient à tous les observateurs lucides comme vouées à l'érosion ou pour le moins au refoulement vers les bases côtières. En septembre 1953, M. René Mayer, chef du gouvernement, à l'issue d'un exposé du général Gallois montrant la gravité de la situation et préconisant le repli sur la côte, avait jeté, apparemment inconscient du caractère ubuesque de son propos : «D'accord pour ce repli vers les ports : mais gardez-moi le Laos!» Le sort du petit royaume de l'Ouest devait, en effet, peser lourd dans l'issue des combats : car c'est en grande partie pour le «garder» que furent prises, dans les mois suivants, les décisions les plus funestes.

Le 3 décembre 1953, le général Navarre, nommé six mois plus tôt commandant en chef en Indochine avec la mission de créer les conditions militaires permettant la recherche d'une «solution politique honorable» par la négociation, et qui s'était jusqu'alors refusé sagement à affronter le corps de bataille du général Giap avant un renforcement substantiel de ses moyens, diffusait la directive qui, en quelques mots, scellait le sort de la guerre. Treize jours après avoir fait parachuter 6 bataillons sur la vallée de Diên Biên Phu, à 300 kilomètres à l'ouest de Hanoi, aux abords de la frontière du Laos (opération «Castor»), il décida de livrer bataille dans ce secteur en centrant la défense sur la base de Diên Biên Phu «qui devait être conservée à tout prix».

« Un casque colonial retourné ».

On a souvent critiqué le choix tactique de la « cuvette » de Diên Biên Phu. Notamment Hô Chi Minh dans une interview célèbre assurait que le commandement français s'était suicidé en s'installant « au fond d'un casque colonial retourné, dont les Vietnamiens tenaient les bords ». Et un ministre français assurait que jamais depuis Roncevaux les Français n'avaient dû combattre dans de telles conditions. En fait, la position des Français ne devint catastrophique que lorsque les positions élevées qu'ils occupaient furent conquises.

Le plan qui se dessinait derrière cette étrange décision exprimait bien le furieux sentiment de frustration qui habitait les combattants français d'Indochine face à un adversaire multiforme, mobile et le plus souvent insaisissable. Ce plan leur permettait enfin d'« en découdre » avec l'ennemi, face à face, de frapper nettement, de « casser du Viet »... Le problème était d'attirer l'adversaire en nombre suffisant sur le piège tendu pour que la riposte pût l'atteindre de plein fouet. Mais on n'avait pas prévu qu'il viendrait en quantité et force telles que c'est lui qui frapperait au cœur.

Quelques jours plus tôt (29 novembre 1953), Hô Chi Minh, répondant aux questions posées par le journal suédois *Expressen*, s'était pourtant déclaré prêt à négocier un armistice avec le gouvernement français, sur les bases de l'indépendance du Viêt-nam. Mais M. Bidault, alors ministre des Affaires étrangères, avait fait répondre par son porte-parole que l'« on ne fait pas de la diplomatie par les petites annonces ». Et quand, au début de 1954, le député socialiste Alain Savary, dont on savait qu'il bénéficiait d'un préjugé favorable du côté viêt-minh, avait accepté, à la demande de René Pleven, ministre de la Défense nationale, d'aller à tous risques prendre contact avec Hô Chi Minh, M. Bidault s'y était opposé : « Hô Chi Minh est sur le point de capituler, ne le renforcez pas par un contact de ce genre ! »

La même semaine pourtant, *le Monde* publiait une dépêche indiquant que le périmètre du camp retranché se rétrécissait périlleusement chaque jour, « les aviateurs civils laissant entendre que c'est la dernière fois peut-être qu'ils se posent à Diên Biên Phu ». Ainsi apparaissait déjà menacé, dès avant la véritable attaque de Giap, le pont aérien reliant le camp à Hanoi. C'est à cette époque également que le général Navarre fit établir un plan de repli — si pessimiste que le colonel de

Castries, commandant du camp, n'en fut même pas informé...

Préférerait-on la bataille en position de force défavorable à la négociation ? Pas tout à fait : à l'issue de la conférence de Berlin (février 1954), on allait choisir de négocier, mais dans le cadre international et à long terme (en avril, à Genève), ce qui permettrait au Viêt-minh de développer sa pression et d'arriver à la table de négociation avec toutes les cartes en main.

Le projet du général Blanc.

Dès le début de février, il apparaît que le Viêt-minh va engager la bataille pour Diên Biên Phu avec de gros moyens et que le camp retranché, choisi comme « hérisson » où devra venir se déchirer le corps de bataille de Giap, est menacé. M. Pleven, le ministre responsable, part pour l'Indochine où il inspecte Diên Biên Phu. Tous, à commencer par le colonel de Castries, cavalier étrangement choisi pour le commandement d'un camp retranché, mission de sapeur, y attendent l'ennemi avec la certitude de le briser. Le ministre qui, le 10 février à Hanoi, a présidé un comité de défense nationale au cours duquel le général Blanc, chef d'état-major de l'armée de terre, a présenté un stupéfiant rapport proposant purement et simplement l'évacuation, non seulement de Diên Biên Phu, mais de toute l'Indochine du Nord jusqu'au 18e parallèle, en est beaucoup moins convaincu et déclare à son retour qu'il ne « souhaite pas » l'assaut du *Viêt-minh*. Mais il n'ose pas poser le problème avec l'audace dont a fait preuve le général Blanc [1].

Au cours d'un Conseil des ministres réuni d'urgence le 16 mars, Pleven, soulignant la gravité de la situation, obtient l'envoi à Washington du général Ély, le chef d'état-major, avec mission d'avertir les dirigeants américains, Eisenhower et Foster Dulles, et son homologue l'amiral Radford, qu'à l'approche de la conférence de Genève le sort de nos troupes est de plus en plus compromis. Des observateurs attentifs comme Robert Guillain du *Monde* ou Lucien Bodard de *France-Soir*, aussi bien que René Pleven, savaient désormais que le piège de Diên Biên Phu ne pouvait plus guère se refermer que sur ceux qui l'avaient tendu. Mais un mois après la proposition faite le 10 février à Hanoi par le général Blanc, il n'était plus temps d'évacuer la position, le Viêt minh tenait solidement les montagnes alentour.

Et le 13 mars, Giap déclenche l'offensive espérée par la garnison ; il écrase en quelques heures les positions avancées du camp retranché, les fortins *Gabrielle, Béatrice* et *Anne-Marie* — en faisant donner une artillerie amenée à dos d'homme depuis des semaines et camouflée à contre-pente. Effet de surprise d'une foudroyante efficacité. Cette ignorance de l'état de préparation et d'armement du Viêt-minh — qui bénéficiait alors de la double assistance de Moscou (véhicules) et de Pékin (armes et instructeurs évalués à une centaine d'officiers) — fut le fruit d'une incroyable carence des services spéciaux français, d'autant plus surprenante que le commandant en chef, le général Navarre, avait fait sa carrière dans le renseignement. Elle provoqua le suicide du colonel Piroth, commandant l'artillerie du camp retranché qui, persuadé de la supériorité française en ce domaine, avait refusé en janvier les offres de renforcement de sa dotation en bouches à feu. Se voyant surclassé, cet officier, un manchot, se tua en dégoupillant une grenade serrée contre sa mâchoire.

L'opération Vautour.

Maître des plus fortes positions françaises, Giap tient désormais sous ses feux croisés la piste d'atterrissage qui est en quelque sorte le poumon de Diên Biên Phu. La pluie se mettant en outre à voiler le ciel et à inonder le terrain, tout l'avantage escompté de l'intervention de l'aviation était annulé. Parti pour livrer une bataille lointaine avec l'exclusivité du transport aérien qui devait lui assurer la supériorité de la manœuvre, Navarre se retrouvait à la fois privé de cet atout et confronté à une écrasante supériorité de moyens chez l'adversaire, acquise grâce à un formidable effort des transporteurs humains du Viêt-minh, utilisant les fameuses bicyclettes transformées en porte-fardeaux. Dès le 15 mars, les responsables politiques et militaires français en Indochine savent que la défaite est certaine et qu'à défaut d'une intervention extérieure ou de la conclusion très rapide d'un armistice la garnison de Diên Biên Phu — et au-delà, la guerre — est perdue.

Cette « intervention », cette « recherche rapide d'un armistice » seront désormais les objectifs de Paris. Mais à quel prix ? Qui acceptera de se jeter à l'eau pour sauver ce noyé ? Et Hanoï est-il toujours prêt à cette négociation plus ou moins égalitaire, offerte par Hô Chi Minh en novembre avant les succès décisifs remportés en mars par le général Giap ?

L'intervention, bien sûr, ne peut être qu'américaine, ou à dominante américaine. C'est donc à Washington qu'il faut s'adresser. Ce que fait le général Ély à partir du 20 mars. Il trouve les dirigeants américains étrangement mal informés de la gravité de la situation, notamment le secrétaire d'État, Foster Dulles, qui, le 23, au cours d'une conférence de presse, s'applique beaucoup plus à dénoncer les responsabilités de Pékin dans le renforcement du Viêt-minh qu'à préparer l'opinion à un accroissement de l'aide aux combattants français. Mais le 25 mars, à la veille de repartir, presque bredouille, pour Paris, le général Ély se voit présenter par l'amiral Radford — incité par le président Eisenhower à tout faire pour sauver Diên Biên Phu — une proposition stupéfiante : « l'opération Vautour ». Une escadre aérienne de l'US Air Force, forte de 60 bombardiers lourds escortés de 150 chasseurs, décollant de Manille, écraserait en une série de raids les positions viêt-minh autour de Diên Biên Phu.

Placé deux jours plus tard devant cette offre d'intervention directe des États-Unis dans la guerre, qui ouvrait la voie à une internationalisation générale du conflit, le gouvernement Laniel s'y déclara d'emblée favorable. Et le 4 avril, l'ambassadeur des États-Unis à Paris, Douglas Dillon, est convoqué au Quai d'Orsay où on lui fait part du souhait pressant du gouvernement Laniel de voir exécuter immédiatement « l'opération Vautour ». Mais le lendemain, M. Dillon revient porteur d'un télégramme de M. Foster Dulles spécifiant que le projet de l'amiral Radford avait été rejeté à Washington et que les États-Unis feraient tout pour sauver Diên Biên Phu, hors des actes de belligérance.

Bidault seul avec Dieu.

L'avant-veille, en effet, le 3 avril, s'était tenue au State Department une conférence qui, présidée par M. Foster Dulles, groupait les principaux chefs militaires américains et 8 membres du Congrès : 5 démocrates et 3 républicains. Contre l'avis de Radford soutenu pour l'essentiel par Foster Dulles, un parlementaire entraîna ses collègues à formuler le veto qui bloqua sous sa première forme « l'opération Vautour » : ce sénateur s'appelait Lyndon Johnson. Plus que tout autre, il fit prévaloir l'idée que l'ouverture d'un nouveau conflit coréen ne saurait être acceptée par le peuple américain, et que si, par malheur, les États-Unis s'y voyaient acculés, ils ne sauraient y consentir seuls — sans l'appui du Commonwealth notamment.

A la suite de quoi Foster Dulles câblait à son ambassadeur à Paris : « Comme je l'ai expliqué personnellement à Ély en présence de Radford, il n'est pas (je répète n'est pas) possible que les États-Unis commettent des actes de belligérance en Indochine sans une entente politique complète avec la France et d'autres pays. Et, dans ce cas, l'intervention du Congrès serait requise. Après en avoir conféré à l'échelon le plus élevé je dois maintenir cette position. Comme l'a indiqué mon message 5175, les États-Unis font tous leurs efforts afin de préparer le public et le Congrès à accepter, sur une base constitutionnelle, une action conjointe en Indochine. Cependant, cette action n'est pas possible si elle n'est pas fondée sur une coalition à laquelle participerait activement le Commonwealth britannique. »

A l'issue de cette conférence capitale où se joua, autant que lors de l'assaut du 13 mars, le sort de Diên Biên Phu, l'ambassadeur Henri Bonnet était convoqué par le secrétaire d'État qui lui exposait son plan alternatif d'«action conjointe», la formation d'une coalition de nations anticommunistes de l'Asie du Sud-Est susceptible de dissuader diplomatiquement les communistes de pousser plus loin les avantages alors remportés sur le terrain militaire contre Pékin, reçut un accueil aussi froid à Paris qu'à Londres.

Témoin le télégramme de Dillon à Foster Dulles le 5 avril : « J'ai communiqué le message 3 482 du département d'État à Bidault lundi soir [...]. Il m'a prié de vous dire, une fois encore, que malheureusement le temps des coalitions est passé, car le destin de l'Indochine sera décidé à Diên Biên Phu au cours des dix prochaines journées. Comme je le quittais, il m'a dit que même si les Français devaient lutter seuls, ils continueraient à le faire, et il priait Dieu qu'ils réussissent. » C'est pourquoi John Foster Dulles décida de se rendre du 11 au 14 avril à Londres où il se vit mettre en garde par Churchill et Eden contre les risques de sa stratégie antichinoise, et à Paris contre les conséquences de son refus d'intervention en Indochine. «L'opération Vautour» semble enterrée. En rentrant à Washington, M. Foster Dulles déclare aux leaders du Congrès qu'une action des États-Unis en Asie n'est plus même envisagée.

Le vautour renaît de ses cendres.

A Diên Biên Phu, pourtant, le sort de la garnison ne cesse de s'aggraver : le 21 avril, le général Navarre signifie que la situation est pratiquement désespérée, faute d'une «opération de dégagement» venue de l'extérieur. Or, de Washington à Paris, un certain nombre de responsables s'emploient à relancer l'idée d'une opération de l'US Air Force. Du côté américain s'est formé un véritable parti interventionniste, animé par 3 personnages clefs : le vice-président Nixon, le chef d'état-major Radford et le sénateur républicain Knowland. Ainsi, le 16 avril, le vice-président avait déclaré à plusieurs directeurs de journaux que le risque d'envoyer en Indochine des troupes américaines (et pas seulement des avions) devait être pris pour éviter une victoire communiste.

Le 24 avril, le secrétaire d'État Foster Dulles est de nouveau à Paris pour mettre au point une ligne de discussion commune en vue de la conférence de Genève (sur le règlement des conflits de Corée d'abord, d'Indochine ensuite) qui doit s'ouvrir trois jours plus tard. Bidault revient à la charge : faute d'«opération Vautour», Diên Biên Phu et sa garnison sont condamnés et l'ensemble des positions de l'Occident en Indochine décisivement compromises. La première réaction du chef de la diplomatie américaine est très négative. Il ne veut pas, en autorisant une action militaire, mettre les États-Unis «au bord du gouffre» de la guerre. De toute façon, il est trop tard pour sauver Diên Biên Phu. Et, selon lui, la chute de cette position n'aurait pas, sur l'ensemble des positions anticommunistes dans la région, l'effet que suggèrent M. Bidault et ses collaborateurs.

Dans la soirée de ce même 24 avril, pourtant, le gouvernement Laniel va adresser un dernier appel au secours à ses alliés, sous forme d'un mémorandum en deux points : 1° La garnison de Diên Biên Phu peut encore être sauvée. 2° La concentration de forces viêt-minh autour du camp est telle que c'est là l'occasion unique d'infliger aux communistes (compte tenu de la présence de nombreux experts chinois) une défaite exemplaire. Le message est communiqué au président Eisenhower dont on connaît les sentiments de sympathie à l'égard de l'armée française, par le truchement de l'ambassadeur Bonnet.

A Washington — en l'absence de Foster Dulles alors installé à Genève —, on s'en tient à la thèse selon laquelle rien ne peut être fait sans l'accord et l'appui de Londres. Mais le secrétaire d'État adjoint, Bedell-Smith, général et ancien chef d'état-major d'Eisenhower en Europe, avertit Paris que, pour peu qu'il soit adopté dans les cinq jours à venir, un texte de résolution présenté au Congrès pourrait autoriser le président à déclencher l'opération aérienne envisagée. Ainsi, le 24 avril, le «vautour», comme le phénix, renaît de ses cendres — et, pour la première fois même, apparaît comme une hypothèse très sérieuse.

Les «œufs de Pâques».

C'est, semble-t-il, à ce moment que se situe l'offre, extrêmement ambiguë, d'utilisation d'armes nucléaires tactiques, déjà suggérée à demi-mot par Foster Dulles à Bidault au Quai d'Orsay, en présence du secrétaire d'État Maurice Schumann, et reprise assez précisément à Washington pour que l'ambassadeur Bonnet ait alors câblé précipitamment à Paris que les Américains envisageaient l'utilisation, contre les assiégeants de Diên Biên Phu, des «œufs de Pâques» (ainsi qualifiait-on ce type d'armes dans les conversations franco-américaines).

Ces propos restèrent d'autant plus confidentiels qu'au moment où il quitta le Quai d'Orsay, pour y laisser entrer M. Mendès France, le 17 juin suivant, Georges Bidault rassembla dans une enveloppe remise à un haut fonctionnaire du ministère toute la correspondance relative à cet échange, confiant au dépositaire que ces éléments du dossier étaient trop compromettants et explosifs pour être portés à la connaissance d'un homme comme Mendès France qui n'avait pas en tête les intérêts supérieurs de la France, mais ceux de son parti...

Restait à convaincre Londres. La diplomatie française y échoua. Lors de son passage à Paris, en route pour la conférence de Genève dont il allait devenir le vice-président, M. Eden multiplia mises en garde et coups de frein : pour lui, le sort de la région ne se jouait pas en Indochine, mais en Chine, et tout devait être fait pour garder ouvertes les portes de Pékin, notamment lors de l'imminente conférence de Genève. Aussi bien l'intervention sur Diên Biên Phu que la coalition inventée par Foster Dulles lui paraissaient donner priorité au secondaire sur l'essentiel. En quoi la diplomatie britannique donnait, une fois de plus, la mesure de sa perspicacité.

Ne parviendrait-on pas à fléchir Winston Churchill, toujours accessible aux émotions de type militaire et colonial, et qui sympathisait ouvertement avec les défenseurs de Diên Biên Phu ? Recevant M. Massigli, le 27 avril, le vieil homme d'État, au bord des larmes, lui avoua que, malgré ses sentiments, il se jugeait dans l'impossibilité de faire quoi que ce soit d'utile pour la garnison. D'abord, parce qu'il était trop tard. Ensuite, parce que le Commonwealth, à commencer par l'Inde, ne le permettrait pas. Enfin, parce que priorité devait être rendue à la diplomatie. Et quelques instants plus tard, aux Communes, le Premier ministre déclarait, aux applaudissements de la Chambre tout entière : «Le gouvernement de Sa Majesté n'est pas disposé à prendre un engagement quelconque au sujet d'une action militaire en Indochine avant de connaître les résultats de la conférence de Genève.»

Ainsi s'acheva, avant d'avoir commencé, la formidable «opération Vautour» qui, faute de pouvoir sauver Diên Biên Phu — on a vu, depuis lors, comment les combattants vietnamiens au sol savaient résister aux orages aériens —, aurait pu déclencher une généralisation du conflit asiatique et fut peut-être l'épisode capital, bien que marginal, de la bataille de Diên Biên Phu.

Les derniers jours du camp retranché.

Une seconde phase latérale de la bataille de Diên Biên Phu se déroula dans les couloirs de la conférence de Genève, jouant d'ailleurs un rôle très important sur l'issue finale : les démarches en vue de l'évacuation des blessés du camp retranché. Dès les derniers jours d'avril, M. Bidault avait demandé à M. Molotov, chef de la délégation soviétique, qu'une trêve soit accordée aux combattants français du camp retranché pour l'évacuation de leurs blessés — évacuation semblable à celle que le commandement de la base avait accordée aux assiégeants au début de la bataille. Le diplomate soviétique conseille de régler l'affaire sur place, à Genève, entre délégués français et viêt-minh. Mais M. Bidault ne reconnaît pas la délégation viêt-minh et refuse tout contact avec Pham Van Dong, «cet assassin», lui qui ne craint pas de s'attabler avec le plus proche et ancien lieutenant de Staline...

Il faudra attendre plusieurs jours pour que soit pris entre le colonel de Brebisson et son homologue vietnamien Ha Van Lau (devenu en 1978 délégué du Viêt-nam réunifié aux Nations unies) le contact qui, au-delà du problème «technique» des blessés, devait amorcer en profondeur les pourparlers sur le partage du Viêt-nam, publiquement ouverts le 8 mai, à Genève, dans le climat le plus tragique : le camp retranché de Diên Biên Phu était tombé la veille.

C'est le 7 mai 1954, à 21 heures, qu'avait cessé toute résistance à Diên Biên Phu. Submergé par l'assaut des forces du Viêt-minh, le PC du camp retranché ne répondait plus depuis le milieu de l'après-midi aux appels de l'état-major de Hanoi.

La dernière semaine avait été terrible pour la garnison, dont un tiers des effectifs était déjà hors de combat. On a raconté mille fois l'enfouissement progressif dans les casemates pilonnées par l'artillerie viêt-minh des 15 000 hommes du colonel de Castries, cette peau de chagrin en forme de main qui perd un de ses doigts chaque semaine, comme celle d'un lépreux : un jour *Éliane*, un jour *Claudine*, un jour *Huguette* (car ces fortins étaient affublés, par une ironie mélancolique, de noms de femmes). On a évoqué les bombardements incessants, les tentatives de sorties bouclées par la vigilance des assiégeants, les conditions terribles dans lesquelles travaillaient médecins et infirmières (dont Geneviève de Galard, qui devint, en quelques jours, une manière d'héroïne nationale).

A partir de la dernière semaine d'avril, les pluies de mousson, prématurées cette année-là, aggravèrent encore les conditions de vie — de survie — des assiégés. Non seulement le terrain était inondé, mais les trous d'obus étaient transformés en bourbiers, en cloaques. Tout était gluant, glauque et glaireux : un monde de cauchemar sartrien. C'est le moment — 1er mai — que choisit Giap pour lancer une nouvelle offensive : le fortin sud, *Isabelle*, cède alors. Dès lors, de Castries ne dispose pratiquement plus d'aucune artillerie. Pour riposter, il ne lui reste que les mortiers.

Au revoir, mon général.

A partir du 2, la pluie se transforme en déluge, faisant déborder la rivière Nam Youn. Dans leurs abris, les hommes ont de l'eau jusqu'aux genoux. L'aviation, sur laquelle de Castries et les siens avaient fondé tous leurs espoirs, est paralysée : pendant plus de trois jours aucun avion-cargo, aucun Dakota, aucun bombardier ne put percer l'énorme masse de nuages qui recouvrait la haute région. Quand ils y parvinrent, ce fut en affrontant les terribles tirs de la DCA viêt-minh et en frôlant la couronne de montagnes alentour pour parachuter de 300 mètres des caisses de médicaments et de vivres : ainsi, la garnison pouvait au moins croire que le monde extérieur la soutenait.

A partir du 5 mai, la pression des assaillants s'alourdit encore, avec une sorte de furie : la proximité de la négociation de Genève incitant Giap à en finir pour jeter sur la table de la conférence, en guise de droit d'entrée, le scalp de la garnison de Diên Biên Phu. Au surplus, l'aggravation des conditions atmosphériques allait gêner aussi ses mouvements. Il lui fallait en finir.

Dans la soirée du 6 mai grondent pour la première fois les fameuses «orgues de Staline» (groupes de 10 tubes de lance-rockets) d'une terrible efficacité destructive. Le fortin *Éliane* tombe à son tour. La garnison n'est plus qu'un amas de volontés tendues, sans potentiel combatif. Du PC central, on peut encore communiquer avec l'état-major de Hanoi d'où, quelques jours plus tôt, le capitaine Pouget, aide de camp du général Navarre, a choisi de se faire parachuter sous l'orage de feu, au milieu de ses camarades condamnés.

C'est vers 13 heures, le 7 mai, que Giap déclenche l'assaut final. Une marée humaine déferle des hauteurs qui dominent ce qui reste du camp retranché. Une mêlée furieuse s'engage dans ce paysage lunaire, hirsute. Vague après vague, en dépit des bombes que lâche sur eux l'aviation française qui parvient à franchir le rideau de nuages, les petits hommes au casque de latanier se jettent sur les casemates des hommes de De Castries, de Langlais et de Bigeard.

A 16 heures, le commandant du camp réussit à entrer en communication avec le PC de Hanoi : «Les Viêts s'infiltrent maintenant jusque dans le bastion central. nous continuons à nous battre.» C'est alors que le dernier des points d'appui, *Claudine*, tombe aux mains des assaillants.

Peu avant 17 h 30, le général Cogny reçoit, à Hanoi, un dernier appel de De Castries : «La fin approche. Nous combattrons jusqu'au bout. Nous détruirons tout le matériel. Au revoir, mon général. Vive la France !» C'est dans l'heure qui suivit que le colonel, promu général en pleine débâcle — ses étoiles lui avaient été parachutées sur le lieu des combats —, tomba aux mains des assaillants avec presque tous les officiers et une dizaine de milliers d'hommes. Quelques dizaines d'entre eux purent cependant se glisser à travers les mailles viêt-minh et gagner le Laos voisin, d'où venait à leur rencontre la colonne de Crèvecœur. Il y a des noms comme ça...

«Le deux de trèfle et le trois de carreau.»

Ce que prévoyaient depuis plus de trois mois des observateurs expérimentés tels le général Blanc, qui, dès le 10 février, préconisait, on l'a vu, un repli général vers le Sud, s'était enfin produit. La valeur personnelle des vaincus n'était pas en cause : pendant près de deux mois — à partir du 12 mars —

ils avaient tenu sous un feu effroyable, sans véritable espoir, sans issue, contre un assaillant jetant des forces très supérieures (l'équivalent de 3 divisions contre une) dans la bataille. Et maintenant, les 10 000 prisonniers, rangés en file sous la bannière viêt-minh, marchaient dans la boue, général en tête, vers des camps qui allaient parfois leur faire regretter l'orage de feu de Diên Biên Phu.

De quelle portée était ce désastre ? L'Occident n'en avait guère connu de pire outre-mer, depuis les foudroyantes offensives japonaises de 1942. Ce n'était pas seulement une défaite infligée par l'homme d'Asie à celui de l'Europe, par le communisme aux systèmes dits «occidentaux». Les Vietnamiens, hier dédaignés comme combattants, avaient affirmé aussi bien leur valeur militaire que leur aptitude technique à faire usage des armes les plus sophistiquées. C'était aussi le signe de la fin d'un empire : parmi les défenseurs d'hier, les prisonniers d'aujourd'hui, se trouvaient des milliers d'Africains dont les peuples apprenaient alors que les temps étaient révolus où primait l'ordre français fondé sur la force et un certain «droit».

Bien sûr, Diên Biên Phu n'était qu'une position perdue à l'extrême ouest du Viêt-nam, et le corps expéditionnaire, dit «de l'Union française», n'y avait perdu que 6 à 7% de ses effectifs (1 500 morts, 3 500 blessés graves, 10 000 prisonniers). Mais c'étaient les troupes d'élite — parachutistes, Légion —, le fer de lance de l'armée du général Navarre.

Le désastre devait se répercuter et s'analyser sur trois plans : celui de la poursuite de la guerre sur place ; celui du rapport des forces à l'ouverture de la négociation de Genève ; celui du moral de la nation et de la crédibilité internationale de la France. Sur le premier point les avis différent : mais dans la mesure où, en même temps qu'il perdait Diên Biên Phu, le général Navarre n'avait pas réussi son opération de diversion (dite *Atlante*), sur la côte du centre Viêt-nam, la plupart des experts pensaient que la valeur combative du corps expéditionnaire dans l'ensemble de l'Indochine ne lui permettait plus que de tenir quelques mois.

Quant aux deuxième et troisième questions, il apparaissait à presque tous les observateurs que les négociateurs français à Genève et le gouvernement de Paris avaient perdu presque toutes leurs cartes. «Le deux de trèfle et le trois de carreau» : ainsi un diplomate résumait-il le «jeu» français au moment où s'ouvrit à Genève, le 8 mai, la négociation sur l'Indochine qui allait aboutir, le 21 juillet, au partage du Viêt-nam — et à quelques années de trêve.

Note

1. Le plus déconcertant, en cette affaire, est peut-être que le général Navarre fut longtemps tenu dans l'ignorance du rapport Blanc.

Pour en savoir plus

Bibliographie.

R. Delpey, *Diên Biên Phu : l'Affaire*, Éd. de la Pensée moderne, 1974.

Les Dossiers du Pentagone, Albin Michel, 1971.

Gal Ély, *Mémoires*, Plon, 1964 et 1969.

B. Fall, *Diên Biên Phu, un coin d'enfer*, Laffont, 1968.

G[al] Vo Nguyen Giap, *Diên Biên Phu, Hanoi*, Éd. en langues étrangères, 1964.

Dr Grauwin, *J'ai été médecin à Diên Biên Phu*, Éd. France-Empire, 1954.

J. Pouget, *Le Camp n° 1*.

P. Rocolle, *Pourquoi Diên Biên Phu*, Flammarion, 1968.

J. Roy, *La Bataille de Diên Biên Phu*, Julliard, 1963.

Film.

Auteurs : P. Devillers et J. Lacouture ; metteur en scène : J. Kanapa, *La République est morte à Diên Biên Phu*, 1974.

15

La révolte de Pierre Poujade

Jean-Pierre Rioux

Il a suffi qu'un prurit électoral ait saisi M. Coluche pour que surgisse chez des journalistes pressés et dans quelque état-major de parti inquiet le qualificatif passe-partout, usé jusqu'à la trame mais si présent encore dans la mémoire collective : « Poujadiste ! » Qu'on se rassure. Nous ne tenterons pas ici un parallèle artificiel entre les deux hérauts du « Ils sont tous pourris ! ». M. Poujade lui-même, aujourd'hui propriétaire terrien et aubergiste en Aveyron, président de l'ANUREF (Association nationale pour l'utilisation des ressources et énergies françaises), croisé de l'agro-carburant et du topinambour français face au pétrole arabe, a tenu à soigneusement démarquer son action passée et ses ambitions politiques — toujours vives — du « phénomène de *show business* » qu'est selon lui le « coluchisme [1] ».

Ce qui, en revanche, éveille l'attention de l'historien et porte son regard vers ces années 1953-1956 qui virent s'étaler la révolte de Pierre Poujade, c'est la démarche même de Coluche. Pourquoi et comment en vient-on à apostropher sans détour une démocratie constituée ? Pourquoi, à la surprise de tous, un vulgaire citoyen se met-il à pourfendre professionnels de la politique et serviteurs du pouvoir ?

Un été chaud à Saint-Céré.

Tout a commencé le 22 juillet 1953 à Saint-Céré (Lot). Poujade, modeste papetier récemment élu au conseil municipal sous une étiquette qui n'est pas de gauche, est rentré de tournée. Il prend le frais ce soir-là devant sa porte quand Frégeac, autre conseiller, mais communiste, « un pur », ancien rugbyman et chef des FTP du lieu, présentement forgeron-carrossier et fort courroucé, le prévient de l'arrivée des contrôleurs du fisc le lendemain chez 30 commerçants et artisans de leur petite ville. Les menacés se réunissent aussitôt et, dans un réflexe qu'eût admiré Alain, créent un comité de résistance et portent Poujade à sa tête. C'est l'Union sacrée : « L'union était donc possible. L'avenir allait prouver qu'elle était rentable[2]. » Au matin du 23, sous l'œil débonnaire des gendarmes, les conjurés tiennent tête aux contrôleurs dans la boutique de leur première victime, le marchand de chaussures. Prenant la foule à témoin, ils font serment qu'à compter de ce jour il n'y aura plus de contrôle des comptabilités à Saint-Céré. L'administration interpellée recule en bon ordre.

Un épisode de *Clochemerle* ? En apparence. Rien n'y manque : les coups de gueule autour du pastis ; le curé, l'instituteur et le pharmacien qui mettent en garde les honnêtes gens contre ces « têtes brûlées » ; les forains aux camionnettes d'un autre âge qui portent la bonne nouvelle aux alentours ; quelques vacanciers pour le décor : une bonne scène pour Jacques Tati qui, au même moment, fait découvrir aux Français les charmes des PTT rurales *(Jour de Fête)* et des pensions en bord de plage *(les Vacances de M. Hulot).*

Pourtant, cette révolte prend racine, et en terreau strictement républicain. Le 29 juillet, Poujade fait voter à l'unanimité au conseil municipal, en présence du sous-préfet de Figeac venu prendre l'air, une motion de solidarité aux commerçants et artisans « persécutés » et une adresse au Parlement exigeant le vote d'une prompte réforme fiscale. Quelques jours plus tard, il expose en vain, mais tout de go, les revendications du « mouvement » aux élus locaux, le député Maurice Faure et le sénateur Gaston Monnerville, président du Conseil de la République. C'est la préfecture et la chambre de commerce qui tentent de lui barrer la route. Tout autant, en cet été 1953 où le gouvernement Laniel patauge dans la crise financière et l'imbroglio marocain, où la grève des services publics bloque l'activité du pays, où les paysans s'entraînent au barrage des routes, l'agitation de la boutique s'ajoute au malaise et, nous le verrons, ne manque pas de fondements.

Reste l'imprévisible et la détermination d'un leader. Qui aurait pu croire que « sur cette terre gauloise où la vieille race, dure comme le roc de ses montagnes, franche comme le vin de ses coteaux, a décidé que la graine des hommes libres n'était pas perdue », le mot d'ordre « s'unir ou disparaître » ferait tache d'huile et que le petit commerce galvaniserait «l'armée des braves gens en marche»? Un coup de téléphone d'un épicier menacé, à 30, 60 kilomètres de là? Les croisés de Saint-Céré s'assemblent, claquent les portières de la vieille Aronde et de la fourgonnette 301 Peugeot. Pied au plancher et klaxons bloqués pour avertir les villages traversés, la caravane part en virée, comme jadis, quand on allait flanquer une gamelle au XV rival. Grossi en chemin, le commando sera en place à temps pour chahuter l'agent du fisc à Égletons ou à Aurillac, à Capdenac ou à Saint-Affrique. Au passage, on tient réunion dans un bistrot, on recrute les trois mordus qui, à leur tour, iront porter l'action. Signe incompréhensible pour les notables calés dans leur fauteuil les observateurs parisiens de la France profonde : des pères de famille en canadienne, en béret basque et à Gitane maïs, mal embouchés et volontiers patoisants, prennent en main leurs petites affaires.

Un « petit rigolo ».

Et suivent «Pierrot». Gardons-nous d'en faire un héros virginal. Il a un passé. Son père, un architecte maurrassien, a disparu trop tôt, en 1928, après une belle guerre de 1914. Sa «pauvre mère», flanquée de sept enfants, a vécu avec décence dans la gêne. Pierre «l'enfant des retrouvailles», le cadet né en 1920, fréquente la communale et un collège de bons pères à Aurillac, qu'il doit quitter à seize ans faute de ressources. Un malin, un «castagneur», un sportif. La vie facile n'est pas pour lui, il doit «rouler sa bosse», tour à tour «typo», débardeur à Carcassonne, goudronneur. Précoces en lui, ce goût du chef, cette haine des «rouges», ce sens de la débrouillardise au service d'une bonne cause nationale. A quinze ans, avec quelques copains, il couvre Aurillac d'affiches à la gloire de Doriot ; à vingt ans il mène rondement une des premières compagnies disciplinaires des compagnons de France du Maréchal. En novembre 1942, il part rejoindre l'armée d'Afrique, *via* les cols pyrénéens et les geôles franquistes. Engagé dans l'aviation au Maroc, malade, il est soigné par une infirmière pied-noir, Yvette, qu'il épouse. A peine la RAF l'a-t-elle formé que le débarquement a eu lieu : démobilisé, une maigre prime en poche, il revient à Saint-Céré avec sa femme et bientôt quatre enfants.

Est-ce vraiment un obscur, comme il s'est plu à le dire ? En transit à Madrid, il a pris contact avec de jeunes phalangistes.

En Afrique du Nord, il a noué d'utiles relations avec des giraudistes et des gaullistes. Vers 1945, il rencontre d'anciens maréchalistes et de vieux copains de club. Déjà s'observe chez lui le goût du syncrétisme. Milieu familial ennemi de «la Gueuse» et mariage avec une fille de communiste, patriotisme vichyste et fierté de résistant, dégoût des collabos et des maquisards de la 11e heure, amour d'une République au service des petits et sens de l'ordre. Dans sa ville natale, sa place de petit notable de droite l'attend : à preuve, son élection de conseiller RPF — étiquette molle et commode : de Gaulle est trop homme du Nord pour le séduire — sur une liste radicale qui sent fort son «intérêt général». Des amitiés et un réseau, son métier les lui a consolidés. Représentant en librairie, il a traîné ses valises aux quatre coins du département. Flairant les bons «coups» — il a placé avec remise exceptionnelle *les Hommes en blanc* du Dr Soubiran —, il s'est attaché quelques reconnaissances. Petit papetier vaguement grossiste, installé dans une «boutique» de 7 m² tenue par Yvette, il court les routes, approvisionne des petits détaillants en cartes postales et crayons, sait trinquer et n'a pas froid aux yeux. Fier d'être à son compte, une trésorerie courte, un bon chiffre d'affaires mais rongé par l'impôt, des journées de seize heures : le sang chaud et l'œil vif, jetant quelques idées fortes sur l'honneur et le droit des honnêtes travailleurs, Poujade est le premier commis-voyageur du poujadisme.

Aucun charisme. Sur une estrade ou dans une arrière-salle, en manches de chemise ou en gilet de laine tricoté à la machine, il est de plain-pied avec son auditoire : mêmes mots, mêmes blagues lourdes, mêmes références puisées dans l'arsenal des leçons de morale et d'histoire de l'école primaire. Pourtant ce Français moyen est acclamé comme un chef. Inusable (802 réunions en deux ans), courageux (il tient meeting à Sancoins avec trois côtes cassées l'heure d'avant dans un accident d'auto ; il sait affronter les CRS et calmer une foule), méprisant les élites et les médias (qui le lui rendent bien), bon orateur qui fait mouche et s'installe au micro comme on passe à table entre amis, vengeur, plébéien et madré, il dépasse Tartarin et, sans atteindre Spartacus ou Camille Desmoulins comme l'ont affirmé à l'époque MM. Pierre Dominique et Marcel Pagnol, rivalise avec ses aînés, Marcellin Albert, Dorgères ou Thorez.

Qu'il soit aussi rusé qu'un vieux routier de la politique, la structuration du mouvement le démontre bien. Activisme pour s'imposer, habileté pour s'installer, voilà sa règle. En octobre 1953, quand sont jetées les bases d'un comité départemental, il s'en tient sagement aux revendications fiscales. Le 29 novembre, quand naît l'Union de défense des commerçants et artisans (UDCA) du Lot, les délégués manœuvrent comme de parfaits congressistes. Le 6 décembre, les « poujadistes » remportent après une campagne retorse un beau succès contre les « ensaucissonnés » des syndicats professionnels et de la CGPME de Léon Gingembre à la chambre de commerce de Cahors. A cette occasion, les notables battus ne manquent pas de dénoncer « les petits chaperons rouges » de Poujade. De fait, en bons léninistes sans le savoir, les communistes du cru sont là où se trouvent les masses : le PCF ne lâchera les poujadistes qu'à l'automne 1955.

Au long du premier semestre de 1954, les départements voisins sont quadrillés avec le même dosage de coups de force et de louvoiements. A l'été, dans une France « choquée » par Diên Biên Phu, mais passionnée par l'énergie de Mendès France, l'ardeur se calme un peu, et en octobre, vivement attaqué sur sa gestion financière médiocre, Poujade laisse partir les conservateurs mécontents mais prépare le « coup » suivant. Il a lieu à Alger, où, entouré d'amis sûrs, il tient en novembre le premier congrès national de l'UDCA, au moment précis du déclenchement de la rébellion FLN. Pourquoi Alger ? A vrai dire, on ne le sait guère. Pressions d'Yvette pour revoir les siens ? Accords antérieurs avec quelques amis de 1943 qui ont flairé l'aubaine ? Un mouvement antifiscal en pleine vigueur mais qui déborde à peine la Loire et le Rhône, une fièvre des bourgs et des petites villes de métropole, un chef sans programme mais qui a su s'imposer fermement, reçoivent ainsi l'étrange hommage mêlé des petits blancs de gauche et de quelques gros colons. Que ces derniers aient pris des gages, c'est possible. Un Algérois nanti, Paul Chevallet, prend la direction de _Fraternité française_, nouveau journal du mouvement lancé pour la circonstance. Et l'UDCA, visiblement, n'aura plus de crise grave de trésorerie.

« Mendès-lolo ».

Plébiscité à Alger, Poujade évolue... Affleurent dans ses discours la haine des « métèques », l'antisémitisme ; la défense inconditionnelle de l'Algérie française devient obsédante. Son entourage est plus composite, les communistes sont évacués au profit d'hommes marqués à droite. Et surtout l'exigence antifiscale débouche sur une pression antiparlementaire directe et tente de fédérer d'autres couches mécontentes, les paysans en particulier. « Pierrot » doit devenir politicien généraliste. Par bonheur, ces nouveautés interviennent alors que le vent est en poupe.

Le gouvernement de Pierre Mendès France a commis en effet deux maladresses. La première en faisant adopter par le Parlement, le 14 août 1954, une loi spéciale de finances dont l'article 33, dit « amendement Dorey », permet de mettre à l'ombre tout citoyen qui s'opposerait à un contrôle fiscal. Non seulement le poujadisme aura désormais des martyrs en plus grand nombre, mais il peut étendre sa lutte contre les commandos de « polyvalents » du fisc à l'ensemble du personnel parlementaire. Les commerçants prennent la tête de la « révolte du peuple », le siège du Parlement commence. Deuxième maladresse, les décrets sur l'alcool de novembre. Contre eux se mobilisent les viticulteurs du Midi, les bouilleurs de cru du Nord et de l'Ouest, tous les débitants de boissons et quelques bataillons de consommateurs des élixirs tricolores. Que Mendès France engage vigoureusement le fer, qu'il ose boire du lait en public et en fasse distribuer aux enfants des écoles, c'en est trop : « Si vous aviez une goutte de sang gaulois dans les veines, tonne Poujade, vous n'auriez jamais osé, vous, représentant de notre France, producteur mondial de vin et de champagne, vous faire servir un verre de lait dans une réception internationale ! C'est une gifle, monsieur Mendès, que tout Français a reçue ce jour-là, même s'il n'est pas un ivrogne. »

Contre l'amendement Dorey, contre les bradeurs d'Empire, contre « Mendès-lolo », les poujadistes investissent Paris en janvier 1955. Le 21, leur délégation soumet aux groupes parlementaires un questionnaire en 8 points sur la réforme fiscale, auquel ne répondent favorablement que Roger Duchet pour les indépendants et paysans et Jacques Duclos — avec quelques nuances — au nom des communistes. Seuls la SFIO et le MRP affichent leur hostilité. Le 24, la province monte « à l'assaut de la liberté ». Malgré les inondations, malgré Jacques Chaban-Delmas, ministre des Transports qui aurait fait refuser les trains spéciaux demandés à la SNCF, ils sont plus de 100 000 à la porte de Versailles — 250 000 affirme Poujade —, tandis que des meetings secouent toutes les régions et qu'est acclamé le mot d'ordre de grève générale de l'impôt et le retrait des fonds de toutes les caisses publiques. Le 14 février, Poujade fait pleurer un Vel' d'Hiv' archi-comble. Les rideaux de fer s'abaissent, les salles de réunion s'emplissent : un poujadisme d'ampleur nationale est à son zénith. Malgré les poursuites judiciaires et la ténacité des CRS, ses 500 000 volontaires dénoncent pêle-mêle les « polyvoleurs » et les métèques « fossoyeurs » du pays, affolent les états-majors politiques et syndicaux. La presse nationale s'intéresse enfin au phénomène et la science politique a dépêché dans le Lot un de ses plus subtils chercheurs, Stanley Hoffmann.

En mars 1955, Mendès France ayant été battu sur la question d'Afrique du Nord et Edgar Faure régnant à Matignon, c'est l'apothéose. Le 11, Poujade adresse une lettre comminatoire aux parlementaires. Le 18, il plastronne dans les tribunes du Palais-Bourbon, y tombe la veste, fait manœuvrer ses émissaires, tandis que dans l'hémicycle les modérés chapitrés par l'inusable Frédéric-Dupont contraignent leurs collègues et le gouvernement à prendre l'engagement d'abroger l'amendement Dorey et de promouvoir au plus vite une réforme de la fiscalité. Aucune velléité de tenter un nouveau 6 Février : les élus sont sifflés, mais aucune foule poujadiste n'assiège le pont de la Concorde. Et, si le pouvoir a reculé, il n'a pas capitulé. Le 21, Poujade est inculpé ; ses supporters privés d'amendement Dorey flottent un peu ; les syndicats des classes moyennes et de la paysannerie se ressaisissent.

Une fois encore, Poujade sait relancer la balle. Ils pressent que le « système » a refusé le renouveau et a laissé passer sa chance en renvoyant Mendès France. Ses bains de foule lui ont appris à tester le sentiment populaire d'une déliquescence du régime. A-t-il des ambitions personnelles ? Rien ne le laisse entendre. Il se contente de marteler des solutions de bon sens. La République se meurt ? Convoquons des états généraux. On s'enfonce dans l'ornière ? Rassemblons toutes les catégories sociales dans une « fraternité française » cimentée par les travailleurs indépendants. Ainsi éclateront les partis, seront réformées les institutions et sauvées nos colonies. Du 20 juillet au 1er août 1955, les « Trois glorieuses de Saint-Céré » lancent la « troisième bataille » dans une folle ambiance de kermesse. La France gronde. « Pierrot » repart « sur les routes de France ».

« Sortez les sortants ! »

Est-ce l'hallali ? Les victoires poujadistes aux élections consulaires de l'automne le laisseraient entendre. Pourtant, le régime se défend bien. En annonçant en octobre des élections générales anticipées après dissolution de l'Assemblée, Edgar Faure sait qu'il offre une bonne cible à l'effervescence. Mais la manœuvre est subtile. Faire pivoter la machine parlementaire vers le centre gauche, prendre le risque de modifier les équilibres de majorité peut sauver le régime : les sortants combattront Poujade sur son propre terrain, la fidélité à une République rétro. De fait, le Front républicain vainqueur en janvier 1956 a détourné à son profit une part du poujadisme instinctif : un vieux réflexe défensif remet une fois encore à la gauche le soin d'assumer seule l'héritage de 1789. Les communistes ne s'y trompent pas, qui saisissent l'occasion de sortir de leur ghetto de guerre froide et regagnent la tiédeur de la grande famille républicaine et antifasciste : dès lors, ils accableront fort opportunément «l'hitlérien Poujade [3]».

Efficace manœuvre : l'adversaire flotte visiblement. *Fraternité française* pousse en avant un Poujade trop violent pour ne pas effrayer quelques fidèles raisonnables. Les unions parallèles, qui devaient étendre à d'autres professions l'action de l'UDCA, se développent mal. Les jeunes recrues de l'École des cadres donnent un visage trop «musclé» aux réunions rigolardes de jadis. Le programme général adopté en juillet 1955 est un catalogue sans autre souffle que celui qui vient d'Algérie : il s'adapte mal au travail de terrain d'une campagne électorale. Des dissidences éclatent. Poujade et ses lieutenants sont lourdement condamnés par les tribunaux. Bref, à Saint-Céré les 8 et 9 novembre, le chef a quelque peine à faire admettre qu'Edgar Faure ayant «rompu le contrat» et désamorcé la convocation des états généraux, il faut présenter des listes poujadistes aux élections. Tout annonce une campagne médiocre où la violence verbale compense mal le vide des arguments. Une circulaire nationale aux candidats résume cette pauvreté : «Se souvenir toujours que nous ne promettons rien, sinon de nous battre contre les trusts apatrides et le gang des charognards.»

Il faut donc soigneusement peser le triomphe poujadiste de janvier 1956. Déplacer à son profit 2 500 000 voix (11,6 % des suffrages exprimés), rafler à la surprise générale 52 sièges n'est pas mince [4]. La révolte avait assez d'élan pour bousculer les vieux réflexes : un Français sur 10 a «sorti les sortants». Mais ce n'est pas un raz de marée : c'est l'espoir d'une négociation en Algérie qui a fait la majorité du Front républicain. Les violences n'ont guère eu d'effets : François Mitterrand et Edgar Faure, particulièrement chahutés, sont réélus sans inquiétude dans la

Nièvre et le Jura. Serait-ce que, plus simplement, des Français
se sont sentis trahis et ont voté négativement? Plus nombreux
au sud de la Loire qu'au nord, plus décidés dans les zones
rurales et les petites villes que dans les grandes agglomérations,
des travailleurs indépendants, des exploitants agricoles, des
partisans de «l'Algérie française» et nombre de jeunes nouveaux inscrits écœurés[5] ont donné un avertissement : en
envoyant au Parlement des gens «comme eux», ils signifient
aux notables et aux élites qu'il est grand temps de remettre la
maison en ordre.

Ainsi s'explique sans doute que le poujadisme s'enlise et
dépérisse au Palais-Bourbon. Ses élus sans programme sont une
force d'appoint. Poujade — qui n'a pas voulu être candidat —
les contrôle mal. Qu'une politique énergique s'annonce avec
Guy Mollet, que de Gaulle revienne au premier plan, leurs
électeurs n'en demandent pas davantage. Jusqu'en mai 1958,
Poujade ne mobilise plus. Il durcit le ton, simplifie, couvre
toutes les marchandises de l'extrême droite. En vain. Le gros
des troupes ne suit plus, les échecs s'accumulent. En janvier 1957 il est sévèrement battu dans une élection partielle à
Paris ; en novembre, il lance, impuissant, un appel désespéré
au maréchal Juin et au général de Gaulle. Un peu partout,
d'anciens compagnons se sont carrés dans leurs fauteuils d'élus
des chambres de commerce, les adhérents regagnent leur
comptoir.

Qu'importe alors qu'au 13 mai 1958 les poujadistes d'Alger,
avec Ortiz à leur tête, soient les meilleurs activistes, que le
drapeau «Union et Fraternité française» soit brandi par Lagail-
larde au monument aux morts, qu'en juin à Paris les élus
trahissent leur chef et apportent quelques voix bien utiles à de
Gaulle : le ressort est brisé. Sous la Ve République, Poujade
s'attire bien vite la haine du général et fait un très long chemin
en compagnie des ultras de l'Algérie française ; ses anciens
partisans se reconnaissent mieux dans Gérard Nicoud. Seul un
Auvergnat aussi rusé et aussi «peuple» que lui, Georges Pompidou, saura le flatter, le recevoir à l'Élysée et en faire un des
inspirateurs de la loi Royer de 1973. Aujourd'hui, plus lucide
et toujours impatient, Pierre Poujade exige toujours qu'on
rende justice à ses mérites et à son patriotisme. Laissons-le à
ses vieilles ambitions et à ses nouveaux combats[6], et tentons
de peser les raisons de son succès.

La fin du bon beurre.

« Mon fils sera crémier », concluait sagement le héros de *Au bon beurre* de Jean Dutourd, et la France de 1952 sut faire un bon accueil à la boutade. Trop de familles mises en cartes avaient vu, depuis 1940, leur sort lié à l'humeur et aux approvisionnements des détaillants pour que le petit commerce, avec ses servitudes et ses grandeurs, ses profits réels ou supposés, n'ait pas conservé une image bien typée dans la conscience collective. Les statisticiens qui surveillent les robinets du Plan et de l'investissement savent déjà, eux, que le commerce de détail en France est un secteur artificiellement gonflé par les années de pénurie : plus de 100 000 créations de boutiques par an depuis 1940, avec une forte poussée à la Libération, pour en arriver à 1 300 000 établissements en 1954, employant 2 240 000 personnes, dont 1 250 000 salariés. La boutique familiale ou à un employé fait donc encore prime sur le marché, puisqu'elle a pu débiter au prix fort des denrées toujours trop rares. Qu'advienne la fin des restrictions en 1949, que s'élance la croissance, et tout bascule. Avec l'abondance, le client peut enfin choisir son boucher ; avec la poussée en amont des forces de la production modernisée, les formes de distribution évoluent.

Certes, quoi qu'en dise Poujade, le supermarché n'existe pas en France avant la Vᵉ République. Mais les magasins à succursales multiples s'activent dès 1950, et, dans cette fascination mêlée d'angoisse face à l'américanisation de la vie quotidienne qui caractérise ces années de transition, les orateurs poujadistes n'ont aucune peine à faire admettre à leurs auditoires que le pays « robotisé » est déjà couvert de « grandes surfaces » : la rumeur, on le sait, nourrit plus facilement la révolte que la statistique. Pourtant, quelques-uns sont déjà frappés, épiciers, boulangers, cafetiers et merciers : voici de bons sergents recruteurs. Dans le même temps s'installe le « désert français ». L'exode rural a repris, brutal. Les revenus ruraux chutent et ne suivent plus la poussée du salariat. Si le commerce des grandes villes profite de l'élévation du niveau de vie de ses clients, celui des bourgs et des petites villes est donc doublement perdant : moins de chalands et des portefeuilles moins garnis. On comprend que tant de marchands ambulants, tant de minuscules détaillants de village aient acclamé Poujade. On saisit mieux ainsi la géographie primaire du poujadisme. Boutiques en faillite, faible dynamisme démographique, départ

des actifs, c'est le paysage du sud d'une ligne Saint-Malo/Ge-
nève, et particulièrement du Massif central et du Sud-Ouest. A
ces hommes et ces régions exsangues, Poujade propose une
transfusion-miracle : l'action.

Contre les « Bastilles fiscales ».

Dans cette conjoncture morose, le poids de l'impôt devient
insupportable. La France de la Libération a conservé un
système fiscal anachronique et complexe, qui défavorise les
commerçants face aux salariés. Comme tous les Français, les
travailleurs indépendants acquittent des contributions directes.
Pour plus de 80 % d'entre eux, qui n'atteignent pas 10 millions
de chiffre d'affaires annuel, elles sont négociables par forfait
avec l'administration locale. Ils complètent cette contribution par une taxe proportionnelle sur les revenus et une
surtaxe progressive. Mais, quand les salariés bénéficient
d'un abattement automatique à la base de 10 % sur ces
dernières parce que, dit l'administration, ils ne peuvent
pas frauder sur la déclaration de leurs revenus, le com-
merçant ou l'artisan, supposé fraudeur par définition, n'en
a pas le bénéfice. Enfin, tout détaillant perçoit directement
en les répercutant sur ses prix de vente une taxe locale et
une taxe sur les transactions, en forte augmentation depuis
1945, qu'il reverse ensuite aux Indirectes. Tout ceci, on le
voit, est complexe. En 1956, deux commerçants sur trois font
appel à un conseiller fiscal pour digérer la paperasse et parfois,
il est vrai, « ajuster » les comptes pour tourner la loi. Si les
fonctionnaires du fisc sont du pays, tout peut s'arranger : un
délai, un forfait allégé laissent souffler l'ami d'enfance aux
abois.
Or trois nouveautés caractérisent les années 50 dans l'administration des contributions : les Directes et les Indirectes
travaillent davantage la main dans la main ; beaucoup d'agents
sont déracinés ; Paris invite ses fonctionnaires à relever systématiquement les Indirectes et aguerrit des brigades spéciales de
« polyvalents » pour toutes vérifications utiles. Qu'un contrô-
leur « parisien » des Indirectes signale à son collègue des
Directes que l'épicier du coin reverse une taxe locale proportionnellement bien supérieure à ce que laisse entendre son
forfait sur le chiffre d'affaires, c'est l'inquiétude ou l'amende.
Qu'un « polyvalent » fasse irruption dans sa comptabilité et
épluche le dossier sur plusieurs années, c'est la catastrophe :

Les suffrages poujadistes

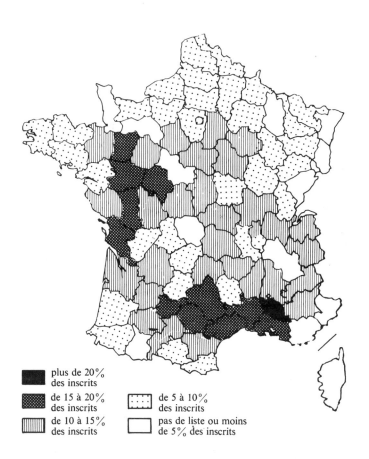

plus de 20%
des inscrits

de 15 à 20%
des inscrits

de 10 à 15%
des inscrits

de 5 à 10%
des inscrits

pas de liste ou moins
de 5% des inscrits

Source : J.-P. Rioux, *La France de la Quatrième République*, t. 2, *l'Expansion et l'Impuissance*, Éd. du Seuil, 1983, p. 96.

les « rappels » sont insolvables, le nouveau forfait insupportable.

En triturant leurs livres de comptes dans l'attente de « la Gestapo fiscale », nombre de commerçants apprennent aussi à lire la lente érosion de leurs revenus nets : impôts plus lourds sur des revenus plus faibles. Les uns fuient en avant et fraudent plus fort. Quelques-uns renoncent et cherchent un emploi salarié, vécu ensuite comme un déclassement. D'autres se rebellent : Poujade les attend. Leur exigence commune ? Un système simple qui leur permettrait de connaître pour deux ans le montant exact de toutes les contributions qu'ils devront acquitter.

Remarquons cette soif de stabilité. Elle est symétrique d'une nouveauté que les commerçants et artisans de 1953 sont incapables de mesurer : pour la première fois depuis 1945, l'inflation est stoppée et les prix stabilisés, sous l'effet de la politique d'Antoine Pinay et d'une demande encore modérée face à une offre de biens et de services en croissance rapide. Privés de l'oxygène de l'inflation permanente, nombre d'entre eux ne peuvent plus comme jadis répercuter automatiquement et sans douleur sur leurs prix de détail le poids des impôts. Mais, dès que l'inflation reprend, les voici de nouveau soulagés. Ce qui se produit très exactement dans le courant de l'année 1955, quand hausses de salaires et bonne conjoncture mondiale relancent une forte inflation par la demande. C'est à ce moment précis que le poujadisme amorce son déclin.

« Poujadolf » ?

Nous voici au cœur des contradictions du poujadisme. « Pierrot » mobilise la France des retardataires et des rejetés d'une croissance toute neuve, la France du « cocorico », dit-il, qui refuse la France du « Cocacola ». La France de ceux qui « se débattent bruyamment, avec les gestes désordonnés de gens qui se noient », note joliment André Siegfried[7]. Pour les jeter dans l'action et les tenir en haleine, il avance une chimère : « Nous défendrons la structure traditionnelle de l'économie française. » Or, la France de l'investissement planifié, du profit et de la consommation, elle, maîtrise seule les mécanismes des prix et de la monnaie. Le retour en arrière est impossible. La révolte poujadiste a sans nul doute mis en sursis pour quinze ans nombre de travailleurs fiers de leur indépendance que les mammouths de la grande distribution lamineront après 1960 : Poujade est un bon croisé contre le supermarché. La France des technocrates et des grandes agglomérations ôte, par contre, tout espoir politique au poujadisme dès qu'en 1956 tous les vendeurs peuvent feuilleter d'un œil plus serein leurs livres de comptes. Poujade ne peut rien contre la croissance. Et la réforme fiscale, une fois encore, sera dans l'entrefaite reportée aux calendes.

Poujade ne serait-il donc qu'un bon vendeur de nostalgies, celles de la boutique et des Français d'Algérie, celles des classes moyennes anciennes de l'échoppe, de la boutique et de la petite entreprise bousculées par les nouvelles couches des fonctionnaires, des cadres et des techniciens du tertiaire « utile » ? Un rapide détour par le verbe poujadiste nous en convainc aisément.

Poujade en effet récite inlassablement ses leçons d'école primaire : honnêteté et travail permettent de sortir du salariat et de la glèbe en « s'établissant » ; maître chez soi est libre ; citation de Balzac ou de Hugo vaut tout chiffre de « polytechnicien taré » ; l'égalité est la récompense des bons sujets ; les taches roses de l'Empire sur les planisphères ne se terniront pas. La vérité de Pierre Poujade, comme Roland Barthes l'a aussitôt remarqué, est mythologique[8]. Il n'est à l'aise que dans la tradition républicaine la plus instinctive. Son populisme ne fait que répéter, sur fond d'anarchisme et de solidarisme, les bonnes leçons d'Alain ou de Léon Bourgeois. Un radical qui s'ignore ? Peut-être : remarquons que ses adversaires si « modernistes », Mendès France et Edgar Faure, savent à l'occasion trouver des accents qui font écho aux siens. Enfant d'une terre qui fit lever les Croquants[9], il est à l'aise dans un éternel programme de Belleville et dans une vigoureuse dénonciation des « gros » par les « petits ». Sa révolte naît d'une impuissance à détourner le cours de la modernité. Ses mythes sont donc proprement réactionnaires et, derechef, inassimilables par tous les Français qui bâtissent l'expansion[10]. « C'était Verdun, c'était Wagram. Des poilus aux sans-culottes, d'Alésia au Vercors, c'était le cri d'un peuple qui ne veut pas mourir. »

Était-il même porteur d'un néo-fascisme ? L'intelligentsia parisienne l'a cru, qui a salué la caricature de *l'Express* dévoilant « Poujadolf ». Des étudiants, des cerveaux patentés s'esclaffent. Par exemple : « Jadis les fascistes s'habillaient. Les nôtres se déshabillent. C'est Tarzan qui a la cote » (Jean-Marie Domenach[11]). Certes, dans l'entourage de « Pierrot » à partir de 1955 ne circulent pas que des enfants de chœur : l'ex-

commissaire Dides, Jean-Marie Le Pen qui rêve de pacifier le
quartier Latin comme on quadrille un djebel, mille fantômes de
l'activisme vichyste et de futurs anciens de l'OAS. Certes, le
chef sait être xénophobe, pourfendeur d'écrivains «pédé-
rastes» et abruptement antisémite à l'occasion. Mais un fasciste
authentique entend bien labourer une société sous le fer de son
idéologie : Poujade se contente de réciter du Béranger avec
application. Dans *Défense de l'Occident* de mai 1956, un expert
en fascisme français, Maurice Bardèche, s'en étrangle de rire :
«Poujade ne combat pas la République, il la ramène à ses
origines.» Entendons-nous. Mussolini agissait avant même
d'avoir une doctrine. Si le mouvement avait pu exploiter
politiquement le thème de l'Algérie française et du racisme, si
l'armée des comploteurs du 13 mai était allée quérir son chef
à Saint-Céré, soit. Mais, précisément, jamais Poujade ne peut
monnayer sa tendresse pour une Algérie refuge des valeurs
nationales ou sa haine des «trusts apatrides». D'autres ont
ratissé le terrain avant lui.

La parole aux muets.

Qu'est donc, au juste, le poujadisme ? Un antiparlementarisme sommaire, héritier des ligues activistes de 1900 ou de
1930 ? Même pas. Jusqu'en 1955, la pression antifiscale suffit
à l'emplir : aux élus le soin de voter de bonnes lois que nous
aurons plaisir à respecter. «Sortez les sortants» n'est pas un
appel à la rue. Que vienne, on l'a dit, un Guy Mollet solidement
anticommuniste et désireux de casser du fellagha avant toute
négociation : les poujadistes applaudissent. Que de Gaulle
s'impose après le 13 mai : ils applaudissent encore, puisque le
général met très exactement en application leur slogan électoral
tout en respectant la République éternelle, sans comprendre
qu'au passage s'avance le régime de la France industrielle, de
la décolonisation et du rassemblement temporaire de toutes les
classes moyennes.
Une révolte, fût-elle gaillarde et bien en gueule, ne peut
donner que ce qu'elle a. Elle fonctionne dans un système de
références anciennes, bégaie plus qu'elle n'invente, bouscule
sans transformer. Poujade crève pour un temps les vieux
clivages entre la droite et la gauche [12]. Ses candidats grappillent
des voix à la gauche et au conservatisme assoupi : ils ne
rassemblent pas les «durs» d'une extrême droite qui croit aux
idéologies. Ils portent un mécontentement, ils ne brisent pas les

cadres politiques et sociaux de la cité. Passéiste aux idées courtes, activiste sans programme d'avenir, Poujade aurait donc pu n'être qu'un histrion temporaire.

L'honneur de Pierre Poujade est d'avoir généreusement donné sa parole à des muets, d'avoir expliqué avec son cœur qu'on ne modernise pas un pays sans regarder en arrière et que les hommes ne sont pas du matériau pour statisticiens. Aujourd'hui nous serions presque tentés de trouver quasiment écologique sa défense des paisibles bourgades conviviales et séduisante sa dénonciation de la « politique politicienne ». Mais que vaut une politique incapable d'exploiter son succès ? Poujade, au vrai, n'existe qu'à travers les échecs de la IVe République. L'origine de sa fortune, notait Pierre-Henri Simon, c'est « l'appel du vide [13] ».

Notes

1. *Le Quotidien de Paris*, 4 décembre 1980. Sur le topinambour, cf. *le Midi libre*, 1er, 2 et 3 avril 1980.

2. P. Poujade, *J'ai choisi le combat*, Saint-Céré, Société générale des éditions et publications, 1955, p. 30. Nos autres citations dans le texte sont également de lui.

3. Voir *Poujade sans masque!*, brochure parue en 1956, rédigée par F. Grenier.

4. Au cours de houleuses séances en février, 11 d'entre eux seront scandaleusement invalidés.

5. Cf. V. Brindillac et A. Prost, «Géographie des élections du 2 janvier 1956», *Esprit*, mars 1956, p. 437-461.

6. Dès le 14 mai 1958, le poujadiste M. Bretin avait déposé un projet de loi sur l'agro-carburant. Dès 1957, l'UDCA lançait l'«Opération Confiance» pour le développement des groupements d'achats. Deux thèmes chers à P. Poujade aujourd'hui.

7. *De la IVe à la Ve République*, Grasset, 1958, p. 235.

8. Dans *Mythologies*, Éd. du Seuil, 1957; rééd. Éd. du Seuil, coll. «Points».

9. Cf. Y.-M. Bercé, *Histoire des Croquants*, Droz, 1974, 2 vol.

10. Cf. M. Winock, *La République se meurt (1956-1958)*, Éd. du Seuil, 1978, p. 19-24.

11. *Esprit*, février 1956, p. 259.

12. L. Wylie donne une pittoresque description de cette bousculade dans son *Village du Vaucluse*, Gallimard, coll. «Témoins», 1979.

13. *Le Monde*, 25 janvier 1956.

Pour en savoir plus

Sur la révolte elle-même.

D. Borne, *Petits-bourgeois en révolte? Le mouvement Poujade*, Flammarion, 1977 (récente et claire synthèse).

S. Hoffmann et al., *Le Mouvement Poujade*, Colin, 1956 (remarquable enquête « à chaud »).

P. Poujade, *J'ai choisi le combat*, Saint-Céré, Société générale des éditions et publications, 1955; *A l'heure de la colère*, Albin Michel, 1977 (hagiographiques, mais indispensables pour revivre le mouvement de l'intérieur; à compléter par quelques numéros de *Fraternité française*).

A. Prost, « Géographie du poujadisme », *Cahiers de la République*, n° 1, 1956, p. 69-77.

J. Touchard, « Bibliographie et chronologie du poujadisme », *Revue française de science politique*, janv.-mars 1956, p. 18-43.

Sur son contexte.

J.-J. Carré, P. Dubois et É. Malinvaud, *La Croissance française. Un essai d'analyse économique causale de l'après-guerre*, Éd. du Seuil, 1972.

C. Quin, *Physionomie et perspectives d'évolution de l'appareil commercial français, 1950-1970*, Gauthier-Villars, 1964.

J.-P. Rioux, *La France de la Quatrième République*, t. 2, *l'Expansion et l'Impuissance, 1952-1958*, Éd. du Seuil, coll. « Points-Histoire, Nouvelle histoire de la France contemporaine, n° 16 », 1983.

M. Roy, *Les Commerçants entre la révolte et la modernisation*, Éd. du Seuil, 1971 (permet un parallèle entre Poujade et Nicoud).

R. Schnerb, *Deux siècles de fiscalité française (XIXe-XXe siècles)*, Mouton, 1973.

Sur son contenu politique.

P. Birnbaum, *Le Peuple et les Gros, histoire d'un mythe*, Grasset, 1979 (rapide).

M. Duverger, F. Goguel, et J. Touchard, *Les Élections du 2 janvier 1956*, Colin, 1957 (exhaustif).

J. Plumyene et R. Lasierra, *Les Fascismes français (1923-1963)*, Éd. du Seuil, 1963 (Poujade n'est pas fasciste).

L'Univers politique des classes moyennes, sous la direction de G. Lavau, G. Grunberg et Nonna Mayer, Presses de la Fondation nationale des sciences politiques, 1983.

16

La chute de
Pierre Mendès France

Michel Winock

« L'hallali » : c'est le mot qui vient spontanément à l'esprit quand on se remémore cette scène nocturne du Palais-Bourbon — Pierre Mendès France, seul à la tribune, faisant face à la meute vociférante. « L'hallali », c'est le titre d'un article de Raymond Schmittlein (gaulliste, ministre de la Marine marchande du cabinet mis en minorité), dans *le Courrier de Belfort*, le 12 février 1955. Mais ce n'est pas pour autant le mot juste. Raymond Schmittlein, à deux reprises dans son article, ne parle-t-il pas d'« explosion de haine » ? Ni les chasseurs ni les chiens n'éprouvent de haine à l'endroit de la bête qu'ils forcent. Les ennemis de Mendès France usent d'une autre métaphore animalière : ce n'est pas un cerf ou un sanglier mais plutôt un serpent : « La Bête est morte, écrivait ainsi Camille Aymard, mais le venin reste, qui longtemps encore empoisonnera le sang de la France » (*Paris*, 5 février 1955).

Cette outrance dans l'animosité, Pierre Mendès France venait de l'éprouver, de la part de ses collègues. A 4 heures 50 minutes, ce 5 février, le président de l'Assemblée, Pierre Schneiter, avait donné le résultat du scrutin : 319 députés avaient voté le refus de confiance, contre 273. Le cabinet Mendès France s'était vu opposer une majorité « constitutionnelle [1] » : la crise était ouverte.

Cependant, au lieu de quitter son banc sans mot dire, Mendès France avait demandé une dernière fois la parole au président de l'Assemblée, qui la lui avait accordée. Ce n'était pas l'usage, Mendès France passa outre. Il voulait faire « une très brève déclaration ». S'attendant à être mis en minorité, il l'avait préparée. Au bout de quelques phrases prononcées par l'orateur, ce fut un déchaînement, un crépitement, une tempête. Le cri de Robert Bichet, député MRP, résuma ces excès de langage : « La Constitution est violée. C'est du fascisme ! » A ce moment-là, le président vaincu ne parlait déjà plus que pour les sténotypistes du *Journal officiel.* C'est pour eux qu'il conclut :

« Ce vacarme ne m'empêchera pas de dire que, par le spectacle qu'elle offre, l'Assemblée, au moment où elle vient de renverser le gouvernement républicain, ne se montre pas digne des responsabilités qui sont les siennes. (Vives interruptions à l'extrême gauche, au centre et à droite.)

« J'espère que demain, dans un climat meilleur et par la bonne entente de tous les patriotes, nous saurons donner à ce pays de nouvelles raisons d'espérer et que nous surmonterons la haine dont trop souvent ici nous avons donné le spectacle.

« Vive la France ! » (Exclamations prolongées à l'extrême gauche, au centre et à droite.)

« Ce soir ou jamais ! »

Ce débat parlementaire avait commencé le jeudi 3 février. C'est « la situation en Afrique du Nord » qui en était l'objet. Le 31 juillet 1954, Mendès France, flanqué du maréchal Juin, s'était rendu en Tunisie, troublée par l'agitation nationaliste, pour offrir au bey la négociation d'un statut franco-tunisien fondant « l'autonomie interne » de la Régence. A Carthage, il avait prononcé un discours qui parut à toute la presse internationale annoncer une ère nouvelle dans les relations de la France avec ses colonies. Depuis cette date, les négociations se poursuivaient avec le gouvernement tunisien. Mais, entre-temps, les attentats du 1er novembre 1954 donnaient à penser que l'Algérie, à son tour, allait connaître un mouvement d'indépendance nationale, auquel les Français n'étaient d'aucune façon préparés. Au Maroc, le coup de force perpétré le 20 août 1953 par les autorités françaises contre le sultan Sidi Mohammed ben Youssef, au bénéfice du sultan ben Arafa, attendait encore réparation par le nouveau gouvernement. A ces problèmes brûlants, certains ajoutaient encore la question du Fezzan — ce morceau de Sahara où les Français avaient établi des garnisons pendant la guerre, en 1941-1942 : la Libye, devenue indépendante depuis 1951, demandait à récupérer ce territoire.

La politique « nord-africaine » de Mendès France inquiète l'ensemble de la droite conservatrice, en particulier le *lobby* colonial d'Algérie. On prête au président du Conseil des intentions de « bradeur ». N'a-t-il pas déjà « liquidé » le Tonkin ? N'est-il pas en train de « liquider » le protectorat tunisien ? Ces antécédents n'ont-ils pas encouragé les attentats du 1er novembre en Algérie ? A l'égard de celle-ci, sa politique maintes fois réaffirmée présente deux volets inséparables : une politique de sécurité, qui ne lésine pas sur les forces du maintien de l'ordre à pourvoir, mais simultanément une politique hardie de réformes sociales et politiques, à même d'intégrer l'Algérie dans la communauté française. Cette politique a obtenu le soutien de la majorité des députés, qui, sur cette question, ont voté leur confiance à Mendès France, en décembre. Cette fois encore, en février, le chef du gouvernement déclare sa volonté de maintenir la souveraineté française, non seulement sur les départements algériens, mais aussi sur la Tunisie : « La France conservera, et sans réserve, la direction de la diplomatie et de la représentation extérieure de la Régence. »

Oui, mais la politique réformatrice qu'il annonce pour l'Afrique du Nord, surtout pour l'Algérie, lui vaut l'opposition, d'abord discrète, puis affichée, des « grands intérêts » d'outre-mer. Leur porte-parole le plus intelligent se trouve au sein même du parti radical : il s'appelle René Mayer. Le 26 janvier, devant le comité exécutif de son parti, celui-ci critique clairement la nomination, annoncée la veille, de Jacques Soustelle comme gouverneur général de l'Algérie — nomination d'un gaulliste réputé libéral qui préfigurait une réforme de l'administration et de la police d'Alger, ce qui mettait le *lobby* sur le qui-vive. C'est le même René Mayer, député de Constantine, très proche d'Henri Borgeaud, lui-même radical et grand propriétaire de vignes, de plantations de liège et de tabac en Algérie, qui, dans la séance du 3 février, porte les premières attaques sérieuses contre Mendès : « Je ne sais pas où vous allez et je ne puis croire qu'une politique de mouvement ne puisse trouver un moyen terme entre l'immobilisme et l'aventure. »

Au cours du débat, les critiques les plus contradictoires le disputent aux procès d'intention. Les uns font grief au président du Conseil et à son ministre de l'Intérieur, François Mitterrand, de négliger le souci de sécurité des populations ; de choisir — autre façon de flétrir « l'aventure » — le « saut dans l'inconnu ». Pourtant, Mendès France ne compte-t-il pas dans son gouvernement Jacques Chevallier, le maire d'Alger ? N'est-il pas, du reste, défendu par cet autre « grand colon » qu'est Georges Blachette, lequel se prononce ouvertement pour la

politique mise en œuvre en Algérie ? Justement ! A côté des
attaques de droite, Mendès doit essuyer celles de gauche.
Robert Ballanger, au nom du groupe communiste, blâme les
actes de répression, stigmatise Mendès France et Mitterrand,
« responsables de la somme, du total des exactions et des
atrocités commises », sans qu'il propose de véritable politique
de rechange. L'indépendance n'est pas à l'ordre du jour,
l'orateur communiste ne l'envisage même pas pour la Tunisie.
Albert Coste-Floret s'indigne, lui, au nom du MRP, de ce que
les prisons algériennes soient pleines d'innocents — alors que
le MRP, plus que tout autre parti, avait assumé la politique
coloniale (et la répression coloniale) de la France depuis la
Libération ; et que, dans l'ensemble, il faisait siennes les
grandes lignes de la politique décidée pour l'Algérie...

Au fond, ce débat sur l'Afrique du Nord n'est pour beaucoup
qu'un prétexte[2] : chacun y fait référence, puisque c'est l'ordre
du jour. A part une minorité de droite conservatrice et
colonialiste, réellement inquiète des réformes menaçant à court
terme un certain type de présence française en Afrique du
Nord, il est patent que les élus de la nation, dans leur majorité,
n'ont rien à proposer d'autre que le diptyque : sécurité + réformes, défendu par le gouvernement. Mais, pour maints
députés, de plus en plus désireux d'en finir avec Mendès, la
résolution d'un P.-H. Teitgen : « Ce soir ou jamais ! » l'emporte
sur toute autre considération.

Un homme à abattre.

Pour les communistes, la politique de Mendès France est
détestable à bien des égards. Dans le domaine économique et
social, elle « s'emploie surtout à garantir les superbénéfices des
trusts et des grandes sociétés capitalistes ». Mais l'important est
ailleurs. Robert Ballanger ne se prive pas de le dire à Mendès
France : « Vous resterez pour tous les Français, pour tous les
patriotes, l'homme du réarmement allemand, l'homme qui a
voulu redonner armes et divisions aux généraux hitlériens. » La
politique extérieure reste le primat de la stratégie communiste.
En juin 1954, les députés du PCF avaient voté l'investiture de
Mendès France. Celui-ci avait déclaré — fait sans précédent —
qu'il décompterait leurs voix du chiffre de sa majorité, afin de
ne pas affaiblir sa position à Genève, où il aurait à discuter avec
des délégations étrangères communistes. Malgré ce camouflet,
les députés communistes assurent à Mendès leur soutien, à tout

le moins leur neutralité, jusqu'en octobre. Le 31 août, les communistes avaient pu se réjouir du rejet par l'Assemblée du projet de Communauté européenne de défense, chaudement défendu par le MRP. Le gouvernement, partagé sur cette question, n'avait pas pris parti. En revanche, lorsque Mendès France, pressé par les Britanniques, soumet à l'approbation des députés les accords de Londres prévoyant le rétablissement d'une armée allemande et son intégration dans l'OTAN, il s'attire l'opposition irrémédiable des communistes, attachés à défendre le point de vue soviétique.

Le 30 décembre, l'Assemblée adoptait le traité de Paris : l'Allemagne fédérale était admise à l'Organisation du traité de l'Atlantique Nord. Les communistes n'étaient pas seuls en la circonstance. De nombreux autres députés, gaullistes en particulier, ne se résignaient pas à revoir des Allemands en uniforme. Les souvenirs de la dernière guerre, encore brûlants, avaient déjà contribué au refus de la CED. Confortés par ces sentiments, les communistes faisaient des accords de Londres et de Paris le crime inexpiable. Le 6 janvier 1955, Ilya Ehrenbourg publiait dans *la Pravda* un article intitulé : « Le chemin de M. Mendès France » — un chemin en pente qui l'avait conduit des pacifiques accords de Genève au « rétablissement de l'armée allemande » : « Nous sommes en droit de dire, écrivait Ehrenbourg, que les coqs qui ornent les clochers de France n'avaient pas chanté trois fois que M. Mendès France reniait la politique de paix pour la troquer contre la politique de force. » Restaurateur de la « Wehrmacht » et des « S.S. », Mendès ne pouvait plus être qu'un objet d'opprobre :

« Les patriotes français de toutes opinions, opposés au réarmement allemand, s'écriait Ballanger à la tribune, salueront avec joie votre chute. » *L'Humanité* du 6 février révélait « le vrai visage de l'homme : celui qui a signé les traités de guerre réarmant la Wehrmacht et usé de tous les moyens, même les plus frauduleux, pour imposer ce réarmement au pays, celui qui voulait déchirer le pacte franco-soviétique et nous jeter dans la course aux armements et à la guerre... »

Ainsi, sur le terrain de la politique extérieure, Mendès France avait provoqué l'hostilité successive, et pour des raisons inverses, de deux formations politiques de poids : le MRP, sur l'échec de la Communauté européenne de défense ; le PCF, sur les accords de Londres et de Paris. Dans un cas, il s'était assuré la rancune tenace des républicains populaires et, dans l'autre,

il était désigné par le mouvement communiste international
comme un adversaire à mettre sur le flanc.

Le ressentiment des MRP étonne plus que la froide hostilité
des communistes. Après tout, Mendès France n'avait-il pas
entamé la carrière de son cabinet en refusant le soutien de ces
derniers ? Le rejet de la CED dû, aux yeux des républicains
populaires, à l'attitude d'un Mendès France n'acceptant pas
d'engager son gouvernement sur la question, était la raison
politique la plus évidente de leur oppositon : pour ces champions de la construction européenne, c'était la base d'un
échafaudage qui s'écroulait. On ne pardonnait pas à Mendès
« le crime du 30 août » et l'on n'hésitait plus à lui refuser ses
voix sur d'autres aspects, jugés positifs, de sa politique.
D'autres griefs et d'autres craintes expliquent l'attitude du
MRP. C'est ainsi qu'il avait toutes les raisons de redouter
l'accord qui s'était fait le 5 janvier, au Conseil des ministres,
sur le rétablissement du scrutin d'arrondissement — dont le
projet serait présenté à l'Assemblée. Il y avait peut-être plus.
Et sans doute inavouable : la personnalité même de Mendès
France, son style de gouvernement, le capital de sympathie
qu'il avait gagné dans l'opinion, en même temps que le peu de
cas qu'il faisait des habitudes partisanes et du code parlementaire. Dans cette réaction négative à un homme, dans cette
« haine » si souvent notée par les journalistes de l'époque, on
pouvait subodorer plus qu'une simple opposition politique.

Mendès France, en quelques mois, était devenu un mythe.
Spontanément, le nouveau président du Conseil avait suscité du
respect, voire de l'enthousiasme, par la façon carrée qu'il avait
de se colleter avec tous les problèmes accablant la France.
D'abord, ce « contrat » qu'il avait proposé aux députés : faire
la paix en Indochine en un mois, ou renoncer. Puis, sitôt signés
les accords de Genève, son départ pour Tunis, le discours de
Carthage, l'apaisement revenu en Tunisie grâce à sa politique
décidée et réformiste. Et le reste de ses actions « spectaculaires », en faveur des réformes de structure économique (le
13 août l'Assemblée lui avait voté les pouvoirs spéciaux en
matière économique), contre l'alcoolisme (malgré l'importance
numérique des bouilleurs de cru et la puissance politique des
betteraviers), son voyage triomphal aux États-Unis en novembre, ses allocutions radiophoniques hebdomadaires... Tout cela
étonnait, séduisait, irritait. Le président du Conseil, tel de
Gaulle plus tard, s'adressait au peuple directement, en court-
circuitant les états-majors et les assemblées.

Cependant le mythe Mendès France devait beaucoup aussi à ce groupe de partisans qui, sous la houlette de Jean-Jacques Servan-Schreiber, avaient fait de *l'Express* ce que la droite appelait « le Journal officiel » du mendésisme. L'équipe réunie par « J.-J. S.-S. » éclatait de talent et rivalisait d'astuce, tout acquise à la défense et à l'illustration de « PMF ». Entre autres, à la dernière page du journal, François Mauriac, prix Nobel de littérature, assassinait en douceur, dans un « Bloc-Notes », dont il avait fait la pointe de l'esprit, ses anciens amis du MRP, la droite colonialiste, René Mayer et le *lobby* « algérien », faisant écumer une bonne partie de la classe politique qui n'y pouvait mais[3]. PMF, armé de ses qualités et aidé par ses brillants amis, avait provoqué l'engouement de nombreux Français, peu portés d'ordinaire vers le parti radical. L'exemple de Mauriac était suivi par de nombreux catholiques. Tout cela n'était plus dans la règle. Le mythe de « Superman » devenait insupportable à ses collègues. Ceux-ci ne lui pardonnaient pas sa popularité. Une popularité que n'atteignit, de fait, aucun autre homme d'État sous la IVe République. Les sondages de l'IFOP démontrent, du reste, que Mendès France a été renversé le 5 février contre la volonté de la majorité de l'opinion : 54%, contre 12% qui approuvaient le refus de confiance[4]. Un tel écart entre l'esprit public et la classe politique en dit long sur la crise rampante de la IVe République.

Au fur et à mesure que PMF gagnait les faveurs de l'opinion, ses adversaires exaspérés usèrent de tous les moyens pour le discréditer : ce fut, dans la petite presse, un concours de dénigrements, de ragots, de médisances, dont les échos parvinrent jusqu'à la grande. L'antisémitisme, qu'on croyait enterré, fit peau neuve : pour être plus contraint, il n'en fut pas moins perfide. Dans cette entreprise, l'extrême droite pétainiste et le poujadisme en expansion s'épanouirent. *Rivarol* se demanda d'où venait ce mot « France » accolé à celui de Mendès, jusqu'au jour où il publia une savante histoire généalogique des Mendès France en un feuilleton où l'allusion fielleuse ornait chaque ligne. Dans *Aspects de la France*, Pierre Boutang décrivait sans ambages les journalistes de *l'Express* comme des « juifs qui fabriquent et truquent l'histoire contemporaine à nos dépens » ; faisait allusion aux « intérêts en Égypte » que détenait le président du Conseil, par son mariage avec une Cicurel ; laissait entendre que Mendès avait déserté en 1940, pour conclure, en bon fils spirituel d'Édouard Drumont, que « Mendès, ainsi forgé [était] indispensable aux entreprise d'une vaste conspiration cosmopolite contre la France, son histoire, son empire et ses alliances » (16 juillet 1954).

C'est encore dans les publications de droite, et pas seulement dans *l'Humanité*, qu'on retrouve la caricature d'un Mendès-homme-des-trusts, mandataire des capitalistes. Ainsi, dans *la Parisienne*, Paul Serant croit découvrir que les parlementaires qui se sont ralliés au mendésisme, « ce sont les riches, les possesseurs des plus grosses fortunes de l'Assemblée », et de rappeler ainsi que « M. Blachette, l'homme le plus riche de [...] l'Afrique du Nord », s'est dressé pour tenter de sauver Mendès France.

Pour Pierre Poujade et l'UDCA qu'il anime contre le fisc abusif, contre les grandes surfaces, contre la modernisation étatique et pour la défense des artisans et des petits commerçants, bref pour la « vraie France », Mendès incarne l' « anti-France ». C'est une véritable bataille ontologique que livre, en effet, le papetier de Saint-Céré à ce déraciné, produit exogène à l'essence même du pays. Poujade se dit « fils d'une vieille terre » contre — c'est sous-entendu — ce fils de nomade : « Si vous aviez une goutte de sang gaulois dans les veines, lui dit-il, vous n'auriez jamais osé, vous, représentant de notre France, producteur mondial de vin et de champagne, vous faire servir un verre de lait dans une réception internationale ! C'est une gifle, monsieur Mendès, que tout Français a reçue ce jour-là, même s'il n'est pas un ivrogne ! » Dans les réunions publiques, Poujade continuera pendant des années à réclamer « un gouvernement de gens qui aient des gueules de Français », Mendès France tombant dans la catégorie des « apatrides ».

Cette résonance du passé, cette démonologie s'accompagnaient des accusations rigoureusement contradictoires, les uns faisant de Mendès un agent de Moscou, les autres de Washington. Cela ne suffisait pas, on alla jusqu'à la machination policière : ce fut l'affaire des fuites, où trempèrent le commissaire Dides et le journaliste-policier Baranès, s'employant à discréditer Mendès France et Mitterrand [5]. Tant d'exécration étonne l'observateur impartial : il fallait qu'elle eût des racines profondes. Mendès France en avait été l'occasion plutôt que la raison unique. Pendant quelques années, il fut également dépassé par le « mendésisme » qui voulait le porter au pinacle, et l'antimendésisme, qui fut un agrégat passionnel de frustrations, de rancunes, d'angoisses et d'oppositions politiques. La puissance d'attraction et de répulsion qu'il avait exercée avait placé PMF hors du jeu commun. « Le crime de M. Mendès

France aux yeux de l'opposition, écrivait dans *le Monde* André Chêneboit, c'est d'avoir voulu libérer la politique française de ce refus du mouvement, de cette incapacité de s'adapter aux conditions géopolitiques du monde contemporain» (6 février 1955).

L'échec de Pierre Mendès France, le 5 février 1955, n'a d'original, à vrai dire, que la personnalité du président du Conseil déboulonné ; que la somme de ferveur et la somme de haine qu'il a suscitées. Pour le reste, on peut considérer qu'il s'agissait, dans l'état de la IVe République, d'une «crise classique» («Contenu complexe d'une crise classique», écrit Joseph Barsalou dans *l'Information* du 6 février). Il suffit, pour se rendre compte des difficultés à gouverner le pays à cette époque, d'examiner la composition politique du gouvernement Mendès France, du reste régulièrement remanié. Premier paradoxe : la SFIO, le plus fidèle soutien du gouvernement, a refusé la participation. Par son programme et la personnalité de son chef, c'est plutôt un gouvernement de gauche ; mais il doit son existence à la participation de nombreuses personnalités de droite («indépendants», «paysans» ou «gaullistes»).

En fait, comme le montre encore la composition de l'Assemblée, Mendès France ne dispose d'aucune majorité, ne pouvant même pas compter sur le soutien unanime de son propre parti radical-socialiste ; c'est même en son sein qu'on y trame sa chute. Mais rien de nouveau à cela. La IVe République n'a jamais eu de majorité stable. La Constitution, péniblement élaborée et ratifiée par une majorité relative du suffrage universel en 1946, a été le fruit d'un compromis entre trois partis — PC, SFIO, MRP —, dont l'union, déjà factice à ses débuts, ne résista pas aux premiers heurts de la Guerre froide, en 1947. Simultanément, en cette même année, deux forces politiques, antagoniques, le PCF et le RPF du général de Gaulle, avaient, à elles deux, la majorité dans l'opinion — comme l'attestent les résultats des élections municipales d'octobre 1947.

Pour le coup, les adversaires du régime ne se privaient pas de reprendre la vieille distinction de Maurras entre «pays légal» et «pays réel». Le pays légal, celui des parlementaires, n'était pas seulement minoritaire dans le pays réel : il était de surcroît incapable de faire surgir en son sein une majorité de ce nom, vu ses multiples divergences. Face aux deux grands partis, extérieurs de fait au «système», la Troisième Force n'accouchait à l'Assemblée que de majorités précaires. La question de la laïcité et le vote du budget restaient des pommes de discorde traditionnelles, opposant une gauche-croupion (socialistes et

radicaux) à une droite-croupion (sans les gaullistes). Condam-
nées à vivre ensemble, la gauche non communiste et la droite
non gaulliste improvisèrent des cabinets sans lendemain, au
risque d'un immobilisme politique dont le pays faisait les frais.
En 1951, la trouvaille de la loi des apparentements permettait
à la Troisième Force de survivre, en limitant de manière
douteuse la représentation des communistes et des gaullistes au
Palais-Bourbon — mais elle n'offrait aucune solution politique.

Lorsque Mendès France est appelé et investi en 1954, il n'a
pas plus de majorité sûre que ses prédécesseurs. Il est à la
merci, chaque semaine, d'un vote de défiance. Ses choix
successifs entraînent une pluralité de rancunes, additionnent
des séries d'opposants disparates, qui finissent par constituer
autant de fractions d'une majorité négative. A la suite de quoi,
il n'est plus que de choisir un nouveau président du Conseil.
Lequel ne disposera que d'une marge de manœuvre très étroite
pour changer de politique, faute d'une majorité nouvelle. Que
faire dans ces conditions ? Le passage de Mendès France au
pouvoir suscite un espoir : celui d'une « gauche nouvelle »,
dynamisée par le mythe-force du mendésisme, s'appuyant à la
fois sur les socialistes, les radicaux de gauche et sur toutes ces
bonnes volontés étrangères à la gauche traditionnelle : électeurs
catholiques, électeurs gaullistes (le Général a dissous le RPF en
1953), qui ont été séduits par l'action de Mendès France.

Il n'est pas douteux que *l'Express* a été la médiation de cette
espérance : les noms qui s'y côtoyaient, des lettres de lecteurs
qu'on y publiait, autant d'indices d'un rassemblement nouveau,
qui visait à coaliser les descendants d'Émile Combes et ceux
de Marc Sangnier, les fils spirituels de Jean Jaurès et les
enfants prodigues de Charles de Gaulle, tous animés d'une
volonté moderniste, d'un esprit de rénovation et de justice
sociale, malgré les vieilles pesanteurs... A cet effet, on voulait
notamment remettre en usage la vieille loi électorale de la
IIIe République. C'était un paradoxe, mais, après tout, qu'importe l'âge des outres si elles servent au vin nouveau ! Le
scrutin majoritaire uninominal devait briser les partis de masse
au rôle négatif, comme le PC ou l'ancien RPF, aider à simplifier
la représentation politique, puisque le scrutin avait facilité le
multipartisme et l'incohérence.

Ce projet s'est vite révélé illusoire. Dès le 10 février 1955,
Gilles Martinet montrait, dans *France-Observateur*, que pour
parvenir à ses fins PMF et ses partisans devaient « créer une
nouvelle organisation », ce qui n'était pas des plus facile : « Il

n'est pas inutile, disait-il, de comparer la position de M. Mendès France à celle qu'occupait jadis le général de Gaulle. Comme le général de Gaulle, M. Mendès France a, après avoir quitté le pouvoir, un fort mouvement d'opinion derrière lui. Comme le général de Gaulle, il croit qu'il faut faire éclater les partis pour provoquer un renouveau dans le pays. Mais à la différence du général de Gaulle, M. Mendès France ne peut pas créer son ' propre rassemblement '. » Gilles Martinet faisait preuve, à ce sujet, d'une perspicacité qui n'était pas le lot de tous les mendésistes. Pourquoi cette impossibilité ? Parce que, disait-il en substance, le gaullisme fait appel « à une foule boulangiste », au lieu que le mendésisme « s'adresse à des électeurs républicains ». Martinet affirmait ce que l'historien mendésiste Claude Nicolet réaffirmait récemment : « Mendès France est avant tout radical-socialiste [6]. » Rien, malgré certaines apparences, ne lui est plus étranger que la démarche plébiscitaire. Sa fidélité aux institutions parlementaires — quitte à les « moderniser » — est de toute sa vie, comme en fait foi son opposition irréductible à celles de la Vᵉ République.

Autre difficulté : le sort du parti socialiste. Gilles Martinet le rappelait : Mendès France n'était rien sans l'appui de la SFIO. Or celle-ci n'entendait nullement perdre ce qui lui restait d'identité « ouvrière » dans une fusion étrangère à sa généalogie. Déjà, à la Libération, elle avait été sollicitée de se transformer en vaste parti « travailliste » : on n'y avait rêvé que l'espace de quelques « lendemains » sans suite. Le grand rêve du mendésisme — qui ne fut donc pas exactement le grand rêve de Mendès — dut en rabattre. Sans compter qu'en ces années de IVᵉ République, il était sans doute présomptueux de croire en une majorité de gauche qui se dispenserait du soutien communiste — quand le PCF polarisait encore plus du quart de l'électorat français. D'où s'ensuivait cet autre rêve, un *remake* de Front populaire : « Aucun politique de gauche n'est possible sans l'alliance de toutes les forces populaires telles qu'elles existent aujourd'hui et quelles que soient les difficultés que soulève cette alliance. » L'éditorialiste de *France-Observateur*, en disant cela, frappait à son tour à la borne de sa clairvoyance. Défendre l'alliance des socialistes et des communistes, après huit années de Guerre froide, restait purement théorique.   .

A la fin de 1955, le projet d'une « gauche nouvelle » se réduisit à un accord électoral entre quatre formations de taille inégale, unies dans un front républicain : la SFIO, le parti radical-socialiste (en principe débarrassé des antimendésistes

mais ceux-ci y repoussaient comme le chiendent), l'UDSR de
François Mitterrand et les républicains sociaux de Jacques Chaban-Delmas. Le projet de réforme électorale, en faveur du
scrutin d'arrondissement, avait bien obtenu la majorité mais,
sur le coup d'éclat d'Edgar Faure (autre radical) qui se paie
l'audace d'une dissolution de l'Assemblée, le 2 décembre 1955,
c'est au moyen de l'ancienne proportionnelle, corrigée 1951,
qu'on allait voter. Rien n'était résolu et la nouvelle assemblée,
issue des élections du 2 janvier 1956, reproduisait, à des
nuances près, le même système d'ingouvernabilité que dans les
magistratures précédentes. Le fractionnement des partis nuisait
à toute durée ministérielle. A l'extrême droite surgissaient, en
plus, une cinquantaine d'élus poujadistes. A l'extrême gauche,
le PC disposait de 150 députés et maintenait son hégémonie sur
la gauche — une hégémonie purement négative qui soumettait
toute expérience de gauche non communiste au bon vouloir de
la droite. Le coup de grâce, le président de la République
René Coty l'assena aux mendésistes, en faisant appel pour
former le gouvernement, non à Pierre Mendès France que la
majorité des électeurs du Front républicain attendait, mais à
Guy Mollet, premier secrétaire de la SFIO. L'espoir d'un
renouvellement de la gauche fut dissipé en quelques jours.

Cette ingouvernabilité de la France sous la IVe République
s'explique sans doute par les faiblesses de la Constitution, les
effets de la loi électorale, l'impossiblité pour tout homme
politique — fût-il « nouveau » et « dynamique » — de s'assurer
une majorité fidèle. Ni majorité ni alternance : le cabinet
Mendès France dut sans arrêt composer avec les éléments
d'une majorité hétéroclite ; tombé, il n'est d'aucune façon
remplacé par le leader d'une majorité de rechange. C'est
Edgar Faure, ministre des Affaires étrangères du gouvernement
Mendès France, qui prend le relais ; il ne disposera lui-même
nécessairement que d'une majorité capricieuse.

Cette ingouvernabilité avait aussi des causes extérieures à
l'arithmétique parlementaire. Il est sûr qu'en ces années 50 la
société française est le lieu de mutations propres à multiplier
les antagonismes. Les surdivisions entre Français sont dues aux
interférences de divisions héritées et de divisions nouvelles.
L'héritage comprend la classique opposition de la gauche et de
la droite : la laïcité et les finances en sont les thèmes itératifs.
Héritage aussi, la division au sein de la gauche entre communistes et non-communistes — et division aggravée par la Guerre
froide qui interdit toute coalition avec un parti membre du

Kominform, lequel, cependant, rend impossible par sa masse tout gouvernement de gauche refusant son alliance. Ses voix, Mendès France a beau les repousser, le 18 juin 1954, il ne peut empêcher qu'elles comptent finalement dans le refus de la confiance, voté le 5 février 1955. Là-dessus s'additionnent quelques causes nouvelles de partage : le problème institutionnel, qui fait naître un puissant parti contestataire, le RPF, et prive la droite, elle aussi, d'une majorité éventuelle ; le problème européen et la question de l'intégration de l'Allemagne fédérale dans l'OTAN, qui cassent en deux un certain nombre de formations ; le vaste problème de la décolonisation, devant lequel « ultras » et « libéraux » rivalisent ici et là. Chacune des questions soulevées rencontre une majorité de fortune, qui se décompose sur la question suivante.

Ajoutons à toutes ces causes, purement politiques, les déséquilibres d'une société où coexistent et s'affrontent les éléments encore nombreux d'un ancien régime économique (abondance des non-salariés dans la population active, conditions sous-prolétariennes résiduelles, énormes poches régionales de pauvreté) et les agents d'une société industrielle moderne. Ces contrastes à l'heure du grand exode rural en cours privent le régime d'une base sociale stable.

Cependant l'explication sociologique reste insuffisante. En 1958, sans que ces données aient beaucoup changé, de Gaulle imposera une constitution efficace. La question centrale reste bien institutionnelle et politique. Toute société avancée est complexe par définition et, partant, politiquement hétérogène. La multiplicité des clivages est à la mesure de la multiplicité des conditions, la variété des catégories socio-professionnelles, la concurrence multiforme des intérêts. Une bonne Constitution, doublée d'une bonne loi électorale, doit permettre de simplifier le système des oppositions, de le réduire à un affrontement clair, binaire ou ternaire. Le malheur de la IVᵉ République vient de cette rencontre entre une société instable et complexe, avec des institutions politiques qui, loin d'en simplifier la représentation, accentuent au contraire le foisonnement de ses catégories irréductibles. Il s'ensuit un multipartisme, sans règle, sans discipline, incapable d'assurer toute continuité au gouvernement du pays.

Dans ces conditions, Mendès France était moins victime d'une situation nouvelle (la décolonisation, par exemple) que d'un héritage historique : le rétablissement d'un système d'assemblée ingouvernable. C'est ce même héritage historique, intériorisé par le républicain Mendès France, qui interdisait à celui-ci d'être en quelque sorte un « de Gaulle de gauche », tant à ses yeux c'était là une contradiction dans les termes. Il en est résulté, non seulement la chute de Pierre Mendès France le 5 février 1955 — incident somme toute banal — mais l'impossibilité durable pour celui-ci d'exercer un rôle majeur dans le cadre de la Ve République. Pris au piège de sa fidélité au radicalisme séculaire, Mendès France devint un symbole, à défaut de devenir le « rassembleur » que la France désunie attendait. Ce fut son honneur autant que sa faiblesse.

Notes

1. C'est-à-dire la majorité absolue des membres composant l'Assemblée. Un cabinet, mis en minorité simple, n'était pas obligé de démissionner. En fait, l'habitude fut prise, dès le gouvernement Ramadier en 1947, de démissionner sans attendre que le refus de confiance soit voté à la majorité absolue.

2. Deux jours avant le débat final, Mendès France avait déjà pu mesurer l'hostilité des députés à son endroit, lorsque, par 325 voix contre 288, ils repoussèrent une demande classique de « douzième provisoire », avant le vote de la loi de finances. Ce refus d'avance sur le budget, accordé habituellement sans difficulté, était une injure faite à l'un des rares hommes politiques qui s'étaient imposés par leur rigueur financière.

3. L'Assemblée fut l'écho des assauts de Mauriac. Le 3 février, René Mayer déclare : « *Je voterai sans être en quoi que ce soit intimidé par ces manifestations de presse ou même d''Express'* (rires à droite). *Je suis sûr, monsieur le président du Conseil, que vous avez mesuré le mal que vous ont fait certaines colonnes hebdomadaires ou certains blocs-notes où l'on voit trop souvent se profiler les longues cornes noires du chapeau de Basile* » (vifs applaudissements au centre et à droite).

4. Cf. O. Duhamel et J.-L. Parodi, « Note sur le mendésisme et l'opinion publique », *Pouvoirs*, n° 27, 1983.

5. Voir J.-M. Théolleyre, *Le Procès des fuites*, Calmann-Lévy, 1956.

6. Cl. Nicolet, « Mendès France, le(s) mendésisme(s) et la tradition républicaine », *Pouvoirs*, n° 27, 1983.

Pour en savoir plus

J. Chapsal, *La Vie politique en France depuis 1940 à 1958*, PUF, 1984.

J. Julliard, *Naissance et mort de la IVᵉ République*, Calmann-Lévy, 1968, et « Pluriel », 1982.

J. Lacouture, *Pierre Mendès France*, Éd. du Seuil, 1981.

J.-P. Rioux, *La France de la Quatrième République*, t. 2, *l'Expansion et l'Impuissance, 1952-1958*, Éd. du Seuil, coll. « Points-Histoire, Nouvelle histoire de la France contemporaine, nᵒ 16 », 1983 ; et un brillant « Tombeau pour Mendès France », *Vingtième Siècle, revue d'histoire*, nᵒ 2, avril 1984.

P. Rouanet, *Mendès France au pouvoir*, Laffont, 1965.

Le Bloc-Notes 1952-1957, de François Mauriac, Flammarion, 1958.

Le numéro spécial sur le « mendésisme » de la revue *Pouvoirs*, nᵒ 27, 1983.

Les textes de Pierre Mendès France.

Gouverner c'est choisir, Julliard, 1953, 1955, 1958, 3 vol., et notamment le tome II, *Sept mois et dix-sept jours, juin 1954-février 1955.*

Ajoutons qu'un colloque sur le gouvernement Mendès France et le mendésisme, organisé par l'Institut d'histoire du temps présent, s'est tenu du 13 au 15 décembre 1984 à Paris.

17

Le 13 mai 1958

René Rémond

Le 13 mai 1958 marque le point de départ de la crise qui va jeter bas en moins de trois semaines la IVe République et déclencher un processus qui aboutira, quelques mois plus tard, à l'instauration de la Ve République. Or celle-ci a déjà duré vingt ans exactement, soit plus longtemps que chacun des régimes dont la France a fait successivement l'essai depuis près de deux siècles, à l'exception de la IIIe République, et sans doute n'a-t-elle pas encore dit son dernier mot. Vingt ans déjà : cela signifie que plus de la moitié du corps électoral a voté pour la première fois de son existence sous la Ve République. Vingt ans de pratique et de fonctionnement des institutions pour trois semaines de crise et quelques heures d'agitation : rarement le rapport entre l'origine et les suites aura été aussi disproportionné. Que s'est-il donc passé en ce mois de mai 1958 pour engendrer pareil enchaînement ?

Tout régime, comme toute entreprise humaine, reste tributaire de ses origines : elles éclairent les intentions des fondateurs, elles grèvent aussi son développement. Même si le temps absout les initiatives aventureuses. Les absolutions n'ont pas manqué à la Ve République : à commencer par la plus prestigieuse, celle du suffrage universel, l'équivalent de l'indulgence plénière pour les péchés personnels. Beaucoup de ceux qui désapprouvèrent les circonstances du retour au pouvoir du général de Gaulle en mai-juin 1958 ont ensuite estimé que le verdict du peuple souverain, approuvant à 80 %, le 28 septembre, la Constitution qui lui était soumise, effaçait la souillure originelle et vidait la querelle de la légalité. Depuis, les ralliements se sont amplifiés et le cadre des institutions est dans l'ensemble accepté, sous réserve de divergences dans l'interprétation des textes et l'application de leurs dispositions. La controverse n'est pas éteinte pour autant sur la nature du

13 mai et la qualification qui convient : sursaut libérateur ou tentative de *pronunciamiento* ? Sédition, émeute, insurrection, coup de force contre la République, putsch fasciste : toutes ces appréciations ont été employées. Aujourd'hui encore, l'énigme n'est pas complètement déchiffrée, mais les grandes lignes du déroulement sont assez bien connues et les traits se dessinent assez clairement pour suggérer quelques réflexions.

Émeute ou révolution ?

Ramené à l'essentiel, l'événement tient en quelques lignes : le 13 mai, à Alger, en fin de journée, une foule composite, en majorité jeune, rassemblée sur le Forum, envahit le gouvernement général, avec la neutralité complaisante du service d'ordre, et impose la formation d'un comité dit de salut public. Pas de quoi, apparemment, faire vaciller un régime. Mais l'événement s'inscrit dans un contexte chargé d'affectivité qui fait sa gravité. En faisant irruption dans un bâtiment, les émeutiers ont entendu s'attaquer à un symbole : celui du pouvoir. A Paris, ils eussent marché, comme d'autres naguère au soir du 6 février 1934, sur le Palais-Bourbon ou l'Élysée : à Alger, ils se contentent de ce qu'ils ont, mais la signification est la même, et personne ne s'y trompe. D'autre part, ils ont agi avec la bénédiction de certains militaires et n'ont pu réussir qu'avec la sympathie des autres : voilà qui dépasse les symboles et affecte l'exercice du pouvoir. Qui plus est, l'événement survient à un moment où le pouvoir, le seul de droit, est partiellement vacant : le gouvernement est démissionnaire depuis quatre semaines et ne peut qu'expédier les affaires courantes. Devant la crise et ses rebondissements, l'opinion est partagée entre l'indifférence et l'indignation. D'autant que c'est la vingtième ou vingt-deuxième crise depuis les débuts de la IVe République : à croire que la crise ministérielle est le mode normal de fonctionnement du régime ! Avec le coup de force d'Alger, la crise change de signification : de crise de fonctionnement elle devient crise de régime. De cela, non plus, personne ne doute, ni d'un côté, ni de l'autre de la Méditerranée qui sépare les deux théâtres où va se jouer, désormais, le drame dont le 13 mai a frappé les trois coups.

D'emblée la crise met en question les institutions : l'épreuve de force s'engage pour le pouvoir. Le questionnement concerne à la fois les mécanismes du pouvoir, sa capacité à se faire obéir, sa légitimité même. L'instabilité chronique du gouvernement a réveillé les démons de l'antiparlementarisme qui sommeillent au fond du tempérament politique français ; le succès tout à fait imprévu des candidats poujadistes le 2 janvier 1956, dont tout le programme tenait dans le mot d'ordre un peu court : « Sortez les sortants », et qui ont réuni 2,5 millions de suffrages, en a été le signe précurseur.

La capacité du pouvoir à se faire obéir va être mise à l'épreuve de la façon la plus inattendue, même pour les hommes d'Alger. Il semble bien en effet que les plus politiques, en prenant l'initiative d'occuper le siège du pouvoir — ou en laissant faire —, n'avaient le projet ni de renverser le régime ni de constituer un contre-gouvernement : ils voulaient seulement empêcher l'investiture d'un homme, Pierre Pflimlin, qu'on leur avait dépeint comme prêt à l'abandon en Algérie. Leur objectif ? un coup de semonce à l'adresse de l'Assemblée nationale pour la presser d'investir un gouvernement qui ait la confiance de l'armée et des partisans de l'Algérie française. Ni coup d'État ni putsch, rien qu'une pression un peu vive sur les élus du peuple. Tout comme les manifestants du 6 février 1934 cherchaient seulement à entraver la formation du gouvernement Daladier. C'est pourquoi les deux démonstrations, celle de février, et celle de mai, l'une à Paris, l'autre à Alger, avaient été fixées à l'heure où s'ouvrait le débat de confiance. Dans les deux cas, les événements prirent un cours différent de celui escompté : loin d'atteindre l'objectif visé, la pression de la rue provoqua un réflexe de dignité parlementaire qui eut pour effet de grouper autour du candidat une majorité plus forte et plus compacte. Comme jadis, au soir du 6 février, dans la nuit du 13 mai les insurgés d'Alger se trouvent soudain en face d'un gouvernement régulièrement investi de l'autorité de la République. Tout est brusquement changé, et leur désarroi perce dans les propos de certains qui évoquent déjà l'éventualité de leur comparution devant le Conseil de guerre. C'est en effet une différence avec février 1934 : le 7 février au matin, Daladier démissionne pour prévenir une seconde soirée sanglante ; au matin du 14 mai, il n'est pas question que M. Pflimlin se retire. Il est vrai que le sang n'a pas coulé la veille, mais l'affrontement de deux systèmes de pouvoir de part et d'autre de la Méditerranée ne comporte-t-il pas de plus grands risques encore, de sécession ou même de guerre civile ? Toujours est-il que l'interrogation est désormais posée avec une intensité qui, depuis 1945, n'a connu d'équivalent qu'en novembre 1947, à l'occasion des grèves insurrectionnelles auxquelles le gouvernement Schuman dut faire face : le pouvoir pourra-t-il rétablir son autorité ?

Le pouvoir abandonne le pouvoir.

La réponse ne se fait pas attendre : l'appel pathétique adressé par le président de la République en personne aux forces armées pour les adjurer de rentrer dans l'obéissance n'est pas entendu. Le gouvernement en est réduit à un subterfuge : déléguer ses pouvoirs au général Salan, ce qui est, d'une certaine façon, légaliser les faits et tolérer l'existence d'un pouvoir adverse. De fait, le pouvoir s'est bien dédoublé, et il convient d'en parler désormais au pluriel. Il y a deux pouvoirs : l'un, qui est le seul régulier aux termes de la Constitution et qui délibère à Paris, l'autre, de fait, qui a la force suprême et dont la tête est à Alger. Signe de l'impuissance du gouvernement légal à faire reconnaître son autorité : le ministre de l'Algérie ne peut se rendre en Algérie, il y est interdit de séjour. Chaque jour qui passe accroît l'isolement du gouvernement et aggrave son impuissance : incapable de rétablir son autorité sur l'Algérie, il la sent qui lui échappe en métropole. L'administration l'abandonne, et il n'est plus sûr de se faire obéir de la police ni des forces armées.

Deux pouvoirs rivaux, une armée en dissidence, c'est une situation qui porte en elle un germe de guerre civile. Jamais sans doute au XXᵉ siècle, exception faite de la Seconde Guerre mondiale, la France ne fut si près de la guerre civile. Au cours de ces quelque dix-huit jours, la prolongation d'un état si contraire à la légalité accrut les risques d'une épreuve de force : la répétition en Corse du processus expérimenté à Alger, puis les rumeurs croissantes autour d'une opération de débarquement en métropole, firent monter la fièvre en même temps qu'elles conféraient plus de vraisemblance à l'éventualité d'un affrontement. Si les choses prirent un autre cours, c'est en partie à cause de la présence d'un troisième candidat à l'exercice du pouvoir.

Ce serait en effet simplifier la situation que de la réduire à la compétition de deux pouvoirs. A partir de la déclaration rendue publique le jeudi 15 dans l'après-midi par le général de Gaulle, en réponse à un appel lancé d'Alger, il est manifeste que le pouvoir est désormais morcelé en trois : à côté du pouvoir légal de Paris et du pouvoir de fait d'Alger, le pouvoir moral du général de Gaulle qui a déclaré : « Naguère le pays, dans ses profondeurs, m'a fait confiance pour le conduire tout entier jusqu'à son salut. Aujourd'hui, devant les épreuves qui montent de nouveau vers lui, qu'il sache que je me sens prêt à assumer les pouvoirs de la République.» Le démembrement du pouvoir se matérialise dans l'espace et s'inscrit dans le triangle : Paris, Alger, Colombey, avec, de l'un à l'autre, toutes sortes d'allées et venues, de correspondances, de messages qui tissent un réseau d'informations, de sollicitations à l'arrière-plan des attitudes publiques. L'ombre du général de Gaulle et la perspective de son éventuel retour à la tête de l'État rendent la situation tout à fait singulière et développent des effets de sens contraire. Elles l'aggravent mais aussi elles ménagent une issue possible qui permettra d'éviter la guerre civile et de faire l'économie d'une épreuve de force dont l'opinion, à peu près unanime, écarte énergiquement l'idée.

Dans le premier temps, la présence en réserve du général de Gaulle aggrave plutôt la situation et complique la tâche du gouvernement. Sans lui, peut-être aurait-il réussi, au prix de quelques concessions et satisfactions, à rétablir un semblant d'autorité sur l'Algérie et à ressouder ces deux morceaux de la France ; dès lors que le général de Gaulle se déclare prêt à exercer le pouvoir, inutile d'espérer faire rentrer les insurgés d'Alger dans la voie de l'obéissance — sauf à obtenir de Colombey un désaveu formel de leur initiative, mais le général s'y refusera obstinément. Il y a plus : Alger avait ébranlé l'autorité du pouvoir légal et démontré son impuissance ; de Gaulle ruine sa légitimité. Autant qu'autour du pouvoir, la crise s'ordonne autour de la notion de légitimité : c'est à son propos que se dessinent les dissidences ou en son nom que s'esquissent les ralliements. Ne sont-ce pas du reste deux termes pour désigner une même réalité ? A mesure que s'affirme la pression du général de Gaulle, l'autorité déserte le gouvernement ; selon une formule de l'époque, le pouvoir abandonne le pouvoir par une hémorragie continue et irréversible qui aboutit à son effacement. Le processus atteint son point extrême quand, au matin du 28 mai, Pierre Pflimlin démissionne : il n'y a plus de gouvernement. Le président Coty accroît la menace du vide en adressant au Parlement un message où il met dans la balance l'éventualité de sa propre démission. Le pouvoir s'étant comme dissous dans l'air, la situation est mûre pour qu'il se reconstitue autour du général de Gaulle, qui l'avait revendiqué dès le troisième jour de la crise déclenchée à Alger par d'autres et dans une tout autre intention. En effet, si la présence et l'ombre portée du général de Gaulle ont suspendu une menace sur le gouvernement de la République et singulièrement réduit ses chances de faire rentrer les factieux dans l'obéissance, elles ont ménagé aussi un recours suprême et offert une issue qui diminue les risques d'une épreuve ouverte ou de la victoire d'un camp sur l'autre. De cette possibilité offerte dès le 15 mai, les leaders politiques ont mis deux semaines à tirer, progressivement, les conséquences.

Incertitudes.

Réduite ainsi à ses arêtes maîtresses, la situation créée par le coup de force d'Alger apparaît très claire et, surtout, avec le recul, le dénouement s'impose par sa logique. Mais l'analyse pèche, comme toute épure, par excès de simplicité. Outre que les situations n'évoluent pas nécessairement selon la logique de la rationalité, la conjoncture comporte en mai 1958 beaucoup d'autres paramètres dont l'enchevêtrement rend les prévisions difficiles et les combinaisons aléatoires.

Les deux pouvoirs qui se disputent l'État sont composites et s'appuient sur une coalition disparate de forces. Quant au général de Gaulle, s'il a sur eux l'avantage de ne dépendre que de lui-même pour ses décisions, c'est la signification de son intervention qui est ambiguë, et l'ambivalence des intentions et des sentiments qui animent ceux qui se tournent vers lui est source d'équivoque.

La crise en effet ne révèle pas seulement la vacance du pouvoir et la carence des autorités légales : elle rend manifestes les malentendus de fond qui paralysent le corps social et les divisions qui traversent la société. Malentendu entre les Français d'Algérie qui se jugent incompris, et leurs compatriotes de la métropole. Défiance réciproque entre le gouvernement et l'armée, qui se croit abandonnée. Divorce grandissant entre la classe politique et le pays. Les forces politiques ne sont pas moins divisées à l'intérieur d'elles-mêmes. Par la brutalité de son irruption qui bouscule les mécanismes habituels, l'événement agit comme un révélateur. La plupart des formations et des familles se divisent entre tenants de l'intransigeance, qui préconisent une attitude de fermeté devant l'émeute, et partisans de l'apaisement, qui recherchent une formule de conciliation. Seul le parti communiste ne connaît pas ces dissentiments, mais son isolement est tel depuis la guerre froide qu'il ne joue aucun rôle dans le déroulement de la crise. L'anticommunisme général interdit au gouvernement de faire appel à la résistance des masses. La configuration du système politique fait de la SFIO l'arbitre de la situation : au cœur du dispositif, elle occupe une position stratégique. Qu'elle se raidisse dans l'intransigeance, et elle ferme la voie à l'arrivée de De Gaulle au pouvoir dans la légalité, accroissant le danger de coup de force en métropole. Si, au contraire, elle infléchit son comportement et se prête à un accommodement, elle rend possible une transition amiable qui sauve les apparences. Aussi les états d'âme successifs du groupe parlementaire socialiste ont-ils un retentissement immédiat et décisif sur l'évolution de la conjoncture, et le rôle du secrétaire général, Guy Mollet, est capital. Les revirements de la SFIO, passant en quelques heures d'un refus catégorique et apparemment irrévocable à toute solution de Gaulle à un vote qui, lui, est majoritairement favorable, reflètent les fluctuations de l'opinion : le partage du groupe parlementaire en deux fractions opposées traduit l'incertitude et la perplexité de l'esprit public.

De l'opinion, on a beaucoup dit sur le moment, et souvent répété depuis, qu'elle était restée indifférente au déroulement des événements. On pensait en trouver la preuve dans le fait que la population n'avait en rien modifié ses habitudes de vie ; en particulier les départs pour le long week-end de la Pentecôte avaient été aussi massifs que les années précédentes. Les uns voyaient dans ce comportement un signe de sagesse, les autres s'indignaient de cette marque d'incivisme. Conclusions sans doute excessives et appréciations pareillement contestables. Que la vie continue ne signifie pas nécessairement qu'on se désintéresse des affaires du pays ; en temps de guerre aussi tout, ou presque, continue comme à l'ordinaire : il faut bien pourvoir à la subsistance des siens. A quels signes, en de telles circonstances, estimer qu'une opinion publique prend part aux événements ? Outre qu'elle voyait mal comment exprimer ses sentiments, elle avait en mai 1958 la conviction de son impuissance : tout se passait en dehors et au-dessus d'elle. Mais négligeait-elle pour autant le drame public ? La vente des postes de radio a quadruplé dans ces semaines. C'est la dernière des grandes crises nationales à se développer sans la télévision, mais, à travers la radio constamment présente, l'opinion suit avidement les péripéties et recueille heure par heure les dernières nouvelles.

De Gaulle : militaire factieux ou père de la patrie ?

La crise a aussi mis en mouvement des masses. Elle a rassemblé des foules disparates et bigarrées dont la diversité reflète la variété des forces affrontées et des courants contraires. Foules d'Alger rassemblées sur le Forum, colorées, bruyantes : celle du 13 mai, mêlant lycéens et anciens combattants, celle des 15 et 16 mai, réunissant Pieds-noirs et musulmans à l'initiative des militaires dans une fraternisation aussi émouvante qu'éphémère. Foules parisiennes : petits groupes activistes manifestant sur les Champs-Élysées, surtout défilé du 28 mai déroulant son lent cortège sur l'itinéraire traditionnel des grandes processions populaires, de la Nation à la République, et dont la morosité fait contraste avec l'exubérance des foules algéroises ; si les émeutiers du Forum s'imaginaient faire l'histoire, les 200 000 ou 300 000 manifestants du 28 mai savent d'instinct que leur détermination n'est plus capable de modifier le cours des événements et qu'ils célèbrent les obsèques de la IVe République.

Au reste, l'opinion n'est pas unanime sur l'issue souhaitée. Comme le personnel politique, elle se divise sur la signification du recours au général de Gaulle et oscille entre deux interprétations parfaitement contradictoires. Pour les uns — ce sera la thèse de Pierre Mendès France et de François Mitterrand —, de Gaulle prête le concours de son nom à un coup de force contre la République, c'est un factieux avec qui un démocrate ne peut transiger. Pour les autres, il est l'unique rempart contre les factieux, la seule ligne de défense entre la République et le fascisme. Même ambiguïté sur les conséquences, espérées ou redoutées, de son accession au pouvoir pour l'issue de la guerre en Algérie : les uns en attendent la fin victorieuse et la réalisation de l'Algérie française, les autres comptent bien qu'il recherchera une solution pacifique et libérale.

Les distinctions classiques, les repères ordinaires ne jouent plus leur rôle habituel : comme lors de chaque crise nationale, la division droite-gauche est bousculée et les esprits se reclassent selon de nouveaux principes. La personnalité du général de Gaulle et la diversité de ses rôles successifs — premier résistant, premier chef de gouvernement à introduire des communistes au pouvoir, initiateur des réformes de structure, puis chef du RPF et animateur d'une opposition sans merci aux institutions légales — contribuent à brouiller les pistes et à rendre les choix incertains.

Le passé n'est pas absent pour autant des comportements comme des réflexions. Le déroulement des événements impose des rapprochements, suggère des comparaisons, provoque des réflexes. Par plus d'un aspect, en effet, la situation donne l'impression d'un phénomène récurrent. En évoquant le précédent du 6 février 1934, nous en avons cité un exemple, et André Siegfried pourra définir le 13 mai comme un 6 février qui a réussi. Mais d'autres parallèles viennent à l'esprit ; les mêmes souvenirs inspirant du reste des conclusions opposées. Ainsi pour 1940 ; pour tous ceux qui ont vécu le printemps de l'année terrible, le rapprochement se présente naturellement à l'esprit : ne vit-on pas une période qui évoque la chute du régime précédent, également entraînée par la guerre ? Mais pour les uns — les officiers d'Alger — le geste du général de Gaulle, le 18 juin, justifie la rébellion contre un gouvernement d'abandon ; d'autres — les députés — se jurent de ne pas recommencer l'erreur de leurs aînés votant le 10 juillet 1940 les pleins pouvoirs au maréchal Pétain. Ainsi les mêmes événements du passé sont-ils sollicités en des sens contraires.

Par-delà 1940, l'appel au «plus illustre des Français», selon la formule dont use le président Coty dans son message au Parlement, s'inscrit dans une tradition fort ancienne : celle du recours au vieillard chargé d'ans et de gloire à qui le pays se confie, dans une épreuve grave. L'expérience, la sagesse inspirent confiance autant que l'âge qui rassure : comme le demande le général de Gaulle dans sa conférence de presse du 19 mai, est-ce à soixante-sept ans qu'on commence une carrière de dictateur ? Tour à tour Thiers en 1871, après une guerre perdue, Clemenceau en 1917, pour éviter de perdre la guerre en cours, Poincaré en 1926 pour gagner la guerre du franc, Doumergue en 1934 pour prévenir la guerre civile, Pétain en 1940 pour tirer la France d'un désastre sans précédent ont répondu à cet élan venu des profondeurs. L'appel à de Gaulle en 1958 prolonge cette longue série. Les évidentes similitudes et l'incontestable continuité qui relie ces diverses incarnations du sauveur occasionnel ne doivent cependant pas masquer l'originalité de la situation en 1958 et ce qu'il y a d'irréductible au modèle commun dans la figure du général de Gaulle.

«J'accélère le progrès du bon sens» (de Gaulle).

Surtout, l'historien qui reconstitue à distance la séquence des événements doit se garder de leur prêter une logique qu'ils

n'avaient point et plus encore de croire que le cours des choses
ne pouvait être autre que ce qu'il fut. A plus forte raison doit-il
se défier d'imaginer une finalité cachée agissant à l'insu des
acteurs et leur dictant leur comportement : il est possible que
l'histoire use de certains détours, mais pouvons-nous connaître
ses ruses ? Si, à la limite, on peut admettre que l'appel au
général de Gaulle fut un moyen pour la France de mettre fin
dans des conditions acceptables à la guerre d'Algérie (encore
qu'il reste à expliquer comment il fut ramené au pouvoir par
ceux qui attendaient de lui précisément le contraire), telle
interprétation, qui explique son retour par la volonté du grand
capital de supprimer les entraves et les obstacles que les
structures traditionnelles opposaient à son expansion, relève
davantage de l'acte de foi que de la démarche de l'historien [1].

Surtout, on ne saurait trop souligner que le 14 mai ou même
le 25 ou le 28, rien n'était joué. Jusqu'au dernier moment tout
demeurait possible, et le pire autant que la solution pacifique.
S'il est bien une leçon qui se dégage d'une analyse attentive et
sans à priori du déroulement des faits, c'est celle du caractère
fortuit des événements. C'est aussi celle que la durée n'est pas
homogène et que certains moments, plus que d'autres, ont une
importance décisive. René Pleven était bon juge et montrait un
sens politique averti quand il attirait, au matin du 14 mai,
l'attention de ses collègues du gouvernement sur l'urgence des
décisions : ils avaient, leur disait-il, une heure pour agir, après
quoi il serait trop tard. De fait, faute d'avoir alors pris les
décisions qui pouvaient renverser le cours des choses, rétablir
l'autorité, prévenir l'appel à de Gaulle, couper court à l'exploitation des faits, le gouvernement ne put ensuite qu'assister à
son dépérissement progressif. Si la partie se trouvait d'emblée
perdue pour le pouvoir régulier, elle n'était pas pour autant
gagnée pour d'autres. Entre les divers prétendants à l'exercice
du pouvoir s'engage alors une course tantôt de vitesse, tantôt
de lenteur : c'est qu'autant il fut à certains moments capital de
prendre les devants, autant, à d'autres, il fut habile de laisser
se découvrir certains ou se décanter le rapport des forces.

Dans l'enchevêtrement des multiples intrigues qui s'entre-
croisent, quelques initiatives déterminantes se dégagent ; essentiellement trois initiatives du général de Gaulle : la déclaration
du jeudi 15 par laquelle il se met à la disposition du pays, la
conférence de presse du lundi 19 qui lui permet de reprendre
contact avec l'ensemble des responsables, le communiqué du
27 où il annonce qu'il a entamé le processus régulier pour

accéder au pouvoir. Trois initiatives qui ont en commun de s'adresser à l'opinion. Elles mettent en évidence le fait que le discours peut être action, s'il survient à un moment opportun. La contre-épreuve est donnée par l'appel inefficace du président Coty aux forces armées : par son inutilité, il compromet l'autorité. En revanche, son message au Parlement a précipité l'évolution et facilité le ralliement d'un certain nombre de parlementaires à la cause du général de Gaulle.

Que les choses, surtout en temps de crise, ne se déroulent pas de façon linéaire et que leur aboutissement soit souvent fort éloigné des intentions initiales, rien, peut-être, ne le montre mieux que le dénouement de la crise ouverte le 13 mai à Alger par quelques milliers de manifestants. Ils visaient moins le renversement du régime que l'éviction d'un personnel politique : ils souhaitaient que le pouvoir passât entre les mains de ceux qu'on appelait «les quatre grands de l'Algérie française», Georges Bidault, Jacques Soustelle, Roger Duchet, André Morice. Or, trois semaines plus tard, le résultat est bien différent : non seulement les hommes du 13 mai ne retrouvent dans le gouvernement que forme le général de Gaulle aucun des quatre qui ont leur confiance, mais, à leur place, siègent la plupart des caciques du régime, les leaders de ces partis qu'ils voulaient exclure du pouvoir (de Gaulle aurait ainsi commenté la formation de son gouvernement : «Il ne manque plus que M. Pierre Poujade, M. Maurice Thorez et M. Ferhat Abbas, et nous serions au complet»). On conçoit qu'ils aient pu avoir le sentiment d'avoir été joués. Encore ne peuvent-ils prévoir que la politique du général de Gaulle, loin de maintenir l'Algérie française, les obligera à quitter l'Afrique du Nord. Est-ce à dire que ces trois semaines de crise se soldent, un peu comme dix ans plus tard la crise de mai 68, par le retour à l'état de choses antérieur, et que la France a vécu un drame passionnel et vain ? Outre que la réponse n'est pas évidente pour mai 68, ce serait oublier que le général de Gaulle a saisi la circonstance pour mettre en route un processus de changement irréversible : il a exigé du Parlement et obtenu d'une nouvelle majorité le pouvoir de préparer une nouvelle constitution. La IVᵉ République est virtuellement morte le 2 juin, date de l'entrée en fonction du gouvernement de Gaulle. Surtout, la procédure envisagée pour changer les institutions va mobiliser la masse du pays qui est demeurée spectatrice au long des journées de mai : le suffrage universel est fait juge. Par le biais du référendum du 28 septembre sur le projet de constitution, c'est son approbation du retour du général de Gaulle qui est sollicitée en même temps qu'un mandat implicite de trouver une issue à la guerre d'Algérie. La consultation de quelque 30 millions de citoyens constitue le résultat le plus inattendu des événements dont le forum d'Alger avait été le théâtre au soir du 13 mai 1958.

Note

1. Cf. par exemple Henri Claude, *Gaullisme et grand capital*, Éditions sociales, 1960.

Repères chronologiques

15 avril Chute du gouvernement Félix Gaillard.
8 mai Formation du gouvernement Pierre Pflimlin.
13 mai Soulèvement à Alger. Investiture du gouvernement Pflimlin.
14 mai Le Comité de salut public d'Alger, par la voix du général Massu, fait appel au général de Gaulle.
15 mai Le général Salan crie « Vive de Gaulle » devant la foule réunie au Forum d'Alger.
19 mai Conférence de presse, au Palais d'Orsay, du général de Gaulle, qui se refuse à désavouer Salan.
24 mai La Corse échappe au contrôle du gouvernement.
26 mai De Gaulle rencontre Pierre Pflimlin.
27 mai Publication du communiqué relatif à l'entretien de Gaulle-Pflimlin.
28 mai Démission de Pierre Pflimlin. Vaine rencontre entre de Gaulle, Le Troquer, président de l'Assemblée nationale, et Monnerville, président du Conseil de la République.
29 mai Le président Coty fait appel au « plus illustre des Français ».
30 mai De Gaulle reçoit l'ancien président Vincent Auriol et Guy Mollet.
31 mai De Gaulle forme son gouvernement.
1er juin Le nouveau gouvernement reçoit l'investiture de l'Assemblée nationale, par 329 voix contre 224 (communistes, une partie des socialistes, « mendésistes »).

Pour en savoir plus

L'analyse (classique) d'A. Siegfried dans la préface à *l'Année politique 1958*, PUF, 1959.

Nombreux ouvrages d'histoire immédiate analysés par J. Touchard, « La fin de la IVe République », *Revue française de science politique*, décembre 1958.

Du même auteur, on pourra consulter *le Gaullisme, 1940-1969*, Éd. du Seuil, 1978.

Cf. aussi J. Charlot, *le Gaullisme d'opposition, 1946-1958*, Fayard, 1983.

Pour le récit général et l'interprétation des faits, se reporter à :

M. et S. Bromberger, *Les Treize Complots du treize mai*, Fayard, 1959.

A. Debatty, *Le Treize Mai et la Presse*, Colin, 1960.

J. Ferniot, *De Gaulle et le 13 mai*, Plon, 1965.

J. Julliard, *La IVe République*, Calmann-Lévy, 1968, chap. VII et VIII.

R. Rémond, *Le Retour de De Gaulle*, Bruxelles, Éd. Complexe, 1983.

P. Viansson-Ponté, *Histoire de la République gaullienne*, Fayard, 1970, t. I.

18

Bilan de
la guerre d'Algérie

Guy Pervillé

Vingt ans après la fin de la guerre d'Algérie, le sol de ce malheureux pays livre encore des charniers. Celui de Khenchela, avec ses 1 000 ou 1 200 cadavres, est le plus important mais non le seul ni le dernier. Les polémiques relancées périodiquement par ces macabres découvertes ne font pas mieux connaître le lourd bilan de cette guerre. Les estimations les plus diverses continuent de s'affronter : elles varient du simple au décuple (de 141 000 à 1 500 000) sur le nombre des victimes algériennes. Dans une question aussi grave, une telle incertitude est inadmissible. Il est temps de chercher à établir, sinon l'exacte vérité, au moins le chiffre le plus vraisemblable. Qu'on nous pardonne d'évoquer avec une apparente froideur cette sinistre comptabilité.

Le bilan officiel des pertes militaires françaises (Français de métropole et d'Algérie, légionnaires, « Français musulmans ») est le plus précis et le moins contesté : près de 25 000 morts (dont 15 500 au combat ou par attentat), 65 000 blessés (dont 35 600 dans les mêmes conditions), et 485 disparus.

Le nombre des civils français d'Algérie victimes du terrorisme est connu avec la même précision jusqu'à la date du cessez-le-feu : 2 788 tués, 7 541 blessés et 875 disparus. Mais le nombre des Européens enlevés après le 19 mars 1962 est beaucoup plus controversé, et leur sort reste aujourd'hui encore un enjeu politique[1]. Trois estimations semblent à retenir :

— la Croix-Rouge internationale aurait reçu, au 1er septembre 1962, 4 500 demandes de recherches concernant des Européens d'Algérie ;

— le gouvernement français a présenté à la fin de 1964 des

«chiffres vérifiés et irréfutables» : sur 3 018 civils européens disparus du 19 mars au 31 décembre 1962, 745 avaient été retrouvés ; sur les 2 273 restants, 1 165 étaient certainement décédés ; 135 enquêtes restaient en cours ; les 973 autres ayant été closes faute de renseignements[2] ;

— mais en 1965, l'Association de défense des familles des disparus déclarait posséder un fichier tenu à jour de 2 500 noms ; elle estime pourtant leur nombre à plus de 6 500, et certains vont jusqu'à 9 000, mais sans prouver ces chiffres[3].

Les pertes de la population algérienne musulmane sont les plus difficiles à évaluer ; c'est à leur sujet que les estimations des deux camps divergent le plus. Alors que les militaires français reconnaissent avoir tué 141 000 «rebelles», les autorités algériennes glorifient, depuis l'indépendance, leur «million et demi de martyrs». De nombreux auteurs, tel Henri Alleg[4], se contentent d'un million ; c'est le chiffre le plus souvent cité en France, même dans des manuels scolaires. Mais, dans leur *Histoire de la guerre d'Algérie*[5], qui est la première mise au point historique sur celle-ci, Bernard Droz et Évelyne Lever jugent «de l'ordre du possible [...] un chiffre gravitant autour de 500 000 morts». C'est cette estimation qui semble la plus vraisemblable, mais elle est probablement encore au-dessus de la vérité.

En effet, on peut avoir une idée des pertes subies par la population musulmane algérienne grâce à l'analyse démographique. Or la comparaison des recensements de 1954 (8,7 millions) et de 1966 (12 millions) montre un fort accroissement, que la guerre a freiné sans l'interrompre. Commentant les premiers résultats du recensement de 1966, le géographe André Prenant[6] remarquait que cet accroissement de 3 355 000 personnes en moins de douze ans «dément les chiffres de pertes de guerre souvent cités». Le même auteur estime que la différence entre la population musulmane de 1966 et le chiffre prévisible par extrapolation des taux de croissance antérieurs au 1er novembre 1954 s'élève à environ 500 000 personnes. Or cette différence résulte de trois facteurs : d'une part, l'excédent de décès causé directement ou non par la guerre (pertes dues aux combats, aux attentats, aux exécutions, aux suites de blessures ou à l'aggravation des conditions de vie des civils dans les zones interdites ou dans les camps de regroupement...) ; d'autre part, dans une moindre mesure, le déficit de naissances entraîné par les pertes et les séparations de familles ; enfin, le départ définitif de 140 000 musulmans menacés de représailles et ayant opté pour la nationalité française de 1962 à 1967. On peut donc estimer sans invraisemblance que le nombre des morts se situe entre 300 000 et 400 000 ; ordre de grandeur que pourraient affiner l'analyse de la structure par âges, et des enquêtes locales systématiques. Par rapport à une population algérienne de 9 ou 10 millions, c'est une perte aussi lourde que les 1 350 000 morts français de la Première Guerre mondiale dans une France de 39 millions d'habitants. N'est-ce pas déjà beaucoup, pour une « guérilla » ?

Cet ordre de grandeur est d'ailleurs admis en privé par d'anciens chefs de l'ALN[7]. D'où vient alors la thèse officielle en Algérie du 1,5 million de martyrs ? Elle prolonge les affirmations de propagande lancées en pleine guerre. Dès 1959, le FLN accusait la France d'avoir tué un million d'Algériens. Mais il n'en fournissait pas d'autres preuves que des « évaluations multiples faites par des Algériens, des Français et des observateurs étrangers ». Cette estimation arbitraire lui permettait d'affirmer que la « guerre de libération » menée par l'ALN était « cent fois moins meurtrière » que la « guerre d'extermination » menée par l'armée française.

Le détournement de cadavres.

Cette dernière affirmation soulève un problème encore plus épineux que le précédent : comment attribuer à chacun des deux camps la part qui lui est imputable dans ce triste bilan ? Les uns et les autres tendent à minimiser leurs responsabilités en majorant celles de leurs ennemis. Ils se rejettent la paternité de nombreux massacres, en s'accusant mutuellement de détournement de cadavres. Dans ces conditions, il n'est guère possible de les départager sans soulever de vives controverses. Nous nous y risquerons pourtant, en partant des statistiques et des estimations les plus vraisemblables.

Le bilan officiel des « rebelles » tués dans les opérations militaires et policières des « forces de l'ordre » s'élevait à 77 000 au 1er octobre 1958, 100 000 au 1er janvier 1961, et 141 000 au 19 mars 1962. Mais ce chiffre, bien que peut-être gonflé par des doubles comptes, est sans doute inférieur à la réalité, car il ne comprend pas les morts inavouables ou inconnus (victimes de la répression extra-légale, combattants morts de leurs blessures, surmortalité civile...). C'est pourquoi Paul Delouvrier et le général de Gaulle jugèrent bon de le réévaluer à 145 000 en novembre 1959 et 150 000 en décembre ; ce qui permit au FLN d'affirmer, avec une apparence de raison, que le nombre des victimes algériennes avait doublé depuis octobre 1958. De Gaulle porta son estimation à 200 000 en novembre 1960 et la répéta inchangée en avril 1962 [8]. On peut y ajouter la plupart des 12 000 victimes qu'il attribue à l'OAS dans ses *Mémoires d'espoir*, mais il semble difficile d'en imputer beaucoup plus à la répression française.

L'Algérie passe sous silence le nombre des « traîtres » tués par les « patriotes », à moins qu'elle ne les comprenne implicitement dans 1,5 million de martyrs. Au contraire, les autorités françaises en ont tenu un compte minutieux jusqu'au 19 mars 1962 : 16 378 civils « français musulmans » tués, 13 610 blessés et 13 296 disparus. Mais ces chiffres sont certainement inférieurs à la réalité, dans la mesure où une partie de la population échappait au contrôle français. L'incertitude est encore plus grande sur le sort des anciens soldats et supplétifs musulmans enlevés et massacrés après le cessez-le-feu. Les estimations ont varié entre 10 000 et 300 000 ; elles varient encore de 30 000 à 150 000. Ce dernier chiffre semble fondé sur la différence entre le nombre des musulmans armés par la France (qui atteignit un maximum de 210 000 en 1960), et celui des 60 000 adultes qui purent s'y réfugier [9]. Il est pourtant sûr que les anciens « harkis » n'ont pas tous été tués ; mais le silence persistant des autorités algériennes devant des accusations aussi graves n'a rien de convaincant.

Et les épurations ?

A quoi il faut ajouter le nombre inconnu de milliers de victimes des épurations internes du FLN (souvent provoquées par les machinations des services secrets français), des affrontements sanglants qui l'opposèrent à son rival le MNA et parfois à ses hôtes tunisiens et marocains, enfin, des luttes incessantes pour le pouvoir qui éclatèrent au grand jour après l'indépendance.

Dans ces conditions d'incertitude, la structure du bilan d'ensemble dépend largement des convictions de chacun. Les partisans de l'Algérie française suivent les estimations du général Jacquin [10], qui conclut à un total de 375 000 morts algériens, dont seulement 141 000 par l'action directe des forces françaises, et la majorité, soit 234 000, par le fait des « rebelles ». Mais une telle répartition ne va pas de soi, si l'on s'en tient aux faits les mieux établis. Ceux-ci semblent plutôt démentir également les versions officielles des deux parties. En effet, les « forces de l'ordre » semblent avoir tué, jusqu'au 19 mars 1962, beaucoup plus de « rebelles » que ceux-ci de « Français musulmans », ce qui contredit la thèse de la « pacification ». Mais les « patriotes » algériens avaient eux-mêmes tué davantage de « traîtres » que d'ennemis ; et les règlements de comptes qui suivirent le cessez-le-feu tendirent à rétablir l'équilibre des pertes infligées au peuple algérien par les deux camps. Quel que soit le bilan définitif, ces observations contraires au mythe du soulèvement national unanime suggèrent qu'une guerre civile entre Algériens accompagna la guerre franco-algérienne.

Notes

1. Cf. les articles de *France-Soir* sur la détention en Algérie de certains de ces disparus avant le voyage officiel du président Mitterrand en 1981.

2. Déclaration de J. de Broglie au Sénat, cf. *le Monde*, 26 novembre 1964.

3. G. Israël, *Le Dernier Jour de l'Algérie française*, Laffont, 1972, p. 324-326.

4. *La Guerre d'Algérie*, Temps actuels, 1981, t. III, p. 423, 3 vol.

5. B. Droz et É. Lever, *Histoire de la guerre d'Algérie*, Éd. du Seuil, coll. « Points-Histoire », 1982.

6. A. Prenant, «Premières données sur le recensement de la population de l'Algérie (1966)», *Bulletin de l'Association des géographes français*, n° 357-358, nov.-décembre 1967, p. 53-68.

7. 300 000 selon Krim, 350 000 selon un autre (non nommé), d'après le général Jacquin.

8. C. de Gaulle, conférences de presse des 23 octobre 1958 et 10 novembre 1959; R. Tournoux, *Jamais dit*, Plon, p. 207-208, et *la Tragédie du général*, Plon, p. 362 et 405.

9. N. d'Andoque, *Guerre et paix en Algérie*, SPL, 1977, p. 191.

10. Gal H. Jacquin, « Le prix d'une guerre », *Historia Magazine*, n° 371/112, p. 3210-3213. Chiffres repris en tableau dans H. Le Mire, *Histoire militaire de la guerre d'Algérie*, Albin Michel, 1982, p. 385-386.

Les pertes en Algérie

«Le renouvellement incessant de l'ALN est invoqué par les Français pour expliquer la constance remarquable qu'ils assignent aux effectifs de l'ALN depuis trois ans.

» Or, en octobre 1958, le général de Gaulle 'déplorait' déjà la mort de 77 000 rebelles tués au combat depuis novembre 1954, et de 7 200 soldats français.

» En octobre 1959, M. Delouvrier, pour démentir le chiffre de 1 million de victimes, avance le chiffre de 150 000 victimes du côté algérien.

» Pour restituer leur valeur à ces chiffres, il faut rappeler :

» 1°/ qu'en avril 1956, M. Daniel Mayer, alors membre de la SFIO, signalait déjà qu'en additionnant les communiqués officiels sur la guerre on arrivait au chiffre de 75 000 Algériens tués ;

» 2°/ qu'au cours de l'été 1956, dans l'entourage de M. Robert Lacoste, le nombre des victimes (combattants et surtout civils algériens) couramment admis était de l'ordre de 300 000 ;

» 3°/ que le chiffre de 900 000 à un million de victimes résulte d'évaluations multiples faites par des Algériens, des Français et des observateurs étrangers : bien plus, ce million de victimes algériennes était admis dans le proche entourage de M. Delouvrier, à Alger, au début de l'année 1959.

» Il ne s'agit pas pour nous de nous livrer à une arithmétique macabre. Mais le monde doit savoir que depuis cinq ans la guerre qui ravage notre sol, les bombardements de villages des Aurès, du Nord-Constantinois, de la Kabylie et de l'Ouarsenis, les ratissages, le napalm, les regroupements et la famine constituent le visage quotidien de la pacification pour notre peuple.

» Cette 'pacification' que les Nations unies n'ont pas osé condamner l'an dernier, et qui, de l'aveu même des Français, a fait 70 000 morts de plus.

» L'ALN fait la guerre, certes, mais son action est tout de même cent fois moins meurtrière que celle de l'arméee française. En Algérie, l'ALN mène une guerre de libération ; l'armée française mène une guerre d'extermination. »

(*El Moudjahid*, n° 52, 15 octobre 1959 ; rééd. de Belgrade, t. II, p. 495).

19

Années 60 :
la poussée des jeunes

Michel Winock

Quand, après la fin de la guerre d'Algérie, le 28 octobre 1962, plus de 60% de *oui* eurent ratifié par référendum le choix du général de Gaulle en faveur de l'élection du chef de l'État au suffrage universel, la République gaullienne parut à son apogée. Dès lors, et pour quelques années, la vie politique en France fut purgée de ses récentes fureurs. Un monarque républicain, fier de sa légende et de ses œuvres, appuyé sur un Premier ministre sans passé politique, un parti gaulliste sans réticence et une haute administration sans faille, décidait désormais de tout. Du moins, en apparence. Les intellectuels de gauche, dont l'anticolonialisme avait été la cause historique d'identification, revenaient à leurs études ; la dé-po-li-ti-sa-tion du pays allait devenir la tarte à la crème des journalistes, jusqu'au jour où l'un d'eux, Pierre Viansson-Ponté, en mars 1968, résumerait la situation d'un mot devenu depuis célèbre : « La France s'ennuie. »

Un soir de juin à Paris.

De fait, l'année 1963 ne fut pas des plus ardentes dans l'Hexagone. Sans doute la grève générale des mineurs tout au long du mois de mars eut-elle pour effet de faire descendre la cote du général de Gaulle au plus bas. Mais, dans l'ensemble, comparé aux événements dramatiques des années « algériennes », à défaut de calme tout plat, c'était bien le zéphyr qui soufflait et non plus l'aquilon. Les agriculteurs poussaient leur coup de gueule estival ; la DST mettait la main au collet d'un espion prosoviétique (Georges Pâques) ; des membres inspirés de l'opposition s'ingéniaient à lancer l'opération « Monsieur X » (portrait-robot du futur candidat de la gauche à l'élection présidentielle de 1965) — opération qui s'en alla en eau de boudin du moment que des journaux indiscrets révélèrent Gaston Defferre sous l'X... Bref, pas de quoi réveiller les morts.

Et pourtant, cette année 1963 n'a pas été si insignifiante que les tables chronologiques le laissent supposer. Remise de ses fortes émotions politiques, la France voit soudain surgir ce qui, hors de ses frontières, a déjà fait grand bruit, à renfort de « sonorisation » : une nouvelle classe d'âge, qui emplit de son cri de nouveau-né brusquement la nuit parisienne du 22 au 23 juin. Ce soir-là, Daniel Filipacchi, animateur de l'émission « Salut les copains » à Europe n° 1 et directeur du magazine qui porte le même nom, invite les jeunes, par la voie des ondes, à venir applaudir leurs « idoles » place de la Nation, juste avant le départ de la caravane du Tour de France. On en attendait 20 000, ils sont au moins huit fois plus à se presser en quelques heures autour du podium. Métros et autobus dégorgent des fournées de jeunes gens en fête qui, vaille que vaille, se font une place : sur les toits, aux réverbères, sur les tentes des terrasses de café, aux branches des arbres — qui en craquent —, tout cela dans un concours de sifflets, de rires et de hurlements. Quand les « idoles » arrivent enfin — Johnny Hallyday, Sylvie Vartan, Richard Anthony et quelques moindres, il faut faire appel aux voitures de la police pour les amener sains et saufs jusqu'à l'estrade. Unisson, pâmoison, tintamarre : la fée électricité, allumant désormais les guitares, fait chavirer le cœur des foules. Au matin, pourtant, « on fit le bilan de ces heures de *twist* endiablé. Car, comme trop souvent dans ces occasions, quelques petits groupes de vandales avaient fait plus de dégâts que la masse des spectateurs. Une voiture écrasée, des vitrines brisées, le store d'un café arraché, des arbres 'scalpés'... A la brasserie des Colonnes, qui a beaucoup souffert, la propriétaire, bouleversée, déclarait que pour elle, les 'dégâts dépassent 100 000 francs' » (*l'Humanité*, 24 juin 1963).

La portée de l'événement — événement y avait-il ? — fut sur le vif différemment appréciée. *Paris-Jour*, peut-être par goût du « sensass », peut-être par intuition, fit d'emblée du 22 juin « une date historique [qui] s'ajoute au calendrier ». En revanche, *les Nouvelles littéraires* y allaient d'un commentaire dédaigneux, sous la plume de François Nourissier : « Voici que se lève, immense, bien nourrie, ignorante en histoire, opulente, réaliste, la cohorte dépolitisée et dédramatisée des Français de moins de vingt ans [...]. Je souhaite simplement qu'un jour, vers 1983, Sylvie, Françoise, Johnny, Dick, etc., 'fassent le poids' dans la mémoire des garçons et des filles d'aujourd'hui...» (26 septembre 1963). Dans d'autres journaux, une haine de la jeunesse transparaissait clairement; ainsi *Paris-Presse*, qui appelait, contre «cette marée», la force des «lois», de «la police» et des «tribunaux». *Le Monde*, qui, sur le coup, n'avait guère pris au sérieux cette soirée trop fiévreuse, décida, le recul aidant, de faire appel à l'expert. Par le truchement d'Edgar Morin, la science sociologique fut sommée de donner son diagnostic sur le phénomène «yé-yé».

Les 6 et 7 juillet 1963, Edgar Morin, dans son double article du *Monde*, intitulé «Salut les copains», prenait la mesure du «phénomène», en reliant le surgissement de la «nouvelle classe d'âge» à une nouvelle culture et à un nouveau marché. La nouvelle culture? Elle était le produit de la révolution des communications de masse : radio à transistors, disque (le 45 tours et les électrophones bon marché), télévision (qui se diffuse dans les années 60 à vive allure); ces nouveaux médias bénéficient à de nouveaux artistes de la chanson, qui reprennent le *rock* et le *twist* venus des États-Unis et de Grande-Bretagne. L'industrie du disque et celle du transistor avaient jeté leur dévolu sur un marché en or : 7 millions de jeunes, autant de consommateurs. Ainsi se conjuguaient la démographie, la technologie et le capitalisme pour constituer cette classe d'âge dont l'affirmation frénétique avait fait danser les colonnes du cours de Vincennes.

Cette «exaltation du yé-yé» était-elle dépourvue de toute signification politique? En même temps que paraissait l'article d'Edgar Morin, le magazine *Jours de France* rendait son verdict : «Pour la première fois, depuis des années, la France a une jeunesse jeune, c'est-à-dire qui ne s'embarrasse pas de toutes sortes de considérations métaphysico-politiques et qui n'aspire qu'à une chose : s'amuser sans arrière-pensée. Moi, je trouve que c'est un signe plutôt rassurant.» Voire! Edgar Morin montrait plus de prudence. Le débordement de la place de la Nation avait plusieurs sens possibles : peut-être la «préparation purificatrice à l'état de salarié, marié, casé, intégré, jouissant»; peut-être aussi «les ferments d'une non-adhésion à ce monde adulte où suintent l'ennui bureaucratique, la répétition, le mensonge, la mort». L'attitude des «yé-yé» lui paraissait incertaine et ambivalente : c'est avec des sentiments mêlés de satisfaction et d'appréhension qu'elle s'apprêtait à

intégrer la civilisation rationnelle et confortable, pressentant
«un mal-être dans le bien-être, un inconfort de l'âme dans le
confort, une pauvreté affective dans l'affluence, une irrationa-
lité fondamentale sous la rationalisation». Cinq ans avant
l'explosion de 1968, quelques observateurs, au lieu de camper
sur des lieux communs, subodoraient les premiers signes de
malaise dans la nouvelle civilisation.

Une contre-culture « jeune ».

Avant de trouver son expression politique propre, la jeunesse
affirma son existence autonome dans un conflit de générations,
dont tous les pays industriels furent le théâtre. Dans les
années 50, une musique de film comme *Rock around the Clock*
(Bill Haley), les concerts de rock d'Elvis Presley et de quelques
autres avaient causé maints tumultes et mis la police en danse.
Les journaux ne faisaient pas toujours la différence entre les
rockers, les bandes de jeunes, les délinquants juvéniles. Teddy
boys, blousons noirs, houligans, gamlers, Halbstarken, vitel-
loni..., chaque pays fit feu d'originalité pour désigner ses
«rebelles sans cause», avant que les médias ne les musicalisent.

En France, le «temps des copains» débuta vraiment après la
fin de la guerre d'Algérie : *Salut les copains* est de la même
année que les accords d'Évian. Le premier numéro de juillet 1962 est tiré à 50 000 exemplaires ; un an plus tard, on en
est à un million. Plusieurs facteurs contribuaient alors à la
constitution d'une classe de jeunes. D'abord, le nombre. En
1963, les moins de vingt ans dépassaient le tiers de la population : jamais, depuis 1914, ils n'avaient été aussi nombreux.
La reprise de la natalité à dater de 1943, amplifiée dans les
années 1946-1950 — où l'on compta 860 000 naissances annuelles
en moyenne contre moins de 600 000 pendant les années de
guerre —, expliquait l'effet de masse qu'on ressentait partout
quinze ou vingt ans plus tard, en particulier dans les établissements scolaires submergés par cette nouvelle vague.

Outre qu'elle était le produit d'une forte natalité, la jeunesse
était renforcée par son allongement dans la vie sociale. Le
prolongement de la scolarité y contribuait : c'est en 1959 que
la loi Berthoin avait fixé à seize ans la limite de la scolarité
obligatoire. Mais aussi le progrès de l'espérance de vie pour
l'ensemble de la population : en 1963, elle était de soixante-dix
ans, au lieu de cinquante-huit ans en 1938. Le renouvellement
dans les fonctions de travail et de responsabilité se faisait

désormais à un rythme plus lent, ce qui freinait d'autant l'entrée des jeunes générations dans la vie dite active. Face à ces adultes, qui avaient connu la guerre, les privations et qui, à coups massifs d'heures supplémentaires, étaient en train de se construire un bonheur individuel que n'auraient pu imaginer les travailleurs des générations précédentes, une certaine conscience de classe d'âge s'est fait jour. Entre les pères et les fils, les mères et les filles, la continuité se rompait. D'autant plus que ces adultes ne jouissaient plus du prestige revenant aux aînés dans les sociétés traditionnelles, où la transmission du savoir se fait du haut vers le bas de l'échelle des âges.

En ces années 60, la civilisation industrielle et urbaine achevait de se mettre en place dans une France restée longtemps villageoise : le règne des pères et des patriarches s'achevait ; l'encadrement complémentaire par les collatéraux était devenu impossible : la famille dite nucléaire (papa-maman-enfants) imposait un face-à-face souvent pénible entre deux générations sans commune expérience. En 1968, dans une conférence prononcée à Londres, Margaret Mead montrait le sens d'une révolution mal perçue encore : les jeunes, pour la première fois, en savaient plus que leurs parents. « Les changements, disait-elle, sont intervenus à un rythme si rapide en ces vingt-cinq dernières années, que les adultes sont incapables de les assimiler [...]. Les enfants grandissent dans un monde qui était inconnu de leurs parents. Ils sont élevés par la télévision. Ils ne s'intègrent à aucune structure religieuse, nationale ou éthique connue de leurs parents. Ils appartiennent au monde entier. » Au passé, qui donnait encore ses références aux adultes, les jeunes récusent toute fonction normative. La jeunesse veut affirmer ses propres valeurs, celles précisément d'une modernité déracinée.

De fait, l'élargissement de l'espace perceptible a eu pour effet d'internationaliser la nouvelle culture « jeune » ; dans tous les pays industriels elle s'est imposée, moyennant quelques variantes locales. Les signes de reconnaissance ? Une tenue vestimentaire *cool* (triomphe du *blue-jean*, rejet de la cravate, « baskets », etc.) ; une coupe de cheveux qui s'allonge ; l'adhésion fervente et grégaire à la musique *rock* et *pop*, que permet la mise au point des amplificateurs et qui fait, après Elvis Presley, des Beatles, de Mick Jagger ou de Bob Dylan, des vedettes planétaires. Cette musique exprimait aussi une nouvelle sexualité, répandue chez les jeunes, contre les canons machistes et la morale puritaine des adultes. La libéralisation des mœurs était entamée.

Éduquée avec moins de sévérité et d'austérité que ses parents, la nouvelle génération était moins disposée que la précédente à se plier aux contraintes de la civilisation industrielle et bureaucratique. Les nouvelles habitudes de consommation et de liberté favorisaient une attitude critique devant les disciplines de la production.

« *Souvenirs, souvenirs...* »

Une contre-culture juvénile se structurait ainsi autour de quelques refus élémentaires, quelques adhésions communes, une nouvelle manière d'être et de sentir, face au monde des adultes qui cessait d'imposer ses normes séculaires. Le phénomène n'était pas, du reste, vécu toujours consciemment. Si l'on veut se donner la peine d'analyser les couplets des « idoles », on peut ironiser, comme le faisait un chroniqueur en 1964, sur le conformisme de leur contenu : « C'est l'idéal radical-socialiste ressuscité », disait-il, en parlant du « petit ranch pour nous deux », rêvé par Johnny ou Françoise. « Mus par les intérêts des marchands de bonheurs en tout genre, ils dansent au bout de leurs ficelles avant de tomber fourbus, la voix perdue, le ventre conquérant, dans les énormes fauteuils de leur maturité [1]. »

Dans la sociologie commune, les classes sociales priment les générations, dont la réalité paraît fictive. Les jeunes, en tant que jeunes, ne sont pas des agents historiques ; ils sont aimablement conviés à regagner leurs milieux sociaux d'origine. Pourtant, la réalité d'une jeunesse conquérant son identité de classe d'âge pouvait avoir des conséquences profondes sur la société, sans que les jeunes eux-mêmes s'en rendent compte. Les premières chansons des Beatles, qui envahissent la France après leur passage triomphal à l'Olympia en juin 1965, pour inventives qu'elles soient, n'appelaient pas non plus à la mobilisation politique. La révolution était ailleurs : dans les modèles culturels que les Beatles et leurs « fans » étaient en train d'imposer au vieil Occident [2].

La nouvelle classe d'âge fit ainsi surgir dans les rues une « beauté de masse », que rien n'illustra mieux que la diffusion de la mini-jupe et des *tee-shirts* : les couturiers parisiens durent tailler la mode à la mesure des *teen-agers*. Pendant longtemps, la beauté physique avait été consignée dans les rangs et pour l'usage des classes dirigeantes. Le travail et la misère faisaient vite faner les grâces populaires. Un lent mouvement de démocratisation de l'hygiène et des soins esthétiques s'était fait sentir entre les deux guerres. La nouvelle classe d'âge l'accéléra dans un pays où la consommation de savon et de pâte dentifrice végétait, où le changement de toilette était jugé frivole et où il était dit que passé vingt ans on devait s'habiller comme un ancêtre. Sur les vieilles photos de classes, les futurs bacheliers, jusqu'aux années 50, s'habillaient aussi tristement que leurs professeurs, paraissant dix ans de plus que leur âge. Désormais, la fantaisie et la séduction avaient droit de lycée et d'usine. Ayant été mieux nourris et plus soignés que les enfants des générations précédentes, pouvant consacrer un budget à leur apparence, les jeunes affichaient aussi des comportements sexuels qui faisaient se retourner Victoria dans sa tombe. La liberté des relations entre jeunes et la progression de la mixité dans tous les ordres de la vie (en 1959 on décide de ne plus construire que des lycées mixtes) étaient en train de modifier en douceur le code social [3]. Cependant, la révolution ne fut point toute tranquille. Dans la sphère directement politique, l'émergence de la nouvelle génération explosa, là aussi.

« *Paix au Vietnam.* »

La guerre d'Algérie, à la fin des années 50, avait déjà occasionné la formation d'un mouvement politique typiquement jeune. Les anciennes organisations — en particulier les mouvements de jeunesse communistes et catholiques — avaient connu contestations et crises. Surtout, la protestation contre la guerre coloniale avait eu pour fer de lance le syndicalisme étudiant, l'UNEF, qui avait notamment organisé la première véritable manifestation de masse en faveur de la paix par la négociation — en dépit de la CGT et du parti communiste — au mois d'octobre 1960. Ce n'était qu'un début. Après l'indépendance de l'Algérie, loin de rentrer dans le rang, dirigeants et militants des mouvements de jeunesse continuèrent à ruer dans les brancards auxquels les autorités tutélaires voulaient les soumettre. On assista ainsi au cours de l'année 1965 à une série de secousses politiques qui ébranlèrent la JEC (Jeunesse étudiante chrétienne), l'Alliance des équipes unionistes (protestants), et l'UEC (Union des étudiants communistes). Le parti communiste fut amené à faire d'autorité le ménage au sein d'une union d'étudiants jugée trop sensible aux thèses « italiennes », polycentristes, antistaliniennes, défendues par le journal *Clarté*... On avait l'impression que dans toutes ces marmites une forte vapeur de jeunesse menaçait de faire voler le couvercle sur lequel les aînés, les chefs, les gardiens de l'ordre pesaient de tout leur poids.

Mais c'est à l'échelle internationale que s'opéra la mobilisation des nouvelles cohortes démographiques, mettant en usage leurs formes propres d'action militante. La cause en fut le Vietnam. L'origine, la grande révolte des universités américaines. Les États-Unis avaient déjà été le théâtre de multiples rassemblements dans la bataille antiraciste pour les droits civiques. L'élection du président Kennedy avait noué de bonnes relations entre Washington et la jeune génération. L'assassinat du président, figurant lui-même la jeunesse au pouvoir, avait fait entrer le peuple américain dans une nouvelle phase, que la guerre en Extrême-Orient allait peindre en noir. Les premiers bombardements américains, décidés par le président Johnson, ont lieu au Vietnam du Nord en février 1965 ; depuis 1963, les forces américaines envoyées au Vietnam du Sud ne cessent de grossir : 185 000 soldats en décembre 1965, 385 000 en décembre 1966, 485 000 en décembre 1967... Dès septembre 1964, des troubles sérieux avaient attiré l'attention sur l'université de Berkeley. Les étudiants avaient fait entrer la politique sur le campus contre la volonté de l'administration. Aux côtés des leaders étudiants, on vit la chanteuse Joan Baez encourager le mouvement au son des guitares, puis la formation d'une université libre de Californie : un « pouvoir étudiant » émergeait. L'année suivante l'Amérique avait décidément la fièvre. Les étudiants ne manquaient pas de motifs pour s'unir et agir : l'intervention des forces armées de leur pays à Saint-Domingue ; le mouvement antiségrégationniste de Martin Luther King ; enfin et surtout la guerre du Vietnam qui happait chaque année plus de soldats sans être jamais rassasiée.

USA, RFA, GB, Pays-Bas, France.

Entre 1964 et 1967, la protestation des campus contre la guerre du Vietnam ne cessa de s'amplifier. Le consensus américain était brisé : jamais on n'avait vu un président être autant détesté par la jeunesse du pays que l'était Lyndon B. Johnson. L'élection au cours de ces années-là de Ronald Reagan au poste de gouverneur de Californie prit le sens d'une contre-offensive décidée de la part du monde des adultes et des nantis contre la jeunesse révoltée de Berkeley et d'ailleurs. Celui qui allait devenir en 1980 président des États-Unis entendait «agir avec fermeté contre le sexe, la drogue et la trahison à Berkeley». De Californie et d'Amérique, la mobilisation des jeunes contre la guerre du Vietnam atteignit tous les pays industriels. Partout les jeunes s'ingénièrent à conduire des actions autonomes, refusant de suivre les mots d'ordre trop timorés de l'extrême gauche traditionnelle. En Allemagne fédérale, cossue, paisible et disciplinée, les révolutionnaires du SDS (jeunes socialistes de gauche) emplirent les rues de leurs clameurs. A Londres, à Tokyo, à Rome, les étudiants troublaient de leurs violences les joyeuses années de la grande croissance. Aux Pays-Bas eux-mêmes, on assista à des événements peu banals : en mars 1966, les *provos* organisèrent devant les caméras de la télévision le chahut du mariage de la princesse royale Béatrix de Hollande avec un ancien membre de l'armée hitlérienne, Klaus von Amsberg. Un de leurs leaders, Bernhard de Vries, se retrouva, à vingt-six ans et après une campagne mémorable, conseiller municipal d'Amsterdam.

En France, les comités «Vietnam de base», maximalistes et hostiles au parti communiste, regroupèrent bon nombre d'étudiants et de lycéens, plus ou moins teintés de maoïsme. La révolution, dite plaisamment «culturelle», lancée par Mao, parut démontrer que dans les pays communistes eux-mêmes, rongés par la gérontocratie, mais à condition qu'ils ne fussent point «révisionnistes», les jeunes étaient appelés à ressourcer la révolution. La haine de l' «impérialisme américain», la défiance du communisme soviétique, un rêve maoïste nourri de quelques images et de quelques formules du Grand Timonier, c'était avec ces sentiments et ces chimères qu'une partie de la jeunesse s'enhardit dans la lutte politique, où elle trouvait la satisfaction morale de servir une grande cause et le bonheur d'une solidarité de groupe. La protestation anti-impérialiste contre la guerre américaine au Vietnam manifestait les nouvelles réalités de la «militance» politique des années 60 : un mouvement *international*, se répondant d'université à université, de ville à ville, de pays à pays ; une cause commune structurant la jeunesse en force politique largement indépendante des vieux appareils ; une sensibilisation peu imaginable sans les moyens de communication de masse, informant, au cœur même des États-Unis, avec un luxe d'images sur les aléas et le déroulement du conflit. Nous n'étions plus au temps de la «guerre d'Indochine», celle de «papa», guerre lointaine, exotique, méconnue : les atrocités de l'affrontement étaient visibles désormais dans les salles à manger familiales.

« Traité de savoir-vivre. »

Pourtant, comparé avec les événements des États-Unis ou d'Allemagne fédérale, ce qui se passait en France de 1963 à 1968 ne laissait pas soupçonner la future explosion de « Mai ». La presse ironisait sur le fait que les problèmes des étudiants français ne dépassaient plus le niveau de la ceinture. En effet, en 1965, la chronique universitaire parut dérisoire. La grande affaire était que les étudiants de la résidence universitaire d'Antony, à proximité de Paris, réclamaient la libre circulation entre les bâtiments de garçons et ceux de filles. Les conditions de vie — vie matérielle et vie affective — étaient pourtant en train de devenir un objet sérieux de contestation. La lutte contre la guerre du Vietnam restait encore fixée dans un champ politique « classique ». Les échauffourées d'Antony annonçaient, elles, le déplacement et l'enrichissement des nouveaux combats politiques, que les partis eux-mêmes auraient à prendre en charge, faute de dépérir : la vie quotidienne devenait un enjeu.

A la rentrée universitaire de 1966, les « situationnistes » de Strasbourg attirèrent l'attention sur « la misère en milieu étudiant considérée sous ses aspects économique, politique, psychologique, sexuel et — notamment — intellectuel », et préconisaient « quelques moyens pour y remédier ». C'était le titre d'une plaquette, imprimée et diffusée à des milliers d'exemplaires. L'un des théoriciens du situationnisme, Raoul Vaneigem, publiait l'année suivante son *Traité de savoir-vivre à l'usage des jeunes générations*. On y lisait : « La nouvelle vague insurrectionnelle rallie aujourd'hui des jeunes gens qui se sont tenus à l'écart de la politique spécialisée, qu'elle soit de gauche ou de droite, ou qui y sont passés rapidement, le temps d'une erreur de jugement ou d'une ignorance excusables. » L'objectif, c'était désormais « la révolution de la vie quotidienne [qui] sera la révolution de ceux qui, retrouvant avec plus ou moins d'aisance les germes de réalisation totale conservés, contrariés, dissimulés dans les idéologies de tout genre, auront aussitôt cessé d'être mystifiés et mystificateurs » (p. 172).

Quelle relation, quel fil souterrain peut-il y avoir entre le succès d'un Johnny Halliday et les manifestes situationnistes ? entre le marketing du 45 tours et les comités Vietnam de base ?

Aucun, sans doute, si l'on s'en tient aux formes visibles de la politique. En revanche, on peut conjecturer que la folle nuit des « idoles », à la Nation, en juin 1963, avait révélé la puissance nouvelle, massive, spécifique, de la jeunesse. C'est dans la formation de son autonomie, comme classe d'âge, comme nouvelle culture, qu'il faut saisir la portée de l'événement ou du non-événement en forme d'avènement du 22 juin 1963. Ce qui s'était passé et continua à s'affirmer dans les sphères apparemment les moins politisées, on le vérifia par la suite dans les formes usuelles de la vie politique. Là, on n'avait affaire qu'à des minorités, mais on observait les mêmes signes : l'affirmation d'un être-jeune contre les structures et les slogans jugés sclérosés des vieux. La crise de Mai 68 eut pour génie de rassembler jeunes militants et jeunesse apolitique, de révéler les virtualités révolutionnaires de la nouvelle vague démographique. Les militants furent eux-mêmes débordés, emportés, engloutis par une tempête qu'ils ne pouvaient prévoir.

Et la prise du Palais d'Hiver ?

Tout surprend dans le mouvement de Mai 68. Ce mot même de « mouvement », qu'on emploie faute de mieux, laisse planer l'incertitude. On n'ose dire « révolution » parce que les semaines de Mai 68 ne ressemblent pas aux types révolutionnaires répertoriés. On dit parfois par euphémisme : « les événements de 68 ». Tout concourt à brouiller les signes et à fausser les diagnostics classiques : les formes du mouvement, les lieux qu'il investit, les finalités contradictoires qu'il se donne... Devant cette éruption sociale inclassable, insaisissable, le pouvoir gaullien, qui jusque-là a fait preuve d'une maîtrise exceptionnelle face à tous les complots et à tous les mouvements d'opinion, ce pouvoir reste coi : tout lui échappe car tout le prend au dépourvu.

Pourtant le mouvement de Mai a bien des caractères d'un mouvement révolutionnaire. Mais il y a révolution et révolution. Depuis l'Octobre russe, on s'imagine la révolution comme le produit mûrement médité d'une organisation d'avant-garde qui entraîne les masses contre le pouvoir en place. Avant Lénine, les révolutions ne se sont jamais décrétées. Elles emportaient les foules, à partir d'un événement détonateur ; elles enfiévraient les imaginations ; elles libéraient toutes les forces jusque-là contraintes, brimées ou refoulées, jusqu'au moment où elles étaient peu à peu canalisées par le nouveau pouvoir mis en place avec peine, ou par la réaction triomphante. Dans ces journées de Mai foisonnantes, luxuriantes, débridées, on oublia la prise du Palais d'Hiver et l'on se souvint au contraire des exubérances de 1848, Paris livré aux camelots de l'Utopie, aux têtes éventées des clubs, aux vociférateurs de l'Idéal.

Cependant, les avant-gardes, tout incapables qu'elles étaient de mettre en branle la masse des étudiants, jouèrent un rôle de détonateur.

Selon Antoine Prost[4], «la croissance massive du système éducatif est une cause majeure des événements de 1968». Pour étayer cette affirmation, il fait état d'un chiffre impressionnant : «Au cours des dix années qui précédèrent 1968, les accroissements sont [...] de 180% pour les universités.» Deux causes cumulées l'expliquent : l'arrivée sur les bancs universitaires des classes d'âge nombreuses de l'après-guerre et une certaine démocratisation de l'enseignement supérieur, accessible désormais à des jeunes gens sans assurances-carrière. Les structures de la vieille université sont inadaptées à l'accueil de ces nouveaux venus : locaux exigus, méthodes pédagogiques désuètes, centralisation administrative excessive... Le système élimine plus qu'il n'intègre. La mise en place de la réforme Fouchet en 1967 ajoute aux inquiétudes. Les facultés des lettres apparaissent surpeuplées ; le développement des sciences sociales y a attiré de nombreux étudiants, qui sont de moins en moins sûrs de leur avenir. Le corps enseignant lui-même a changé. De 1960 à 1968, ce corps enseignant des universités a triplé, au bénéfice des assistants et des maîtres-assistants, désormais nettement plus nombreux que les professeurs et maîtres de conférence. Les premiers, plus jeunes, soumis à une subordination intellectuelle et administrative, se sentent souvent plus proches de leurs étudiants que de leurs «patrons». Une nouvelle Université se constitue au long de ces années 60 ; ce n'est plus l'Université bourgeoise d'autrefois mais on ne sait plus très bien ce qu'elle est, où elle va, à quoi elle sert.

Les premiers incidents annonciateurs de Mai commencent à la faculté de Nanterre, nouveau campus, inachevé, encore difficile d'accès, planté à proximité d'un bidonville. Les locataires des résidences universitaires protestent puis se révoltent contre un règlement jugé d'un autre âge : les garçons n'ont pas le droit de visiter les filles dans leur chambre. Le 21 mars 1967, le doyen doit faire appel aux forces de police pour disperser une manifestation qui a forcé les portes du pavillon des filles.

Le 8 janvier 1968, un étudiant en sociologie, Daniel Cohn-Bendit, révèle au public ses talents de provocateur en apostrophant le ministre de la Jeunesse, François Misoffe, venu inaugurer la piscine de Nanterre. Le jeune homme reproche à François Misoffe, qui vient de signer un gros rapport sur la jeunesse française, d'ignorer les problèmes sexuels des étudiants ; le ministre lui suggère de résoudre les siens dans la piscine. D'incident en incident, le doyen de Nanterre en arrive à décider la fermeture provisoire de la faculté, le 2 mai 1968. Le lendemain, le meeting tenu dans la cour de la Sorbonne n'est encore suivi que par une minorité d'étudiants politisés de Nanterre et du quartier Latin. Mais, du moment que la police, sur l'appel du doyen et du recteur, procède à l'évacuation de la cour de la Sorbonne de vive force et à l'arrestation de nombreux manifestants jetés dans les «paniers à salade», l'événement change de dimension. De toutes parts on accourt, on se rassemble, on prend les policiers à partie, on attaque les véhicules de la police à coups de pavés. L'intervention brutale des «forces de l'ordre» a provoqué la solidarité spontanée du milieu étudiant avec la minorité militante. La crise de Mai commence à cet instant précis où le mouvement, débordant le cercle des militants, entraîne une masse inorganisée, apolitique ou très peu politisée, mais trouvant brusquement dans la révolte en cours un moyen d'exprimer ses craintes, ses refus et ses rêves.

La crise de Mai 68, à travers ses trois composantes étudiante, sociale et politique, a fait pousser un maquis d'interprétations, parfois complémentaires, parfois contradictoires [5]. Le mouvement lui-même s'exprime dans la confusion. Comme disait Marx, les hommes font l'histoire mais ne savent pas l'histoire qu'ils font. Les soixante-huitards qui ont la culture politique la plus étendue sont ceux des groupuscules révolutionnaires : ils n'en formulent pas moins les journées qu'ils vivent avec les mots d'autrefois. Aussi, plutôt que dans leurs tracts, c'est dans les graffiti dont les murs se couvrent qu'il faut tenter de saisir le point secret de 68. Anonymes, lapidaires, outranciers, ils surprennent les observateurs tant ils échappent à toutes les langues de bois. Livrent-ils le sens caché de ce mouvement sans précédent ?

« *Les murs ont la parole* ».

Proudhon, cent vingt ans plus tôt, avait dit : « Quel est ton nom, Révolution de 1848 ? — Je m'appelle droit au travail. » Mais 68, Mai 68 ? Je m'appelle, je m'appelle... à vrai dire je me perds dans les noms qu'on me donne. Je m'appelle droit au plaisir (« Jouissez sans entraves ! » ; « Jouissez ici et maintenant »), je m'appelle droit au bonheur (« Je décrète l'état de bonheur permanent » ; « Le bonheur est une idée neuve à Sciences Po »), je m'appelle utopie (« Le rêve est réalité » ; « Soyez réalistes, demandez l'impossible »), je m'appelle antiautorité, antibureaucratie, ce qui se résume plus joliment par le nom de liberté (« Ne me libère pas, je m'en charge » ; « Le mandarin est en vous », « Un bon maître, nous en aurons un dès que chacun sera le sien »), je m'appelle droit à la parole quand bien même je cherche mes mots (« Parlez à vos voisins » ; « J'ai quelque chose à dire mais je ne sais pas quoi »)...

Cependant l'un des sens les plus évidents du mouvement de Mai tient à la place et au rôle qu'y jouent les jeunes de toutes les classes sociales, du début à la fin. Circonscrite d'abord au domaine universitaire (« Vive la cité unie vers Cithère »), la révolte se propage au nom d'un slogan simple : « Libérez nos camarades » — un cri repris par des cohortes d'adultes brusquement rajeunies — et clame pendant des semaines l'avènement d'une nouvelle société : « Cours, camarade, le vieux monde est derrière toi. » Les valeurs d'ordre, de hiérarchie, d'autorité sont perçues comme corrélatives de la vieillesse. Vieillesse des professeurs (« Professeurs, vous êtes aussi vieux que votre culture, votre modernisme n'est que la modernisation de la police »). Vieillesse des partis et des syndicats (« Travailleur : tu as vingt-cinq ans mais ton syndicat est de l'autre siècle. Pour changer cela, viens nous voir » ; « Nous avons une gauche préhistorique »). Vieillesse des pères en tout genre (« Qu'est-ce qu'un maître, un dieu ? L'un et l'autre sont une image du père et remplissent une fonction oppressive par définition »).

Dans les jours qui suivent la journée de grève générale du 13 mai, le mouvement ouvrier va relayer le mouvement étudiant, prenant une ampleur inouïe et amenant le pouvoir politique à deux doigts de sa chute. Les grèves sont lancées les unes après les autres sans mot d'ordre des syndicats. Partout ce sont les jeunes ouvriers qui lancent l'action, voulant suivre l'exemple des étudiants. Le 6 juin, Edgar Morin écrit dans *le Monde* : « C'est autour de la charnière jeunesse-liberté/vieil-

lesse-autorité que s'articule le conflit traditionnel dirigés-diri-
geants.» Conflit de classes ? Oui, mais pas seulement. Car, à
l'intérieur même du mouvement social, le conflit des générations transparaît, notamment cristallisé sur l'attitude du parti
communiste. Celui-ci est alors apparu à beaucoup comme une
force d'ordre, «allié objectif» du gaullisme, interdisant la
rencontre des étudiants et des ouvriers dans les usines, ralliant
incontinent les propositions de référendum puis d'élections
législatives faites par un pouvoir gaulliste en perdition... Sartre
résumera d'une phrase ce qu'ont pensé tant de jeunes gens au
cours des événements de mai et de juin 1968 : «Les communistes ont peur de la révolution.» En tout cas, les anciens
rouages de la vie politique en France ne fonctionnent plus très
bien ; pas seulement l'appareil d'État pétrifié, mais les cadres
de l'opposition officielle.

Les élections des 23 et 30 juin portent au pouvoir une écrasante majorité de droite. Après tant de journées de désordre,
de grèves et d'incertitude, le reflux du Mouvement est inévitable. La révolution en apparence n'a pas eu lieu. Pendant des
années les historiens marxistes avaient dit de la Commune de
Paris de 1871 qu'elle avait échoué, faute d'un parti révolutionnaire. Cette fois, on n'en manquait pas ! Mais peut-être la
révolution avait-elle eu lieu sans le savoir. Simplement, ce
n'était pas celle qu'on croyait. Notons d'abord qu'en 1969 le
général de Gaulle abandonne le pouvoir, à la suite d'un
référendum raté, dont l'idée (sur la participation, sur la régionalisation) était sortie de Mai 68. Ce départ du vieux président,
quelles qu'en fussent les raisons contingentes, ne symbolisait-il
pas la fin du vieux modèle autoritaire ? A la veille du référendum, le sociologue Michel Crozier avait dit dans une tribune
du *Monde* pourquoi les Français devaient répondre *non*. Il
s'agissait pour eux d'assumer leur majorité, de prendre leurs
affaires en main, au lieu de les abandonner comme ils le
faisaient depuis si longtemps à l'illustre vieillard. Les institutions et le style de vie politique, administrative, universitaire,
n'étaient plus en accord avec la nouvelle culture portée par la
jeunesse des années 60.

« *Épidémies psychiques* » ?

La crise de Mai 68 a partout contesté — sinon renversé —
le modèle hiératique, autoritaire, qui continuait à régir l'État et
les institutions sociales. Rien, ou presque, ne fut épargné :

partis, syndicats, Églises, familles... Petit à petit la législation a corrigé ses caractères les plus surannés : abaissement de la majorité à dix-huit ans, loi sur l'interruption volontaire de grossesse, libertés syndicales dans l'entreprise... L'après-Mai vit d'abord surgir ou se renforcer l'extrême gauche et l'ultra-gauche, tout imprégnées, quoique diversement, de marxisme-léninisme. Ce fut souvent un concours d'irréalisme dont cette génération est bien revenue dans l'ensemble. L'important était ailleurs : dans la transformation des mœurs, dans les nouvelles formes de vie sociale et politique : l'écologie, le féminisme, la critique de l'enfermement, les poussées d'autogestion. Toutes ces mutations n'avaient pas la France seule pour théâtre. Toutes les sociétés occidentales les ont vécues. Mais, selon ses habitudes historiques, la France leur a ouvert la voie par un mouvement tumultueux, né du manque d'adaptation et de souplesse d'un pouvoir fort, de style patriarcal, ayant tendance à infantiliser les citoyens. À moins que ce ne soit pour des raisons plus profondes et plus anciennes. Freud disait des Français, à la fin du siècle dernier : « C'est le peuple des épidémies psychiques, des convulsions historiques de masse, et il n'a pas changé depuis le temps de *Notre-Dame de Paris* de Victor Hugo. » Bref, les Français avaient fait comme les autres : Anglais, Allemands, Néerlandais, mais avec des barricades.

Il n'entre pas dans mon esprit l'intention de faire jouer au conflit des générations le rôle assigné jadis et naguère à la lutte des classes. Toutefois, il serait arbitraire de revendiquer celle-ci pour nier celui-là. La grille sociologique courante, à fondement marxiste, garde le mérite de ne pas couper les luttes politiques des réalités sociales. Mais ces réalités sociales ne se réduisent pas aux classes du même nom. Une société est toujours traversée par une pluralité de clivages. Les années 60, justement, nous ont montré une autre force collective à l'œuvre, moins saisissable car plus fluide par définition : la classe d'âge[6]. La génération de 68 a pu s'affirmer en tant que force juvénile autonome, en butte aux autorités en place, grâce à un concours de circonstances. Elle a eu pour elle la puissance démographique, la croissance économique, la diffusion sans précédent de nouveaux moyens de communication de masse. Toute génération est hétérogène, celle de 68 comme les autres, mais la génération de 68 a été l'objet de facteurs d'homogénéisation, notamment par les nouveaux médias, et a trouvé ses mots de passe de manière sans doute plus évidente que les générations précédentes. Elle n'a pas inventé mais elle s'est trouvée porteuse de la nouvelle culture urbaine et « électronique ».

Elle a pu d'autant mieux s'émanciper des générations antérieures qu'elle est née de plain-pied dans la société de consommation. Elle a imposé ses canons et ses modèles dans tous les genres — quand bien même le radicalisme et les extravagances politiques qu'elle a produits n'ont guère survécu. Car la société adulte s'est mise à mimer sa jeunesse, au lieu que la jeunesse de jadis se moulait dans les normes reçues des adultes. Les modes vestimentaires, langagières, les mœurs en général sont inspirées par les jeunes. Un quant-à-soi d'âge mûr, jadis fait de science et d'expérience, est de plus en plus déplacé dans une société en perpétuelle quête de rajeunissement.

Cependant, depuis le milieu des années 70, le « pouvoir jeune » se stabilise ou décline. Le reflux économique, par les inquiétudes qu'il provoque, semble conduire à des attitudes plus soumises. Et puis le rajeunissement de la société paraît fragile, les jeunes proprement dits étant de moins en moins nombreux. Les valeurs mêmes des années 60, spécifiquement celles de la nouvelle jeunesse, ont contribué à la baisse de la natalité, donc, finalement, au vieillissement de la population. Ce retour de manivelle serait-il une revanche des moralistes ? En tout cas, la dialectique « jeunes/vieux » n'a pas fini d'agiter notre histoire commune.

Notes

1. Dans le numéro spécial d'*Esprit*, « Le temps des copains », février 1964.

2. Dans une récente communication, Raoul Girardet, tout en exposant les arguments opposés au concept de « génération », avance celui, préférable à ses yeux, de « contemporanéité ». Il insiste, à juste titre, sur le fait que les contemporains se reconnaissent à toute une série de mots de passe, le plus souvent éloignés de la vie politique. « S'il n'est nullement évident, dit-il, que l'on soit en droit de parler d'une génération de mai 1968, il ne semble en aucune façon illégitime d'évoquer celle de *Salut les copains* » (« Du concept de génération à la notion de contemporanéité », *Revue d'histoire moderne et contemporaine*, avr.-juin 1983).

3. C'est sur ce point de la « libération des mœurs » que le contraste entre les générations est le plus marqué. Cf. à ce sujet Annick Percheron, « Préférences idéologiques et morale quotidienne d'une génération à l'autre », *Revue française de science politique*, avril 1982.

4. Cf. « Pour en savoir plus ».

5. Cf. notamment P. Bénéton et J. Touchard. « Les interprétations de la crise de mai-juin 1968 », *Revue française de science politique*, juin 1970.

6. Dans son article « Rock, pop, punk », publié par *Le Débat* (mars-avril 1983), Paul Yonnet écrit justement : « La quasi-totalité des sociologues européens a jusqu'ici négligé le phénomène adolescent. » Cet article, s'attachant à définir le *peuple adolescent* à travers ses principales formes d'expression musicale, est donc une très heureuse exception à la règle.

Pour en savoir plus

Association des Ages-Paris, Table ronde 1979, Gif-sur-Yvette, *Rapport au temps et fossé des générations*, Table ronde du CNRS, 29-30 novembre 1979, Paris, Association des Ages [1979], IX-166 p.

J. Jousselin, *Une nouvelle jeunesse française dans un monde en mutation*, Toulouse, Privat, 1966.

Les murs ont la parole, présenté par Julien Besançon, Tchou, 1968.

G. Paloczi-Horvath, *Le Soulèvement mondial de la jeunesse*, Laffont, 1972.

A. Prost, *Histoire générale de l'enseignement et de l'éducation en France*, t. IV, *1930-1980*, Nouvelle librairie de France, 1981.

Quelques articles.

P. Bénéton et J. Touchard, « Les interprétations de la crise de mai-juin 1968 », *Revue française de science politique*, juin 1970.

« Jeunesse », articles dans l'*Encyclopaedia Universalis*, vol. 9.

« Le temps des copains », *Esprit*, février 1964.

P. Yonnet, « Rock, pop, punk », *Le Débat*, mars-avril 1983.

20

Les départs du
général de Gaulle

François Goguel*

— *Il y a dix ans, le général de Gaulle quittait le pouvoir à la suite d'un échec subi lors du cinquième référendum de la Ve République...*

— Pour comprendre ce qui s'est passé le 27 avril 1969, il faut remonter à mai 1968 et même un peu avant. Mai 1968, ce sont les événements que vous savez. Événements postérieurs à la première déclaration du général de Gaulle en faveur de la régionalisation. Le 24 mars, à Lyon, il a dit que « l'effort multiséculaire qui fut longtemps nécessaire à notre pays pour réaliser et maintenir son unité malgré les divergences des provinces qui lui étaient successivement rattachées ne s'impose plus désormais », ce qui annonçait l'intention de donner aux régions plus d'autonomie, plus de responsabilités.

C'est que de Gaulle a le sentiment, comme il le dira à Quimper le 2 février 1969, que « c'est précisément l'unité française qui exige que certains membres du corps de la patrie n'aillent pas en dépérissant tandis que d'autres se transforment ». Rien n'a encore été fait en ce sens quand éclatent les événements du mois de mai. Événements dont la forme, sans aucun doute, l'horrifie, mais qu'il interprète comme une nouvelle manifestation de ce que, depuis la guerre, il considère comme l'entrave que « la mécanisation générale de la société » — termes employés par lui dans un discours à Oxford le 25 novembre 1941 — fait peser sur les rapports humains. Il a le sentiment que la révolte d'une partie de la jeunesse est significative, malgré ses excès, de la nécessité d'un certain changement. Il voudrait alors pouvoir agir afin de changer les

* Propos recueillis par Jean-Noël Jeanneney et Michel Winock.

rapports humains dans la « société mécanique » ; il espère qu'en
faisant un référendum dans lequel cette intention s'explicitera,
il pourra reprendre prise sur le cours des événements. Et c'est
le discours du 24 mai 1968 annonçant un référendum sur la
« participation » — discours dont il dit, paraît-il, juste après :
« J'ai mis à côté de la plaque » — et qui ne produit aucun effet.
Il dira un peu plus tard à Michel Droit qu'il considère alors la
situation comme « insaisissable ». Mais il me dira aussi, le
5 novembre 1969, à Colombey-les-Deux-Églises : « Je me suis
ressaisi et j'ai ressaisi la France. » Après une période de
passage à blanc, le signe de ce ressaisissement, c'est sa
disparition le 29 mai (qui produit un choc sur l'opinion et que
certains interprètent d'abord comme l'annonce d'une renoncia-
tion au pouvoir) puis son retour le 30 mai et le discours
radiodiffusé dans lequel, conformément au conseil de Georges
Pompidou, il substitue *in extremis* l'annonce de la dissolution
à celle du référendum, et qui provoque un retournement
soudain de la situation.

Cependant le triomphe électoral de juin paraît être autant
celui de Georges Pompidou que celui de Charles de Gaulle ; ce
succès donne à ce dernier, comme il le dira, « une majorité
PSF[1] » avec laquelle il voudrait faire « une politique PSU »...
Ce qui n'est pas facile. Il décide donc de revenir au référendum
qu'il n'a pu faire en juin : il le fera porter sur la création de
régions (c'est la suite du discours de Lyon) et la réforme du
Sénat (c'est une très vieille idée qu'il avait déjà exprimée à
Bayeux le 16 juin 1946...). Il voit dans ces deux réformes l'introduction de la participation dans l'appareil de l'État, plus aisée
à réaliser vite que dans l'entreprise. C'est le 2 février 1969, à
Quimper, qu'il annonce cette intention. Mais la décision est très
antérieure : la mission de préparation des textes confiée en
juillet à Jean-Marcel Jeanneney en témoigne.

L'accueil de l'opinion au discours de Quimper n'est pas très
bon et les sondages d'opinion ne sont pas encourageants.
Certains de ses collaborateurs se rendent compte du danger :
Raymond Marcellin, ministre de l'Intérieur, lui propose d'ajour-
ner le référendum ; Jean-Marcel Jeanneney, ministre d'État
chargé de préparer les textes, lui dit qu'il peut très bien
s'engager lui seul sur ces textes, sans que le président de la
République s'engage aussi — d'ailleurs, devant la télévision,
Jeanneney n'a pas dit que le Général s'engagerait et le Général
s'en est étonné. Par contre, le Général reçoit de son Premier
ministre Maurice Couve de Murville ce conseil formel : « Il est

trop tard pour renoncer. Il faut continuer, sinon c'est tout ce que vous représentez qui est mis en cause. Votre autorité est entamée si vous ne faites pas le référendum que vous avez annoncé. »

Un discours télévisé le 11 mars, un entretien télévisé avec Michel Droit le 10 avril ne provoquent aucune amélioration dans les sondages, et un certain nombre d'hommes politiques prennent position pour le *non* : Giscard d'Estaing — le Général trouve cela normal, « il joue son jeu » — mais aussi René Pleven, et la défaillance de Pleven lui est plus pénible : c'est un compagnon de la Libération, c'est un de ses collaborateurs de la période de guerre. Lors de son dernier discours, le 25 avril, le Général n'a plus aucun doute, tous les témoignages concordent à cet égard, quant à ce que sera le résultat. Le 28 avril, à minuit dix, c'est le communiqué : « Je cesse d'exercer mes fonctions de président de la République. Cette décision prendra effet aujourd'hui à midi. »

L'action pédagogique.

Pourquoi le Général a-t-il persisté ? Je crois que l'on peut affirmer qu'à l'origine la décision prise en juillet, quand Jean-Marcel Jeanneney a été chargé de préparer les textes de la réforme, est la suite de la décision du mois de mai, mais sur un texte plus concret que celui du printemps, et que le Général n'a alors aucun doute sur le succès. J'ai, à cet égard, un souvenir personnel. Au début de novembre 1968, le Bureau du Sénat, ayant à sa tête un nouveau président, a rendu au président de la République la visite protocolaire d'usage. A la fin de cette visite (que j'accompagnais puisque j'étais, à ce moment-là, secrétaire général du Sénat), le Général m'a retenu. Les membres du Bureau du Sénat sont partis et j'ai eu l'honneur de rester seul avec le Général. Situation un peu surprenante... Il a eu avec moi une conversation sur le référendum. Pour moi, cela ne fait aucun doute : il était alors certain du succès. « Ces messieurs, m'a-t-il dit, ont certainement compris que je continuerai et que je gagnerai. »

A quel moment s'est-il rendu compte qu'il ne gagnerait pas ? Je crois que les débats parlementaires qui ont eu lieu en décembre ont été très mauvais pour l'opinion, parce que, finalement, en dehors des prises de position des représentants du gouvernement, de Jean-Marcel Jeanneney et d'Olivier Guichard, on n'y a entendu que des critiques à l'égard du projet, provenant même des partisans du gouvernement. Et cela a exercé quelque effet sur l'opinion. Il y a eu, d'autre part, des difficultés d'ordre social : un arrêt général du travail au mois de mars, bref, une situation qui s'est constamment dégradée. Alors, pourquoi le Général a-t-il continué ? Je crois que c'est parce qu'il a pensé que, pour les générations futures, l'exemple de ce qu'il aurait fait entre 1940 et 1969 serait beaucoup plus efficace s'il persistait dans la voie dans laquelle il s'était engagé que s'il reculait. Je pense donc que c'est dans une intention de pédagogie à long terme ; il a eu le sentiment que, s'il pouvait encore faire quelque chose pour la France, c'était en donnant à sa figure historique une dernière touche qui ne pourrait que la grandir. Encore un souvenir personnel, je m'en excuse. Lorsque, le 28 avril 1969, je me suis rendu chez le président du Sénat, Alain Poher, celui-ci m'a dit : « Mais pourquoi a-t-il fait cela ? » Et j'ai répondu : « Parce que c'est le seul vrai démocrate qu'il y ait en France. » Son départ devant un vote négatif du peuple souverain le prouverait définitivement, et je pense que c'est aussi cela qui explique sa volonté de poursuivre malgré la certitude de perdre qui a certainement été la sienne pendant les dix derniers jours.

Le drame de Dakar.

— *Il y a eu d'autres départs dans la carrière du Général : vrais départs, faux départs... On pourrait remonter au 17 juin 1940, quand il quitte Bordeaux pour Londres.*

— A mon avis, ce n'est pas vraiment un départ ; en un sens, c'est une rupture, sans doute, mais il m'a dit, à moi-même, parlant de ce 17 juin : « J'étais au gouvernement, je connaissais Churchill, j'avais une politique. » Il a eu le sentiment de poursuivre à Londres ce qu'il avait essayé de faire en France comme sous-secrétaire d'État à la Guerre dans le cabinet de Paul Reynaud. Il y a donc naturellement rupture, mais je crois qu'elle n'est pas comparable aux autres. Par contre, dans l'entretien qu'il a eu avec Michel Droit, le 7 juin 1968, de Gaulle mentionne un certain nombre de dates où il a eu la tentation de s'en aller : septembre 1940, Dakar ; mars 1942, Londres ; janvier 1946, Paris (et là il est parti) ; il dit ensuite « 1954 », mais c'est un lapsus, c'est 1953, quand il a cessé d'autoriser le RPF à agir dans les institutions ; et enfin le ballottage du premier tour de 1965. Cela indépendamment du 29 mai 1968, où il dit expressément le 7 juin qu'il a eu la tentation de partir mais que, finalement, il a résolu de rester. Il y a donc eu toute une série de départs dont on peut dire quelques mots.

Le premier départ, c'est celui de septembre 1940, à Dakar. De quoi s'agit-il ? Alors que tous les territoires de l'Afrique équatoriale française se sont ralliés — ou sont sur le point de le faire —, le Général, poussé par Churchill qui souhaite disposer de la base de Dakar, espère faire basculer Dakar vers la France libre. Churchill a une vision romantique des choses : il brosse un tableau de l'effet produit sur les Français de Dakar se réveillant, un matin, et voyant une flotte immense qui apparaît. Un bateau s'en détache, il amène des parlementaires qui viennent proposer le ralliement et l'on imagine que Dakar, frappé par la vue de cette force, apprenant que de Gaulle est sur un de ces navires et enthousiasmé par l'idée de reprendre part à la guerre, comme beaucoup des proconsuls coloniaux l'avaient souhaité en juin, dans un premier mouvement, va rallier la France libre.

En réalité, l'opération échoue pour un certain nombre de raisons. Une raison météorologique d'abord, Dakar ne verra pas la flotte à cause du brouillard... Une raison qui tient à l'insuffisance des moyens navals mis par l'Angleterre à la disposition de cette expédition, moyens beaucoup plus faibles que prévu. Une défaillance de la marine anglaise enfin, qui a laissé plusieurs grands croiseurs français franchir le détroit de Gibraltar et se diriger vers l'Atlantique où cependant la flotte anglaise les empêche de gagner l'Afrique équatoriale française. Mais ils se rendent alors dans la rade de Dakar. Chose d'autant plus étonnante que l'attaché naval français à Madrid, avec une naïveté voulue, avait prévenu l'attaché naval anglais que ces croiseurs allaient passer devant Gibraltar ! Et cependant, on n'a rien fait pour les arrêter !

Enfin, il y a la personnalité de Boisson, cet ancien instituteur, un peu grisé par ses fonctions de haut-commissaire, qui croit qu'il est de son devoir de résister. Mais les Français de Dakar n'étaient pas unanimement pour la résistance à de Gaulle et la meilleure preuve c'est qu'il a fallu remplacer les artilleurs coloniaux des batteries de côtes par des marins pour être sûr que ces batteries tireraient...

Après des échanges de coups de canon, après que Thierry d'Argenlieu eut été blessé par des tirs de mitrailleuses lourdes sur le bateau qui le ramenait, après une vaine tentative de contact, l'opération de Dakar est, en fin de compte, un échec et c'est alors que le Général a la tentation de renoncer, comme il le dit lui-même. Ce qui l'a décidé à continuer, c'est que l'AEF s'était ralliée, que les Territoires français du Pacifique étaient en train de se rallier et que, au fond, après trois mois seulement, il ne pouvait pas abandonner. Mais ce fut, quand même, pour le Général une tentation. Il l'a dit et il faut le retenir. Cet homme tout d'une pièce, le «champion inflexible de la nation et de l'État», est un homme qui connaît des moments où il se demande s'il ne va pas renoncer...

L'affaire Muselier.

— *En mars 1942, un autre faux départ a lieu...*
— C'est la menace de départ visant à faire céder le partenaire. Que se passe-t-il alors ? L'amiral Muselier, qui commande les Forces françaises navales libres et qui est un marin remarquable mais affecté d'une sorte de «tracassin» politique (comme le dira le Général dans ses *Mémoires*), a décidé de faire sécession. Désormais les Forces françaises navales libres seraient sous son autorité une force qui ne dépendrait plus des autorités de la France libre. Le général de Gaulle n'admet pas cela et il met l'amiral aux arrêts pour un mois. Mais pour que cette punition, conformément aux accords passés entre le Général et le gouvernement anglais, soit exécutée, il faut l'accord des Anglais. Or, le premier Lord de l'Amirauté a confiance en Muselier et le gouvernement britannique favorise la sécession des Forces françaises navales libres. Le Général quitte alors Londres, se retire à la campagne, et il attend : il pense bien que les Anglais seront obligés de céder. Au bout de quelques jours, en effet, on lui envoie un émissaire et l'amiral Muselier est effectivement mis aux arrêts. D'ailleurs, les équipages de tous les navires des Forces françaises navales libres avaient témoigné de leur volonté de continuer à servir sous de Gaulle. A ce moment-là, à mon avis, de Gaulle n'a jamais pensé qu'on le laisserait partir. Il était certain de l'emporter sur Muselier. Il y a eu d'ailleurs, à Alger, dans ses rapports avec Giraud, un épisode du même ordre qu'il n'a pas mentionné le 7 juin 1968. De Gaulle se retire pendant deux ou trois jours et Giraud est obligé d'en passer par sa volonté. Ce départ de 1942 est donc le type même de l'acte destiné à assurer son autorité.

Les partis contre de Gaulle.

— *Le départ suivant est plus connu. C'est celui de janvier 1946.*

— Il s'agit là d'un départ réel, mais je crois qu'il n'a pas eu l'effet que le général de Gaulle en attendait. Pour comprendre le départ de janvier 1946 il faut remonter aux conditions dans lesquelles, après la réunion de la Constituante, le général de Gaulle a été élu président du gouvernement. Élu à l'unanimité, il a prétendu alors choisir lui-même ses ministres. Mais le parti communiste a exigé soit l'Intérieur, soit la Défense nationale, soit les Affaires étrangères. le Général a refusé. Il veut être libre de constituer le gouvernement comme il l'entend et il remet son mandat à la disposition de l'Assemblée. Il y a alors une période d'atermoiements, de confabulations parlementaires et, finalement le 19 novembre 1945, l'Assemblée se réunit et vote, avec abstention communiste, une motion confirmant au général de Gaulle son mandat de président du gouvernement mais lui donnant le mandat impératif — impératif non pas selon le texte de la motion mais selon le discours d'André Philip — de constituer un gouvernement tripartite, avec les communistes, les socialistes et le MRP. Il ira plus loin puisqu'il y aura dans son gouvernement des radicaux et des modérés, plus André Malraux. Mais tout ce qui se produit jusqu'à la fin de décembre lui confirme qu'on veut le ligoter.

Chose extravagante : le rapporteur général de la commission de la Constitution, François de Menthon, refuse de venir parler avec le Général des travaux de cette commission en lui disant en substance : «Vous n'êtes pas vous-même constituant ; cela ne vous regarde pas !» Il se produit une surenchère des socialistes à propos des revendications des fonctionnaires sur la majoration de leurs traitements, et c'est parce que Maurice Thorez, ministre d'État chargé de la Fonction publique, le soutient dans cette affaire que le Général lui fera l'honneur de dire qu'il avait le sens de l'État.

Il y a enfin, le 31 décembre, le débat budgétaire au cours duquel les socialistes exigent qu'on réduise de 20 % les crédits militaires. Le général de Gaulle ne l'accepte pas ; alors a lieu cette intervention à la séance de l'Assemblée, l'après-midi du 1er janvier 1946, dans laquelle il dit : «C'est probablement la dernière fois que je parle dans cette enceinte », et explique que, si l'on veut un gouvernement qui ne soit que l'exécutant des décisions d'une Assemblée, on conduira la France à un régime politique aussi dangereux pour elle que celui de la IIIe République et même plus dangereux. Sa conception du gouvernement n'est pas celle-là : le gouvernement doit avoir une marge de décision, une latitude d'intitiative, d'action propre et si on veut lui imposer une décision qu'il estime dangereuse pour la nation, il doit la refuser et, le cas échéant, s'en aller. Finalement, l'Assemblée cède, mais en votant les crédits pour deux mois au lieu de trois. C'est ce jour-là que le Général a décidé de partir.

Il part d'abord en vacances, à Eden Roc ; il n'avait pas pris de vacances depuis 1940. Quand il revient, se produit à l'Assemblée cet incident scandaleux, au cours duquel Édouard Herriot lui reproche d'avoir laissé paraître à l'*Officiel* un certain nombre de décorations, dont un grand nombre de décorations posthumes, pour des officiers et des soldats qui, en 1942, à Alger et au Maroc, ont, conformément aux ordres de leurs chefs, essayé d'arrêter les Américains. Le général de Gaulle riposte durement à Édouard Herriot qui, au mois d'août 1944, tout le monde s'en souvient, a déjeuné avec Abetz et Pierre Laval à l'hôtel Matignon ; il lui dit que, quant à lui, il n'a jamais parlé à Vichy qu'à coups de canon ; pourtant, il est évident que le soutien qu'Herriot a trouvé dans l'Assemblée est, pour lui, une source d'amertume et de dégoût, ce qui le confirme dans sa décision de départ.

Mais tous les témoignages que Georgette Elgey a recueillis et cités dans sa *République des illusions*[2] concordent : de Gaulle part avec la conviction qu'on serait obligé de le rappeler. Il a, des partis, une si piètre opinion qu'il ne pense pas qu'ils seront capables de se mettre d'accord entre eux pour gouverner sans lui. C'est là le type du départ moyen de pression comme en mars 1942 : il pense qu'on va être obligé de le faire revenir. Il se trompe. L'attitude du MRP, qui accepte de gouverner avec les socialistes et les communistes, fait que la France va s'engager dans une longue période de gouvernement sans de Gaulle. Cette attitude du MRP, d'où vient-elle ? Il y a également là le témoignage rapporté par Georgette Elgey : la lettre du général Billotte à Maurice Schumann, lue au cours d'une réunion des instances nationales du MRP et qui paraît avoir fait basculer la décision en faveur de la participation parce que le général Billotte affirme à Maurice Schumann que la perspective d'un gouvernement communiste-socialiste, dont tout le monde croit que les communistes le domineraient, inquiète beaucoup les états-majors anglo-saxons et pourrait avoir comme effet une modification complète de l'implantation des forces anglo-saxonnes en Europe et même de la stratégie anglo-saxonne.

Mais il y a eu, je crois, dans le sens de la décision du MRP un autre facteur qui se traduit par ce que Georges Bidault dit, le 20 janvier 1946, à un ami : « C'est le plus beau jour de ma vie. » Je pense qu'il y avait, au MRP, beaucoup de gens qui ne supportaient pas la façon de gouverner du Général, laquelle, en effet, ne devait pas être très agréable pour Bidault, car la politique extérieure était l'affaire du président du gouvernement beaucoup plus que celle du ministre des Affaires étrangères.

— *Comment expliquez-vous cette espèce d'atonie de l'opinion dans cette circonstance ? On a l'impression que les Français n'ont pas réagi, sont restés presque indifférents...*

— Nous sommes déjà, à ce moment-là, dix-huit mois après la Libération et je pense que les sentiments très vifs qui avaient été provoqués chez les Français par l'émotion des derniers combats, la joie de la Libération, l'enthousiasme pour les chars de Leclerc — pour ceux-là comme pour ceux des Américains, car il faut bien le dire, les Français ne faisaient pas le détail —, tout cela est retombé. Les difficultés de l'existence quotidienne l'ont emporté sur les sentiments politiques et patriotiques. D'autre part, ce qui comptait avant tout, pour le Général, c'était la politique étrangère, c'était le rang de la France dans le monde ; or, c'était là quelque chose que les Français ne ressentaient absolument pas à cette époque.

— *Mais n'y a-t-il pas là, justement, une faiblesse politique du Général, que l'on a constatée à d'autres moments ?*

— Bien sûr. Il y a le hiatus, la distance entre ses propres conceptions, ce qui, pour lui, est le plus important, et ce qui l'est, au jour le jour, pour le Français moyen. Dans les moments de grande crise, il y a accord entre « la France dans ses profondeurs » et ce qu'il veut, accord quelquefois dans l'enthousiasme, quelquefois dans la crainte — la « trouille », comme il disait —, mais il faut une crise pour que le courant passe de nouveau. Or janvier 1946 n'est pas une période de crise : d'où, je pense, l'atonie de l'opinion.

L'aventure du RPF.

— *Rejeté par la classe politique, le général de Gaulle se lance dans une aventure qu'il s'est peut-être reprochée ensuite à lui-même, celle de la création du RPF...*

— Le Général s'est-il reproché la création du RPF ? Je ne le sais pas et je ne le crois pas. Mais il a reconnu «sans ambages», le 6 mai 1953, après des élections municipales mauvaises pour son mouvement, que le RPF avait échoué. Seulement — à mon avis — l'échec remonte au point de départ : le Général aurait voulu que des hommes de tous les partis puissent venir au RPF, sauf les communistes : des socialistes, des MRP, des radicaux et des modérés ; or l'interdiction de la double appartenance par le MRP et par la SFIO a fait qu'il n'a obtenu l'accord que de quelques MRP comme Edmond Michelet et de quelques socialistes — très peu finalement. Aussi le RPF a-t-il été débordé par des gens venant du radicalisme et de la droite classique qui l'ont utilisé comme un cheval de Troie pour rentrer en force dans la vie politique française, afin de se dédouaner.

Je crois donc que l'orientation qui fut en fait celle du RPF ne pouvait avoir que de graves inconvénients, dans la mesure, précisément, où elle paraissait marquer le Général à droite. Le mouvement s'est donc soldé par un échec, mais pas par un échec total : d'une part, le Général a créé, dans l'ensemble de la France, un réseau d'hommes qui ont pu le servir en 1958. C'était là un élément positif essentiel sur le plan de l'action politique. D'autre part, grâce à l'expérience du RPF, le Général a beaucoup mieux compris et senti les ressorts de la vie électorale et de la vie parlementaire ; celui qui est revenu au pouvoir en 1958 était, dans ses rapports avec le milieu parlementaire, beaucoup plus habile que celui de 1945 et 1946. C'est tout le contraste entre le discours du 31 décembre 1945 et celui du 2 juin 1958.

Il y a, en somme, toute une formation du Général aux données de la vie politique française qui a été due, en grande partie, à l'expérience de ses contacts avec les parlementaires, de la création du RPF à la scission de l'ARS[3], puis à la mise en sommeil du RPF. Mais ce n'est pas seulement pour cela qu'à mon avis le départ du pouvoir en 1946 n'a pas eu que des inconvénients : en janvier 1946, le Général n'est pas encore l'homme de la décolonisation. C'est l'homme de Brazzaville, c'est-à-dire de l'autonomie interne, de la reconnaissance de la dignité des *personnes* dans les territoires d'outre-mer, mais pas du tout de la reconnaissance du caractère national de ces collectivités, caractère qui, du reste, à ce moment-là, est encore en devenir. Entre 1946 et 1958, il va comprendre, grâce à la distance qu'il prend avec la conduite quotidienne des affaires, grâce à cette période d'oraison, de réflexion sur tout ce qui se passe dans le monde, que l'ère des empires est terminée, que la liberté d'action de la France dans le monde est liée à ce qu'elle se libère elle-même d'un certain nombre de conflits et de difficultés entraînés par la volonté de maintenir l'ère des empires.

Le général de Gaulle de 1958, dans sa vision de la politique mondiale, n'est pas le même que celui de 1946. Je crois que cela est fondamental. Le Général n'aimait pas qu'on le qualifiât d'«homme du 18 juin» parce qu'il pensait qu'il y avait eu dans son action beaucoup d'autres choses que le 18 juin, et je crois que la figure historique de De Gaulle comporte deux volets essentiels : la période de la guerre, «le champion inflexible de la nation et de l'État» veut rendre à la France son rang dans la politique internationale, et la période de 1958 à 1969 pendant laquelle la façon dont il veut rendre à la France son rang n'est plus du tout la même : car c'est par la reconnaissance du fait que toutes les nations doivent être considérées, à parts égales, comme les éléments de la vie politique mondiale, par le refus des hégémonies tant soviétique qu'américaine ; or c'est là une conception tout à fait différente de celle qui consistait à essayer de rétablir l'ancien empire. Finalement, aussi paradoxal que cela puisse paraître de la part d'un gaulliste, je suis convaincu que la distance prise à l'égard de l'événement entre 1946 et 1953 et peut-être surtout entre 1953 et 1958 a été un des éléments fondamentaux du caractère positif de la politique du général de Gaulle entre 1958 et 1969.

— *En 1953, de Gaulle décide donc de mettre fin à l'activité du RPF...*

— La déclaration du 6 mai 1953 est, à mon avis, extrêmement intéressante parce qu'elle exprime un élément fondamental de la politique du général de Gaulle. Je cite : «La nation, faute d'être conduite, retombe dans ses vieilles divisions. Celles-ci l'abaissent et la paralysent. Mis à part les communistes, qui se tiennent séparés de la France» (à ce moment-là : mais, ultérieurement, j'ai entendu le général de Gaulle, au cours d'une réception à l'Élysée, dire à un homme d'État centriste qui lui reprochait la loi électorale qui allait livrer la mairie du Havre aux communistes : «Mais, monsieur, les communistes sont des Français comme les autres !»), donc, mis à part les communistes en 1953, «la gauche éprouve encore des velléités de mouvement mais elle n'admet l'État que faible et inconsistant, la droite n'a pas complètement oublié les traditions, mais elle se défie du peuple. Ni la gauche, ni la droite ne peuvent gouverner ». Je crois que toute la philosophie politique de De Gaulle est là : il veut à la fois le mouvement et les traditions. C'est, en somme, très proche de Marc Bloch qui écrit que celui qui, en France, ne frémit pas au récit du sacre de Reims aussi bien qu'à celui de la fête de la Fédération ne connaît pas, ne peut pas sentir la France. C'est exactement le même état d'esprit. Je crois, par conséquent, que cette déclaration mérite d'être soulignée.

Quand, au surplus, le Général reconnaît « sans ambages » l'échec du RPF, s'il se retire, c'est pour demeurer un recours. C'est parce qu'il ne veut pas continuer à compromettre, dans la vie politique quotidienne, ce qu'il pourrait faire dans une période de crise, qu'il prend cette distance et, en effet, il n'interviendra plus qu'une fois par an, dans une conférence de presse, aussi longtemps que la CED[4] sera menaçante, pour la combattre. Une fois la CED écartée, il ne parlera plus, jusqu'à 1958. Je crois que ce silence de 1953 à 1958, en dehors d'un problème qui met en jeu la vie de la nation par l'intermédiaire de ses moyens de défense, explique beaucoup ce qu'a été fondamentalement la politique du Général.

La Ve République.

— Donc, en 1958, et par des voies inattendues, le général de Gaulle revient au pouvoir. Quelques années plus tard, en 1965, il affronte pour la première fois, dans une élection au suffrage universel, des concurrents à la présidence de la République. On dit, et il l'a dit lui-même, qu'en 1965, après le premier tour, il a pensé quitter le pouvoir. Qu'en est-il exactement ?

— Le Général a dit à Michel Droit qu'après le ballottage il avait eu la tentation de s'en aller et il est certain que ce ballottage lui a été extrêmement amer. Sur ce point, il n'y a pas l'ombre d'un doute. Il ne s'y attendait pas ; en réalité, il avait conçu l'élection un peu comme un référendum et il pensait que, contre la candidature de François Mitterrand, il y aurait, sur son nom, une concentration de tous ceux qui ne voulaient pas d'un candidat soutenu par les communistes. Mais il n'avait pas vu que la candidature d'extrême droite de Tixier-Vignancour, la candidature — difficile à classer — du sénateur Marcilhacy — disons que c'était une candidature d'opposition parlementariste classique —, et celle de Lecanuet allaient disperser les suffrages de façon à le mettre en ballottage. Il a donc certainement eu, à ce moment-là, une tentation de départ.

Comment a-t-elle été surmontée ? C'est le Général lui-même qui l'a surmontée, sinon il ne serait pas revenu à Paris le surlendemain du premier tour.

J'ai joué alors un tout petit rôle, non pas dans sa décision, mais dans la suite, parce qu'un de ses collaborateurs, Jacques Narbonne, m'avait demandé, le lendemain du premier tour, comment j'analysais le résultat du vote des Français et que j'avais fait une note conçue, je l'avoue, de façon à encourager le Général à persister, mais dans laquelle, par scrupule scientifique, je n'avais mis que des choses que je pensais vraies. Je n'avais pas indiqué que la campagne avait été mal menée, mais j'avais indiqué que, d'après les sondages, au référendum de 1962, presque un cinquième de ceux qui avaient voté *oui* disaient l'avoir fait non pas pour maintenir le Général au pouvoir mais avant tout parce que — et cela, tous les sondages le prouvaient depuis 1945 — ils étaient partisans de l'élection du président de la République au suffrage universel direct. Le vote de ces électeurs en 1962 ne les engageait donc pas d'avance à voter pour de Gaulle en 1965, et le résultat obtenu au premier tour correspondait très exactement, en pourcentage, à ceux qui avaient voté *oui*, en octobre 1962, pour garder de Gaulle.

Il me semblait d'autre part que le résultat à attendre du deuxième tour n'était pas douteux : il n'était pas possible que l'ensemble des électeurs de Lecanuet se reportât sur Mitterrand — ceux de Tixier-Vignancour le pouvaient, certains de ceux de Marcilhacy également, mais tous ceux de Lecanuet ne le pouvaient pas. Aussi le résultat du second tour était-il assuré. Ce résultat a d'ailleurs déçu le Général. Je me trouve avoir été invité à l'Élysée par ses collaborateurs le soir du deuxième tour, et je me souviens très bien de l'impression de ceux qui lui avaient téléphoné à Colombey les premiers résultats : 55 %... seulement. Il avait espéré qu'il aurait un peu plus. Il n'avait pas vu cette sorte de loi qui veut que, dans un État occidental moderne, il n'y ait jamais une très forte avance d'une tendance politique sur l'autre. Depuis, on a vu une avance bien moindre, évidemment...

Action et scepticisme.

— *Ces rappels historiques étant faits, nous pourrions peut-être maintenant nous interroger sur la personnalité du général de Gaulle. Ce qui frappe notamment, dans sa carrière politique,*

*c'est son côté joueur. Ainsi au moment des référendums, un
certain goût pour la roulette russe.*

— Effectivement, je crois que le général de Gaulle était un
homme qui prenait des risques. C'est, sans aucun doute, ce qui
le distingue des hommes politiques classiques. Dans la vie
politique traditionnelle, de la IIIe République à la fin de la IVe,
on prend tellement peu de risques que, au moment où l'on
devrait en prendre, on s'arrange pour tomber — à gauche ou à
droite, selon les circonstances — de façon à ménager l'avenir.
Tandis que le général de Gaulle, chaque fois, met en cause tout
l'avenir ou une grande partie de l'avenir. Il y a donc là une
différence de caractère.

La personnalité de De Gaulle est un sujet immense. On ne
peut que formuler des hypothèses. Bien des essayistes et des
biographes ont insisté sur le milieu du général de Gaulle. En
fait, jamais un homme d'un certain format n'est uniquement ce
que son milieu aurait fait de lui. Poincaré n'est pas seulement
l'homme du milieu de ses ancêtres bourgeois de la Meuse, ni
Clemenceau uniquement l'homme du milieu protestant et républicain de la Vendée. Il y a toujours, chez la personne, quelque
chose qui transcende la formation donnée par le milieu, et ce
n'est donc pas cela qui fait la particularité de la personnalité
de De Gaulle.

Il y a quelque chose qui m'a beaucoup frappé quand j'ai lu,
tout récemment, le livre de Jean-Noël Jeanneney et Jacques
Julliard sur «*Le Monde*» *de Beuve-Méry*[5], c'est la lettre du
Général à Beuve-Méry à propos d'un livre de celui-ci : «Cher
Monsieur, j'ai lu et relu les pages que vous réunissez dans *le
Suicide de la IVe République*, je reconnais l'ampleur de la
critique et l'étendue du talent. Peut-être, après tout, rien ne
vaut-il rien...» Car cette formule «rien ne vaut-il rien», je l'ai
lue, écrite de la main du Général, en tête du tome III de ses
Mémoires de guerre[6], appartenant à Emmanuel d'Harcourt,
ambassadeur de France en Irlande ; il l'y a inscrite en 1969,
après le référendum d'avril, et Jean Mauriac, dans son livre
déchirant, *Mort du général de Gaulle*[7], cite entièrement ce texte
écrit sur la page de garde du tome III des *Mémoires de guerre*.
Ce sont trois maximes : «Moult a appris qui bien connut ahan»,
c'est-à-dire «A beaucoup appris qui a beaucoup peiné» : c'est
un proverbe français du XIVe siècle. «Rien ne vaut rien. Il ne
se passe rien et cependant tout arrive, mais cela est indif-
férent» : c'est de Nietzsche. Et : «Vous qui m'aurez connu
dans ce livre, priez pour moi» : c'est de saint Augustin.

«Rien ne vaut rien» : je pense que si, à onze ans d'intervalle et dans des circonstances bien différentes, la formule revient, c'est qu'elle révèle un des traits constants de la personnalité du général de Gaulle : un certain doute sur la valeur de l'action — je dirais presque un certain nihilisme. Une interrogation sur ce qui restera de ce qu'il aura pu accomplir. Le «champion inflexible de la Nation et de l'État», qui est en même temps, ne l'oublions pas, celui qui a dit que «la seule querelle qui vaille est celle de l'homme», est également quelqu'un qui ne sait pas si l'action politique est, finalement, quelque chose qui laisse une trace, qui soit vraiment efficace. Je pense qu'il y a une complexité très profonde de la personnalité du général de Gaulle.

Certaines gens voyaient en lui un homme insensible. Quelle erreur ! De multiples traits de caractère, par exemple des manifestations d'attention pour les membres de son entourage, proches ou non, et tout ce qu'on sait de la douleur que lui a causée l'état de celle de ses filles qui est née handicapée, le fait que, quelques jours avant sa mort, se rendant sur la tombe de sa fille Anne, au cimetière de Colombey-les-Deux-Églises, il ait encore dit à Mme de Gaulle que c'était là qu'il voulait être enterré, tout cela montre qu'il est légitime d'appliquer au général de Gaulle le mot de Barrès : «Profondément, nous sommes des êtres affectifs.»

Mais le personnage qu'il a dû construire en lui pour mener son action politique se devait, pensait-il, de paraître insensible, d'être un «champion inflexible», d'où une tension continue entre une tendance à l'affectivité et une volonté d'intransigeance, donc une apparence d'inflexibilité, une apparence d'homme qui ne connaissait que la raison d'État.

On lui a reproché, au moment de l'affaire d'Algérie, d'avoir été insensible aux souffrances des Français d'Algérie. Effectivement, il n'a pas exprimé ce qu'il ressentait, mais la formule qu'il a employée un jour sur ce qu'il y avait de pénible, «pour un homme de son âge et de sa formation», à faire la politique qu'il devait faire marque bien qu'il l'avait ressenti. Ce que je crois, c'est que la tension entre la volonté et l'affectivité a pu se traduire par moments dans une tentation de scepticisme quant à la valeur de l'action : d'où la persistance de cette formule nietzschéenne : «Rien ne vaut rien.»

Je crois en somme que la personnalité profonde du général de Gaulle n'est pas seulement celle de l'homme d'État qu'il a été. Ce qui me frappe, c'est la richesse de cette personnalité, qui comporte les contradictions internes que connaît toute personne, contradictions qu'une personne de sa qualité peut dominer, dans l'action, par la volonté ; je crois que c'est cela, en fin de compte, la leçon essentielle que l'on peut tirer de ce que de Gaulle a été et de ce qu'il a fait.

Notes.

1. Le PSF ou Parti social français a été fondé, en 1936, par le colonel de La Rocque, après que la ligue des Croix-de-feu eut été dissoute par le gouvernement Léon Blum. Le PSF devint avant la guerre la principale force politique de la droite.

2. Fayard, 1965.

3. L'ARS ou Action républicaine et sociale fut créée, en juillet 1952, par des parlementaires RPF favorables à Antoine Pinay. Cette formation devait fusionner avec le Centre national des indépendants en 1954.

4. La Communauté européenne de défense, imaginée après la guerre de Corée, et qui sera rejetée par l'Assemblée nationale au mois d'août 1954, au moment où Pierre Mendès France est au pouvoir.

5. Éd. du Seuil, 1979.

6. T. III, *Le Salut*, Plon, 1959.

7. Grasset, 1972.

Repères chronologiques

1949	**20-27 mars**	Le RPF obtient 31% des voix aux élections cantonales.
1950	**17 juin**	Élections législatives, le RPF obtient 118 sièges sur 625.
1952	**27 mai**	Signature du traité instituant la CED.
1953	**26 avril-3 mai**	Élections municipales décevantes pour le RPF.
	6 mai	De Gaulle signifie au RPF de ne plus avoir à participer aux élections ni aux activités de l'Assemblée.
1954	**octobre**	Publication du premier tome des *Mémoires de guerre*, chez Plon.
1956	**juin**	Second tome des *Mémoires de guerre*, chez Plon.

Le retour au pouvoir, la Ve République.

1958	**1er juin**	L'Assemblée nationale accorde l'investiture au gouvernement de Gaulle.
	juin-août	Voyages en Algérie et en Afrique noire.
1959	**16 septembre**	Dans une allocution radiotélévisée, de Gaulle promet l'autodétermination aux Algériens.
	octobre	Parution du troisième tome des *Mémoires de guerre*, chez Plon.
1960	**janvier-août**	Proclamation de l'indépendance des nouvelles républiques issues des colonies françaises d'Afrique noire.
	4 novembre	Dans une allocution radiotélévisée, le général de Gaulle parle de la «République algérienne».
1961	**22 avril**	Putsch des généraux.
1962	**8 avril**	Référendum sur l'approbation des accords d'Évian : 90,60% de oui.
	28 octobre	Référendum sur l'élection du président de la République au suffrage universel : 61,70% de oui.
	18-25 novembre	Élection législative ; l'UNR emporte 233 sièges, la majorité 270.
	7 décembre	Formation du nouveau cabinet Pompidou.
1965	**5-19 décembre**	De Gaulle élu président de la République au suffrage universel, contre François Mitterrand.
1968	**10-11 mai**	«Nuit des barricades» du quartier Latin.

	24 mai	Allocution radiotélévisée sur la participation.
	29 mai	Voyage éclair à Baden-Baden.
	30 mai	Allocution radiotélévisée ; dissolution de l'Assemblée nationale ; défilé gaulliste de la Concorde à l'Étoile.
	10 juillet	Démission du gouvernement Pompidou ; le 12, formation du cabinet Couve de Murville.
1969	**17 janvier**	Pompidou annonce, à Rome, qu'il serait candidat à la présidence de la République si le général de Gaulle venait à se retirer.
	27 avril	Référendum sur l'organisation des régions et du Sénat ; le non l'emporte par 53,20%.
	28 avril	Le général de Gaulle cesse d'exercer ses fonctions.
1970	**9 novembre**	Mort de Charles de Gaulle à Colombey-les-Deux-Églises.

Pour en savoir plus

Le gaullisme du général de Gaulle.

Pour connaître le gaullisme, rien ne remplace la lecture des écrits du général de Gaulle :

La Discorde chez l'ennemi, Nancy, Berger-Levrault, 1924 ; Plon, 1971.

Le Fil de l'épée, Nancy, Berger-Levrault, 1932 ; Plon, 1971.

Vers l'armée de métier, Nancy, Berger-Levrault, 1934 ; Plon, 1971.

La France et son armée, Plon, 1938.

Trois études, Nancy, Berger-Levrault, 1945 ; Plon, 1971.

Discours et messages (éd. établie avec le concours de F. Goguel), Plon, 1970 :
1. *Pendant la guerre, juin 1940-janvier 1946.*
2. *Dans l'attente, février 1946-avril 1958.*
3. *Avec le renouveau, mai 1958-juillet 1962.*
4. *Pour l'effort, août 1962-décembre 1965.*
5. *Vers le terme, janvier 1966-avril 1969.*

Mémoires de guerre
1. *L'Appel, 1940-1942*, Plon, 1954.
2. *L'Unité, 1942-1944*, Plon, 1956.
3. *Le Salut, 1944-1946*, Plon, 1959.

Mémoires d'espoir
1. *Le Renouveau, 1958-1962*, Plon, 1970.
2. *L'Effort, 1962...*, Plon, 1971.

La personnalité du général de Gaulle.

Des innombrables ouvrages consacrés au Général, on peut retenir :

P. de Boisdeffre, *De Gaulle malgré lui*, Albin Michel, 1978.

S. et I. Hoffmann, *De Gaulle artiste de la politique*, Éd. du Seuil, 1973.

P.-M. de La Gorce, *De Gaulle entre deux mondes*, Fayard, 1964.

J. Lacouture, *De Gaulle*, t. 1, *le Rebelle*, Éd. du Seuil, 1984.

Cl. Mauriac, *Un autre de Gaulle*, Hachette, 1971.

J. Mauriac, *Mort du général de Gaulle*, Grasset, 1972.

P. Ory, *De Gaulle*, Masson, 1979.

L'histoire des idées gaullistes.

On pourra se reporter à l'ouvrage de J. Touchard, *le Gaullisme 1940-1969*, Éd. du Seuil, coll. «Points-Histoire», 1978, et à celui de J. Charlot, *le Phénomène gaulliste*, Fayard, 1970.

Rappelons enfin que l'Institut Charles-de-Gaulle (5, rue Solférino, 75007 Paris) publie depuis 1972 la revue *l'Espoir*.

21

La politique étrangère
de De Gaulle

Le primat de la politique extérieure

François Goguel

Treize ans après que le général de Gaulle a cessé d'être « le guide de la France », plus de dix ans après sa mort, l'intérêt suscité dans le monde par sa personne et par son action ne faiblit pas. En ont porté témoignage les deux colloques organisés aux États-Unis pour le dixième anniversaire du 9 novembre 1970 : l'un par Nicholas Wahl, à New York University, sur la période antérieure à 1958, l'autre par Stanley Hoffmann, à Harvard University, sur les dix premières années de la Ve République. La publication des Actes de ces colloques montrera le nombre et la qualité des universitaires américains dont les recherches portent sur la « philosophie politique » du Général, sur ses méthodes de travail et d'action, sur sa conception du fonctionnement interne d'un État démocratique dans le monde d'aujourd'hui, comme sur sa vision des relations internationales.

Le livre qu'un politiste américain (enseignant en Grande-Bretagne), Philip G. Cerny, a publié sous le titre *Politics of Grandeur : Ideological Aspects of de Gaulle's Foreign Policy*[1], donne l'occasion de réfléchir sur les aspects essentiels de la politique étrangère de Charles de Gaulle, telle que celui-ci l'a mise en œuvre à partir de juin 1958.

Cette politique reposait-elle sur une idéologie, comme le donne à entendre le sous-titre du livre ? Je ne le pense pas, au sens du moins où le mot désignerait une doctrine fixée une fois pour toutes. Il me paraît, par exemple, certain qu'à l'égard de la décolonisation, de ses modalités et de ses conséquences, les idées de Charles de Gaulle étaient très différentes en 1958 de ce qu'elles avaient été en 1946. Après qu'il se fut dégagé en 1953 de l'action politique quotidienne menée à la tête du RPF, ses méditations l'avaient amené à comprendre que l'évolution qu'il avait toujours prévue mais dont il avait initialement cru qu'elle pourrait s'étaler, sous le contrôle des anciennes puissances coloniales, sur plusieurs décennies, n'échapperait pas en réalité à l'accélération de l'histoire, et devrait s'accomplir d'elle-même.

La politique étrangère de Charles de Gaulle, pour n'être pas une politique idéologique, n'en a pas moins reposé sur un certain nombre de jugements intellectuels concernant la réalité politique du monde tel qu'il était lorsqu'il revint au pouvoir. Philip G. Cerny montre, en particulier, très bien que les idées du Général sur la méthode à suivre pour faire progresser l'union de l'Europe reposaient sur une conviction de fait, que rien n'est jamais venu infirmer : seuls les États, parce qu'ils bénéficient d'une autorité et d'une légitimité qui leur sont propres, sont en mesure d'obtenir des citoyens et des groupes sociaux, dans chacun de ces États, le respect de règles nouvelles mettant en cause leurs habitudes et leurs comportements traditionnels : « Seul l'État national peut réaliser cette synthèse supérieure de l'unité dans la diversité qui est le but de toute action politique [...]. En fait, même pour de Gaulle, l'État national n'est pas la seule réalité et il ne constitue pas une fin en soi. Mais, en raison de sa nature et de son organisation, donc de son emprise sur une réalité plus complexe et plus profondément enracinée (que celle atteinte par l'organisation communautaire), il fournit les seules bases solides de l'action politique dans le monde d'aujourd'hui. »

Est-ce là de l'idéologie ? Il ne me semble pas, et je pense qu'il en existe beaucoup plus chez les « intégrationnistes » et les « supranationaux », qui prennent leurs désirs pour des réalités et qui risquent de tout compromettre parce qu'ils négligent « la nature des choses ». Tant il est vrai qu'en politique aussi on ne commande à la nature qu'en lui obéissant. Le critique dramatique, qui a récemment prétendu que le drame du *Siegfried* de Jean Giraudoux n'avait pas de sens pour nos contemporains sous prétexte que, Forestier ou Siegfried, qu'il fût français ou allemand, le personnage du drame était en tout cas européen, négligeait cette réalité fondamentale, si bien vue par de Gaulle : on ne peut être européen en soi, mais seulement en qualité de citoyen d'un des États qui constituent l'Europe.

Mais sans doute est-ce à propos des relations franco-américaines et de l'atlantisme, auxquels est consacrée la seconde partie du livre de Philip G. Cerny, que celui-ci remet le plus exactement au point une réalité que les polémiques du moment, qu'elles fussent opposées ou favorables à l'action du Général, avaient obscurcie. « L'antiaméricanisme de De Gaulle n'était pas une aversion pathologique, mais simplement une déduction logique de sa vision de la nature des choses. » Au moment où il reprend le pouvoir, en 1958, la bipolarisation du monde autour des États-Unis et de l'URSS, née à partir de 1947 de la guerre froide, est devenue anachronique parce que les circonstances dans lesquelles elle était apparue se sont transformées. C'est le mérite de De Gaulle d'en avoir immédiatement pris conscience, de même qu'il discerna, le premier, l'importance politique fondamentale qu'était en train de prendre le Tiers Monde décolonisé, du fait de la volonté d'affirmation et d'existence propre de nouvelles nations, dont chacune voulait se doter d'un État. Mais c'est en 1968 seulement qu'Arthur M. Schlesinger constatera : « L'affirmation nationale[2] » a transformé les relations entre, d'une part l'Amérique et le monde occidental, d'autre part la Russie et le monde communiste, et elle a réduit à la fois l'influence russe et l'influence américaine dans le Tiers Monde, et que Robert Kennedy verra dans cette affirmation « la force la plus puissante dans le monde actuel ».

De même, le Général aperçoit mieux que les autres hommes d'État de son temps le danger que comporte pour la paix du monde un système rigide de blocs antagonistes, rassemblés autour de chacune des deux superpuissances, nécessairement tentées par l'hégémonie, que sont l'URSS et les États-Unis : tout conflit secondaire entre de petits États relevant chacun d'un de ces blocs provoque nécessairement le risque d'une escalade impliquant directement les deux géants, comme au moment de la guerre de Corée. D'où son effort pour introduire, par le biais d'une « internationale des nationalismes », c'est-à-dire par l'affirmation de la légitimité et de la nécessité de l'indépendance de chaque nation dotée d'un État, une souplesse indispensable dans le fonctionnement du système international.

Je suis de ceux qui pensent que le mémorandum de septembre 1958 demandant l'organisation d'un directoire à trois de l'Alliance atlantique n'était destiné, dans l'esprit du général de Gaulle, qu'à provoquer un refus qui justifierait plus tard d'autres initiatives pour desserrer le carcan de l'OTAN. Desserrement qui, à ses yeux, n'affaiblirait pas l'Alliance, mais au

contraire la renforcerait en la rendant plus conforme à la
« nature des choses ».

C'est ce que n'a pas compris en 1966 le Département d'État,
aux yeux duquel assouplir le « bloc occidental », c'était nécessairement l'affaiblir et renforcer corrélativement celui dominé par
l'URSS. Trop de diplomates américains, écrit Philip G. Cerny,
ne concevaient la politique d'union européenne que « comme
un moyen de rendre le *leadership* américain acceptable pour les
nations européennes et non de rendre l'Europe indépendante
de ce *leadership* ». D'où leur hostilité à la politique du général
de Gaulle, coupable à leurs yeux à la fois de vouloir une Europe
indépendante et de menacer la cohésion de l'Alliance en
mettant en cause sa direction militaire par les seuls États-Unis.

Ce fut le mérite du président Johnson, au moment crucial où
de Gaulle lui notifia la volonté de la France de retirer ses forces
de l'organisation militaire intégrée de l'Alliance atlantique tout
en demeurant fidèle à celle-ci, que de ne pas céder aux
pressions des diplomates, conduits par le secrétaire d'État
Dean Rusk, par l'ancien secrétaire d'État Dean Acheson et par
le sous-secrétaire d'État George Ball, qui le pressaient d'adopter une politique de représailles envers la France. Selon le
président Johnson, « ce n'était pas une raison suffisante que la
France, dans son droit strict d'État souverain, fît certaines
choses dont les États-Unis eussent préféré qu'elle ne les fît pas,
pour entrer en conflit ouvert avec un homme d'État aussi fier
et aussi indépendant que de Gaulle » : ce qui prouve que les
hommes politiques sont parfois plus réalistes et plus clair-
voyants que les diplomates professionnels.

« La grandeur de la France. »

Philip G. Cerny considère donc que ce n'est pas par hasard
qu'à partir de 1966, et jusqu'au départ du Général en 1969, les
relations franco-américaines se sont considérablement amélio-
rées. Peut-être s'exagère-t-il le caractère « symbolique » de la
décision de soustraire toutes les forces françaises au commandement américain de l'OTAN, mais il a raison de penser que la
coopération technique maintenue dans d'importants domaines
avec cette organisation témoignait de la volonté du général de
Gaulle de ne pas porter réellement atteinte aux capacités
militaires de l'Alliance. L'essentiel, comme il le dit, c'est que
l'attitude de la France, parce qu'elle était conforme à « la nature
des choses », avait fait disparaître des points de friction en

somme artificiels et secondaires entre politique américaine et politique française. «Le rêve atlantique, ce prolongement du rêve américain, est mort de sa mort naturelle : de Gaulle ne l'a pas tué. Cependant c'est lui qui, dans les années 60, a discerné les grandes lignes du développement qui s'annonçait. Il n'a donné qu'un léger coup de coude à l'OTAN, et il n'a plus eu qu'à attendre que le monde en vînt, de lui-même, à voir la réalité dans une perspective gaullienne. »

Ni à propos de l'Europe ni à propos des relations entre la France et les États-Unis, Philip G. Cerny ne considère donc la politique du général de Gaulle comme entachée de cette mégalomanie que tant de petits esprits lui ont reprochée. Comme il l'écrit très bien, «la grandeur n'est pas une politique spécifique, mais une qualité qui doit caractériser tous les aspects de la politique, une attitude de dignité et de respect de soi-même». Nul mieux que de Gaulle ne savait en effet que les moyens matériels de la France, en cette seconde moitié du XXe siècle, étaient bien loin d'être du même ordre que ceux de l'URSS et des États-Unis ; mais «la politique de grandeur exigeait que la France s'efforçât d'exercer une influence qui ne fût pas seulement proportionnelle à ses moyens matériels». Or, c'est un fait que, sous la direction de De Gaulle, elle y était parvenue. Le terme «grandeur», lorsqu'il s'agit de la politique étrangère du Général, doit en somme être pris dans le sens où Léon Blum l'employait, lorsqu'il écrivait, de sa prison de Bourrassol, «le général de Gaulle est le seul qui peut rétablir la grandeur de la France» ; il s'agit, comme l'écrit Philip G. Cerny, d' «une grandeur qui n'est ni agressivité ni expansionnisme ; grandeur de l'esprit, non du pouvoir, de la qualité, non de la quantité, de la moralité, non de l'égoïsme ».

C'est certainement en ce sens qu'il faut comprendre la phrase célèbre de la première page des *Mémoires de guerre* : « La France n'est réellement elle-même qu'au premier rang ; [...] seules de vastes entreprises sont susceptibles de compenser les ferments de division que son peuple porte en lui-même ; [...] notre pays, tel qu'il est, parmi les autres, tels qu'ils sont, doit, sous peine de danger mortel, viser haut et se tenir droit. Bref, à mon sens, la France ne peut être la France sans la grandeur. »

Je me demande cependant si ce texte n'a pas conduit Philip G. Cerny à commettre un léger contresens. Il écrit que la priorité reconnue aux affaires étrangères dans la France de De Gaulle » était destinée (*intended*) à exalter chez les Français la conscience d'appartenir à la même communauté et à transcender ainsi les divisions politiques si marquées dans la société française ; à orienter les croyances de la masse et des élites de manière à renforcer les normes de la Ve République ». La politique étrangère aurait en somme été pour de Gaulle un moyen de faire accepter les institutions et de renforcer la cohésion nationale.

Je ne pense pas que ce soit vrai. La priorité donnée à certains égards en 1958 (mais à certains égards seulement, car l'entrevue avec Adenauer à Colombey et le mémorandum sur la direction atlantique sont antérieurs à la ratification par le peuple de la constitution) à la mise en place d'un État conçu de manière à être capable d'avoir une volonté politique correspondait, selon moi, chez le Général, à la conviction que, depuis d'entre-deux guerres et sous la IVe République, c'était l'infirmité de l'État qui avait provoqué l'inconsistance de la politique étrangère de la France. L'État devait être un moyen pour la politique extérieure, et non l'inverse.

Quant aux effets de la politique internationale de De Gaulle sur l'opinion nationale, ils sont incontestables, mais ce sont des effets induits, et dont l'importance ne doit pas être surestimée. Certes, les sondages d'opinion prouvent qu'en 1966, après la sortie de l'OTAN, le voyage du Général en URSS et son discours de Phnom-Penh, les Français étaient en majorité « satisfaits » de De Gaulle, sans aucune distinction de sexe, d'âge, de degré d'instruction ni de catégorie socioprofessionnelle. Mais, en mars 1967, cela n'a pas empêché les partis d'opposition d'être à deux doigts de gagner les élections.

Et ce n'est certainement pas pour obtenir des suffrages que le général de Gaulle avait décidé de soustraire toutes les forces françaises de défense au commandement américain, ni qu'il s'était rendu en URSS et avait prononcé son discours du 14 septembre 1966 à Phnom-Penh.

« L'essentiel » dont, selon lui, le chef de l'État devait porter la charge, c'était la défense et la politique étrangère. La légitimité dépendait avant tout de l'attitude de l'État dans ces domaines fondamentaux pour le destin de la nation. Pour Charles de Gaulle, la pire des fautes, le péché contre l'esprit, aurait été de subordonner ses décisions de politique étrangère à des considérations de politique intérieure.

Le « gaullisme » a cessé d'agir

Jacques Julliard

Puisque *L'histoire* m'offre aimablement de réagir à mon tour à l'excellent livre de Philip G. Cerny et au pertinent commentaire qu'en donne François Goguel, voici les quelques réflexions que m'inspire le destin posthume de De Gaulle et de sa politique étrangère.

A propos du personnage, d'abord : comme le duc de Guise, de Gaulle est encore plus grand mort que vivant. Comme dans la pièce de Ionesco, son cadavre s'allonge de jour en jour, au point d'encombrer toute la scène politique. Du vivant du Général, la France se divisait en gaullistes et antigaullistes. Depuis sa mort, elle se divise en gaullistes de droite et en gaullistes de gauche. Les nouvelles attitudes jettent une ironique lumière rétrospective sur les déclarations de la gauche contre la force de frappe ou celles de la droite contre l'exercice solitaire du pouvoir. De Gaulle lui-même avait prévu le phénomène quand il disait de ses opposants : « Ils attendent ma mort pour se réclamer de moi. »

Les États-Unis eux-mêmes sont gagnés par la contagion. Des hommes comme Nixon, Kissinger, Kennan avaient très tôt proclamé leur admiration. D'autres, aujourd'hui, oublient les rebuffades passées pour souligner la fidélité du Général aux alliances de la France dans les cas graves (Berlin, Cuba). Ils constatent, en outre, qu'à la différence d'autres partenaires européens, plus dociles mais plus apathiques, la France, en raison même de sa volonté d'autonomie, accepte sans rechigner de prendre en charge une part importante des dépenses militaires de l'Occident. Enfin, de nombreuses déclarations ultérieures, notamment de la part de Kissinger, ont validé le scepticisme de De Gaulle quant à l'automaticité d'une réplique nucléaire américaine à une agression soviétique contre l'Europe occidentale. « Aide-toi, l'Amérique t'aidera » : cette formule pourrait convenir à la fois à la diplomatie gaulliste et à l'actuelle diplomatie américaine.

« *Aide-toi, l'Amérique t'aidera.* »

C'est un bon exemple de *self full-filling prophecy*. En affirmant, avec une froide lucidité, qu'une nation n'est susceptible de mettre en jeu son existence dans un conflit nucléaire que si elle juge menacés ses intérêts vitaux, de Gaulle a contribué à diminuer, aux yeux des Européens d'abord, des Soviétiques éventuellement et enfin des Américains eux-mêmes, la crédibilité de la protection atomique de l'Europe par les États-Unis. Car l'efficacité de la dissuasion nucléaire repose tout entière sur la représentation que s'en fait l'adversaire. D'où les révisions diplomatiques en cours en Allemagne de l'Ouest, le consensus sur la politique nucléaire en France, cependant que les États-Unis, sans se l'avouer, sont psychologiquement sur le chemin, sinon de l'isolationnisme, du moins d'une conception plus stricte et plus étroite de leurs intérêts vitaux.

Enfin, depuis l'affaire des otages en Iran, les États-Unis comprennent mieux que la politique étrangère peut être le lieu de reconstitution d'un consensus national brisé dans des expéditions coloniales ou impériales. Sur ce point, je ne partage pas les réserves de François Goguel à l'égard de la démonstration de Philip G. Cerny ; il me semble qu'entre autres choses de Gaulle a vu dans son ambitieuse politique extérieure un moyen de détourner les Français de leur délectation morose à la suite de la perte de leur empire colonial.

Mais ne nous y trompons pas : le succès posthume des principes gaulliens en politique étrangère donne la mesure exacte de leur éloignement. Quand une idée devient la chose du monde la mieux partagée, quand elle devient le patrimoine commun de gens que tout sépare, c'est qu'elle a cessé d'agir. Ce n'est pas pour rien que de Gaulle s'est lui-même comparé à Don Quichotte et à Tintin. Du premier, il a le côté « chevalier de l'impossible » ; du second, il a la ruse et l'opportunisme qui permettent, dans une certaine mesure, de compenser un défaut de puissance. Il n'est nullement à l'origine d'un nouveau système international. Sa politique d'indépendance nationale, pour la France d'abord, pour les autres peuples ensuite, n'est pas la négation radicale de l'existence des blocs, mais un sous-ensemble diplomatique qu'il inscrit dans les marges et dans les failles du système mondial. Ces marges et ces failles se sont nommées affirmation du Tiers Monde, irruption de la Chine sur la scène internationale, déboires américains au Vietnam.

Des alliés, pas des protecteurs.

Mais, par-dessus tout, la politique étrangère de De Gaulle a été rendue possible par la détente entre les deux Grands. Elle a permis d'introduire un peu de souplesse dans le réseau des alliances et de reconquérir une marge d'autonomie pour des puissances moyennes comme la France. A l'égard du Pacte atlantique, ce n'était pas l'indépendance qui était recherchée, mais l'autonomie interne. De Gaulle, de 1962 à 1966, ne paraît pas avoir raisonné autrement que de 1948 à 1952. De même, en faisant du respect de la souveraineté des États un principe essentiel de sa diplomatie, de Gaulle n'a jamais voulu signifier une égalité absolue entre ceux-ci. Au contraire : il était convaincu des responsabilités propres aux plus grands d'entre eux. Il pensait seulement que la direction du monde ne devait pas se limiter à deux membres, mais à quatre ou cinq, dont la France. Pour le reste, il n'eût jamais voulu accorder à l'Italie par exemple, ou au Japon, ce qu'il ne cessait de réclamer en faveur de la France.

Paradoxalement, la vogue du gaullisme s'affirme à un moment où sa mise en pratique est devenue très difficile. Ce neutralisme régional sous parapluie américain est devenu fort délicat à manier depuis la fin de la détente. Déjà l'invasion de la Tchécoslovaquie, en 1968, avait été un rude coup pour la diplomatie du général de Gaulle. Après l'invasion de l'Afghanistan, les événements de Pologne, le déséquilibre militaire en Europe, la marge de manœuvre s'est beaucoup rétrécie. Chacun en convient. Mais il est probable que le «gaullisme» de bien des politiques et de bien des diplomates a une signification moins précise, plus générale, et valable quel que soit le contexte : à savoir qu'un peuple libre ne peut s'en remettre à personne du soin de sa survie ; un tel peuple peut avoir des alliés, non des protecteurs.

Reste le souci de la «grandeur». Loin d'être le produit de la mégalomanie d'un homme, elle est au contraire une constante de la diplomatie française. On en trouverait l'affirmation depuis fort longtemps. A tout le moins, depuis Louis XIV. Et depuis la Révolution, les Français se sont persuadés qu'ils ont une mission particulière à remplir à travers le monde. Le programme du CNR, qui est l'œuvre de la Résistance intérieure et non du gaullisme, assigne aussi pour mission à la diplomatie de rétablir la France dans sa «grandeur». Le mot fera de plus en plus sourire dans le monde de demain. La grandeur ne saurait

être une revendication ; tout au plus un constat. N'empêche :
sur ce point, comme sur beaucoup d'autres, de Gaulle n'a pas
bercé les Français de ses propres chimères ; il est allé à la
rencontre de leurs rêveries les plus constantes et les plus
profondes.

Notes

1. G. Cerny. *Politics of Grandeur*, Cambridge University Press, 1980.
2. Je traduis ainsi le terme anglais *nationalism* parce que le mot français « nationalisme » comporte à mon sens d'autres implications.

Les auteurs

Jean-Charles Asselain : Agrégé d'histoire, professeur de sciences économiques à l'université de Bordeaux-I et directeur du Laboratoire d'économie politique de l'École normale supérieure. Il a publié, entre autres, *Histoire économique de la France du XVIIIe siècle à nos jours*, t. 1, *De l'Ancien Régime à la Première Guerre mondiale*, t. 2, *De 1919 à la fin des années 1970*, Éd. du Seuil, coll. «Points-Histoire», 1984.

Jean-Pierre Azéma : Maître de conférences à l'Institut d'études politiques de Paris. Il a publié plusieurs ouvrages dont *la IIIe République* (avec Michel Winock), Calmann-Lévy, 1970, rééd. Le Livre de poche, coll. «Pluriel», 1978, et *De Munich à la Libération 1938-1944*, Éd. du Seuil, coll. «Points-Histoire, Nouvelle histoire de la France contemporaine, nº 14», 1979.

Yves Durand : Maître assistant d'histoire contemporaine à l'université d'Orléans, auteur, entre autres, d'un ouvrage remarqué sur *Vichy, 1940-1944*, Bordas, 1972, et d'une monographie, *Libération des pays de la Loire*, Hachette, coll. «Libération de la France», 1974.

Jean-Baptiste Duroselle : Ancien élève de l'École normale supérieure, professeur d'histoire des relations internationales à l'université de Paris-I (Panthéon-Sorbonne). Membre de l'Institut. On lui doit de nombreux ouvrages d'histoire contemporaine, parmi lesquels : *De Wilson à Roosevelt. Politique extérieure des États-Unis, 1913-1945*, Colin, 1963, *La France et les Français*, t. 1, *1900-1914*, t. 2, *1914-1920*, Bordas, coll. «Richelieu», 1972, *la France et les États-Unis*, Éd. du Seuil, coll. «L'Univers historique», 1976, *Politique étrangère de la France : la décadence 1932-1939*, Éd. du Seuil, coll. «Points-Histoire», 1983, *l'Abîme 1939-1945*, Imprimerie nationale, 1982.

Étienne Fouilloux : Professeur d'histoire contemporaine à l'université de Caen, il fait des recherches sur l'évolution des christianismes au XXᵉ siècle. Sa thèse, *les Catholiques et l'Unité chrétienne du XIXᵉ au XXᵉ siècle,* a été publiée aux Éditions du Centurion en 1982.

Patrick Fridenson : Maître assistant d'histoire contemporaine à l'université de Paris-X-Nanterre, directeur de la revue *le Mouvement social.* Il a notamment publié *Histoire des usines Renault : naissance de la grande entreprise (1893-1939),* Éd. du Seuil, coll. « L'Univers historique », 1972, et *1914-1918 : l'autre front,* Éditions ouvrières, 1977.

François Goguel : Ancien président du Conseil constitutionnel. Secrétaire général honoraire du Sénat, président de la Fondation nationale des sciences politiques. De 1948 à 1970, à l'Institut d'études politiques de Paris, il a été chargé des cours sur la vie politique en France et sur les institutions de la Vᵉ République. En 1969, le général de Gaulle lui a confié le soin de présenter et d'annoter ses *Discours et messages.*

Stanley Hoffmann : Spécialiste de la vie politique et intellectuelle de la France, théoricien des relations internationales, il préside le Centre d'études européennes de l'université de Harvard. Il a publié de nombreux livres aux États-Unis, dont, récemment, *Primacy or World Order,* McGraw-Hill, 1978, étude de la politique étrangère américaine depuis la guerre froide, et en France, notamment : *Essais sur la France,* Éd. du Seuil, coll. « Esprit », 1974, et *Une morale pour les monstres froids,* Éd. du Seuil, 1983.

Jacques Julliard : Directeur d'études à l'École pratique des hautes études en sciences sociales. Éditorialiste au *Nouvel Observateur.* Auteur de nombreux ouvrages, notamment *Naissance et mort de la IVᵉ République,* Calmann-Lévy, 1968, rééd. Le Livre de Poche, coll. « Pluriel », 1982. Prépare actuellement une histoire de la Vᵉ République.

Jean Lacouture : Arrivé en Indochine en novembre 1945 comme attaché de presse du général Leclerc, puis cofondateur du journal *Paris-Saigon,* il a suivi les principales phases de la guerre d'Indochine des négociations de Hanoi en 1946 aux grandes batailles de 1953. Il a ensuite observé sur place le déroulement de la conférence de Genève en 1954. Il est l'auteur, avec Philippe Devillers, d'une histoire du règlement indochinois, *la Fin d'une guerre*, Éd. du Seuil, 1960, n^{lle} éd. 1969, et d'une biographie, *Hô Chi Minh*, Éd. du Seuil, coll. «Points-Politique», 1967, n^{lle} éd. 1976. On lui doit par ailleurs de nombreux ouvrages, notamment les biographies de *Malraux*, 1973, *Mauriac*, 1980, *Mendès France*, 1981, et *De Gaulle*, t. 1, *le Rebelle*, octobre 1984, tous parus aux Éd. du Seuil.

Michael R. Marrus : Actuellement professeur associé au St. Antony College d'Oxford, il est professeur d'histoire à l'université de Toronto, au Canada. Auteur d'un ouvrage remarqué sur *les Juifs de France à l'époque de l'affaire Dreyfus*, Calmann-Lévy, 1972 ; il a publié chez le même éditeur, en 1981, un ouvrage intitulé *Vichy et les Juifs* en collaboration avec Robert O. Paxton, de l'université Columbia de New York.

Guy Pervillé : Né en 1948. Ancien élève de l'École normale supérieure, agrégé d'histoire, assistant en histoire contemporaine à l'université de Limoges. Auteur d'une thèse de 3e cycle sur *les Étudiants algériens de l'Université française 1880-1962*, CNRS, 1984, il poursuit ses recherches sur la politique algérienne de septembre 1944 à juillet 1962.

Denis Peschanski : Ingénieur au CNRS (Institut d'histoire du temps présent), il consacre ses recherches à l'histoire du parti communiste français et à l'histoire de la Seconde Guerre mondiale. Auteur d'une thèse de 3e cycle sur *Discours communiste et grand tournant. Étude du vocabulaire de «l'Humanité»*, *1934-1936*, il prépare actuellement une thèse de doctorat d'État sur le PCF de 1938 à 1941.

René Rémond : Professeur (et ancien président) de l'université Paris-X-Nanterre, président de la Fondation nationale des sciences politiques, il est l'auteur de nombreux ouvrages, notamment : *Introduction à l'histoire de notre temps*, t. 1, *l'Ancien Régime et la Révolution, 1750-1815*, t. 2, *le XIXe Siècle, 1815-1914*, t. 3, *le XXe Siècle, 1914 à nos jours*, Éd. du Seuil, coll. «Points-Histoire», 1974, et *les Droites en France*, Aubier, 1982.

Jean-Pierre Rioux : Chargé de recherche à l'Institut d'histoire du temps présent (CNRS), il a publié de nombreux ouvrages,

dont *la Révolution industrielle, 1780-1880,* Éd. du Seuil, coll.
« Points-Histoire », 1971, et *la Ligue de la patrie française, 1899-
1904,* Beauchesne, 1977. Tout récemment il a publié *la France
de la Quatrième République,* t. 1, *l'Ardeur et la Nécessité, 1944-
1952,* t. 2, *l'Expansion et l'Impuissance, 1952-1958,* Éd. du
Seuil, coll. « Points-Histoire, Nouvelle histoire de la France
contemporaine n°s 15 et 16 », 1980 et 1983.

Henry Rousso : Ancien élève de l'École normale supérieure de
Saint-Cloud, agrégé d'histoire, il est attaché de recherche à
l'Institut d'histoire du temps présent (CNRS). Il a publié un
ouvrage remarqué sur la fin de Vichy, *Un château en Allemagne,* Ramsay, 1980.

Marc Sadoun : Professeur de sciences politiques à l'université
de Lille-II, il est l'auteur d'une thèse sur *les Socialistes sous
l'Occupation,* publiée aux Presses de la Fondation nationale
des sciences politiques, 1982.

Michel Winock : Maître de conférences à l'Institut d'études politiques de Paris, a publié plusieurs ouvrages sur la France
contemporaine, notamment *Histoire politique de la revue
« Esprit », 1930-1950,* Éd. du Seuil, coll. « L'Univers historique », 1975, *La République se meurt. Chronique 1956-1958,*
Éd. du Seuil, 1978, *Édouard Drumont et Cie,* Éd. du Seuil, 1982.

Index

Table

Des propositions fantômes, 56. - Contre l'occupant
et la bourgeoisie, 59. - Le 10 juillet ou la mi-août ?,
61. - Des communistes chez Abetz, 63. - Assurances
soviétiques ou manœuvres allemandes ?, 67. - Sensibilités diverses, 70. - La trêve est finie, 71.

Le préfet d'Orléans reconstruit, 78. - Un « royaume
du Maréchal » ?, 80. - « Souverain » de tous les
Français, 81. - Capitale, Vichy, 83. - Offres de
collaboration, 84. - Du côté des prisonniers, 85. -
« Quarante millions de pétainistes ? », 89.

« Juifs étrangers contre juifs français », 97. - Laval
livre les enfants..., 99. - ...Jean Leguay les envoie à
Auschwitz, 101. - « Pas un enfant ne doit rester en
France », 102. - Vichy refuse l'émigration en Amérique, 104. - La déportation, une « solution de facilité » ?, 106. - « Purger la France des indésirables »,
108. - Des enfants victimes de l'indifférence, 109.

Sources, méthodes, lectures, 114. - Les hommes de
la Résistance, 117. - Le camp du refus, 119. - De la
première à la onzième heure, 121. - Les socialistes,
127. - Restauration républicaine, 129. - La « question
juive », 129. - Supprimer le nazisme..., 131.

Le procès de Riom, 143. - Dans les mouvements, 146.
- Coupables de politique ?, 149.

Table   369

ou péril allemand ?, 222. - Signer n'est pas ratifier, 223. - La discorde dans les partis, 224. - Deux coalitions insolites, 227. - L'échec final, 228. - Vingt-cinq ans plus tard, 230.

« Un casque colonial retourné », 235. - Le projet du général Blanc, 236. - L'opération Vautour, 237. - Bidault seul avec Dieu, 238. - Le vautour renaît de ses cendres, 239. - Les « œufs de Pâques », 241. - Les derniers jours du camp retranché, 242. - Au revoir, mon général, 243. - « Le deux de trèfle et le trois de carreau », 244.

Un été chaud à Saint-Céré, 248. - Un « petit rigolo », 250. - « Mendès-lolo », 252. - « Sortez les sortants ! », 254. - La fin du bon beurre, 257. - Contre les « Bastilles fiscales », 258. - « Poujadolf » ?, 260. - La parole aux muets, 262.

« Ce soir ou jamais ! », 268. - Un homme à abattre, 270.

Émeute ou révolution ?, 284. - Le pouvoir abandonne le pouvoir, 286. - Incertitudes, 288. - De Gaulle : militaire factieux ou père de la patrie ?, 290. - « J'accélère le progrès du bon sens » (de Gaulle), 291.

Table 371

Le détournement de cadavres, 299. - Et les épurations ?, 300.

Un soir de juin à Paris, 304. - Une contre-culture «jeune», 307. - «Souvenirs, souvenirs...», 309. - «Paix au Vietnam», 310. - USA, RFA, GB, Pays-Bas, France, 311. - «Traité de savoir-vivre», 313. - Et la prise du Palais d'Hiver ? 314. - «Les murs ont la parole», 317. - «Épidémies psychiques» ?, 318.

L'action pédagogique, 325. - Le drame de Dakar, 326. - L'affaire Muselier, 328. - Les partis contre de Gaulle, 329. - L'aventure du RPF, 331. - La Ve République, 334. - Action et scepticisme, 335.

«La grandeur de la France», 348.

IMPRIMERIE MAME, À TOURS
DÉPÔT LÉGAL FÉVRIER 1985. Nº 8653 (10983)

Collection Points

SÉRIE ACTUELS

Collection Points

SÉRIE BIOGRAPHIE

Collection Points

SÉRIE HISTOIRE

Nouvelle histoire de la France contemporaine

Collection Points

SÉRIE ROMAN